第 6 章
量子魔术和量子神秘

哲学家需要量子理论吗

在经典物理中，存在一个“外面的”客观世界，这一点是和常识相符合的。那个世界以一种清晰的、决定性的方式演化着，并受到被精确表达的数学方程的制约。这一点对于麦克斯韦以及爱因斯坦理论，正如对原先的牛顿理论一样都是正确的。物理世界被认为独立于我们而存在；经典世界究竟“是”什么样子不受我们选择去观察它的方法的影响，而且我们的身体和大脑本身也是那个世界的一部分。它们也被认为是按照同等精密和确定的经典方程演化的。不管我们如何觉得我们清醒的意愿在影响着我们的行为，我们的一切行动都被这些方程所决定。

大多数关于实在的性质、我们清醒的知觉以及表观上的自由意志的严肃的[1]哲学论证的背景都具有一幅这样的图像。一些人也许会对量子理论——这一事物的基本的，却是使人困扰的理论——也起作用感到不舒服。量子理论是在20世纪最初的25年由于观察到世界的实际行为和经典物理的描述之间的微妙偏差而产生的。对许多人来说，“量子理论”这一术语仅仅是唤起某种“不确定性原理”的模糊概念。该原理禁止我们在粒子、原子或分子的水平上对之进行精确的描述，所能得到的只是随机的行为。实际上，我们将会发现，尽管量子描述和经典物理彻底不同，它却是非常精确的。此外，我们还将看到，尽管一般的观点与它正相反，在粒子、原子和分子的微小的量子水平上不出现随机性——它们决定性地进行演化——概率似乎是通过某种大尺度的、神秘的和我们能意识感觉的经典世界的呈现相关联的作用而产生的。我们必须理解量子理论如何迫使我们改变物理实在的观点。

人们会以为量子和经典理论之间的偏差非常微小，但事实上它们同时又是许多中观物理现象的基础。固态物体之所以存在、物质的强度和物性、化学的性质、物质的颜色、凝固和沸腾现象、遗传的可能性，还有许多其他熟知的性质需要量子力学才能解释。也许还有意识，它是某种不能由纯粹经典理论来解释的现象。我们的精神也许是来源于那些在实际上制约我们居住的世界的物理定律的某种奇怪的美妙特征的性质，而不仅仅是赋予称之为经典的物理结构的“客体”的某种算法的特征。在某种意义上，这也许就是“为什么”尽管经典宇宙已经是如此的丰富和神秘，作为有情感的生物，我们必须在量子世界，而不是在完全经典的世界中生活。为了诸如我们这样的思维的知觉的生物可由世界物质构成，是否需要一个量子世界？诸如这样的问题似乎更适合于让一心建造一个可供人居住的宇宙的上帝，而不是我们去解答！但是这个问题和我们也有关系。如果意识不可能是经典世界的一部分，那么我们的精神必须以某种方式依赖于对经典物理的特殊的偏离。这就是我在本书中还要考虑的问题。

如果我们要深入钻研一些哲学的主要问题：我们世界如何行为，以及由什么构成“精神”也就是“我们”，则我们的确必须屈服于量子理论，这个最精确也最神秘的物理理论。有朝一日科学将会给我们提供比量子理论更好的，对自然的更深刻的理解。我个人的看法是，甚至量子理论也只是权宜之计，肯定不足以作为我们实际生活其中的世界的完整图画。但这不可作为我们的借口，如果我们想得到某些我们需要的具有哲学洞察力的东西，我们就必须按照已有的量子理论去理解世界图像。

不幸的是，不同的理论家对什么是这个图像的实在持不同（尽管在观察上等效）的观点。以中心人物尼尔斯·玻尔为首的许多物理学家说根本就没有客观的图像。在量子水平上，“外界”没有什么东西。实在多多少少只是在和“测量”结果的关系上才呈现。按照这种观点，量子理论仅仅提供了计算步骤，而不想对世界的实际进行描述。我认为，这种对理论的看法是过于悲观了，而我采用更正面的看法，对量子描述赋予客观的物理实在：量子态。

存在一个非常精确的方程，即薛定谔方程，它为量子态提供了完全决定性的时间演化。但是在随时间演化的量子态和被看到物理世界发生的实际行为之间存在一种非常古怪的东西。只要我们认定“发生”了测量，我们就必须抛弃我们直到该时刻止辛辛苦苦演化来的物理态，而用它来计算该态会“跃迁”到一族新的可能的态的不同的概率。除了这个量子跃迁的怪异之外，对于物理形态还存在什么是裁决“测量”实际上已经进行了的问题。测量装置本身毕竟假定是由量子元件建造的，所以也要按照决定性的薛定谔方程演化。“测量”的实际发生是否必须伴随有意识的存在？我想量子理论家中只有少数人会采取这种观点。大概人类的观察者自身也是由微小的量子元件所组成的吧！

我们将在本章的后面考察量子态"跃迁"的某些奇怪推论——例如，为什么在一处的"测量"似乎会在遥远的区域引起一个跃迁！在这之前，我们还将碰到其他的怪现象：有时一个物体可以分别非常好地通过两个不同的途径。但是一旦同时允许通过两条途径它们就会互相抵消，使得任何一条也通不过！我们还将仔细地考察实际上量子态是如何描述的。我们会看到这种描述和相应的经典描述差别有多大。例如，粒子会一下子在两处出现！当一起考虑几个粒子时，我们会看到量子描述是多么复杂。人们会发现，个别粒子本身并没有单独的描述，而必须考虑所有它们在一道的不同形态的复杂叠加。我们会看到为什么同一类的不同粒子不能有各自的本体。我们将仔细地考察自旋的（基本是量子力学的）古怪性质。我们还将考虑由令人困惑的"薛定谔猫"的理想实验所引发的重要问题以及理论家们提出的试图解决这个基本迷惑的各种不同看法。

本章中的一些材料并不像前面（或后面）章节那么明白易解，有时又有点过于专业性。在描述中我尽量做到诚实，这样我们必须更勤勉一些。其目的在于真正理解量子世界。在论证的不甚清楚之处，我建议你要坚持下去，以期对整个结构有点印象。如果无法完全理解也不必沮丧；它是这个学科本身的性质！

经典理论的问题

我们何以得知经典物理不能真正描述我们的世界呢？主要的理由来自实验。量子理论不是理论家们加在我们身上的预言，大多数理论家是无可奈何地被赶到这一个在哲学的许多方面不满意的、奇怪的世界观上去。其根本的原因在于两种物理现象必须共存：粒子，每一粒子只由很少的有限数目（6）的参数（3个位置和3个动量）来描述；还有场，它需要无限多个参数来描述。这种二分法在物理上不是真正协调的。在粒子和场处于平衡（亦即“完全安置好”）的系统中，所有粒子的能量都会被场抽取走。这即是所谓的“能量均分”现象的结果：系统处于平衡时，能量被公平地分布在所有的自由度上。由于场具有无限多个自由度，所以根本就没有给可怜的粒子留下任何能量！

尤其是，经典原子不能是稳定的，粒子的所有运动都转移到场的波动模式中去。让我们回顾一下伟大的新西兰/英国实验物理学家恩斯特·卢瑟福在1911年引进的原子的太阳系模型。公转的电子处于行星的地位，中心的太阳为原子核所取代，它们在很微小的尺度上由电磁力而不是引力绑在一起。一个基本的，并且似乎是不可逾越的问题是，当一个公转电子绕着核子时，按照麦克斯韦理论应发射出电磁波，其强度在比1秒钟短得非常多的时间间隔里迅速地增强到无穷，同时它以螺线形的轨道向内撞到核上去！然而，人们从未观测到过这类事。在经典理论的基础上理解所观察到的结果是非常困难的。原子会发射出电磁波（光），但是只能以突发的形式，它具有非常特别的分立频率，这就是被观察到的狭窄的光谱线（图6.1）。而且这些频率满足“莫名其妙”的规则[2]，这从经典理论观点看来毫无根据。

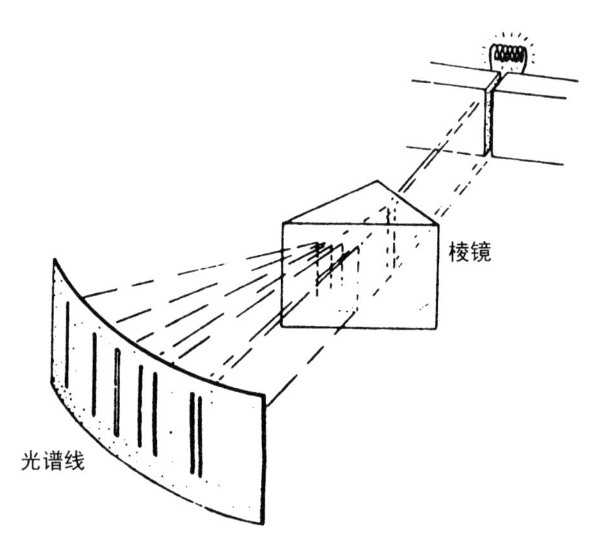

图6.1 经常发现从灼热的物质中的原子发射出的光独具非常特别的频率，可用棱镜把这不同的频率分解，从而提供了原子的特征光谱线

另一种场和粒子不能共存的不稳定性的呈现是称为“黑体辐射”的现象。想象具有某个确定温度的物体，电磁辐射和粒子处于平衡状态。1900年，瑞利和金斯计算出，所有能量都会被场吸收光——没有极限！此处发生了物理上荒谬的事情（“紫外灾难”：能量不断地跑到场中去，跑到越来越高的没有上限的频率上去），而自然本身却更谨慎。在场振动的低频处，能量正如瑞利和金斯所预言的那样。但是在预言到灾难的高端，实际观察显示，能量分布并没有无限增加，而是随着频率增加而下落。在给定的温度下，能量的最大值发生在非常特别的频率（也即颜色）处（图6.2）。（火钳的红颜色和太阳的黄-白热实际上是两个人们所熟知的例子。）

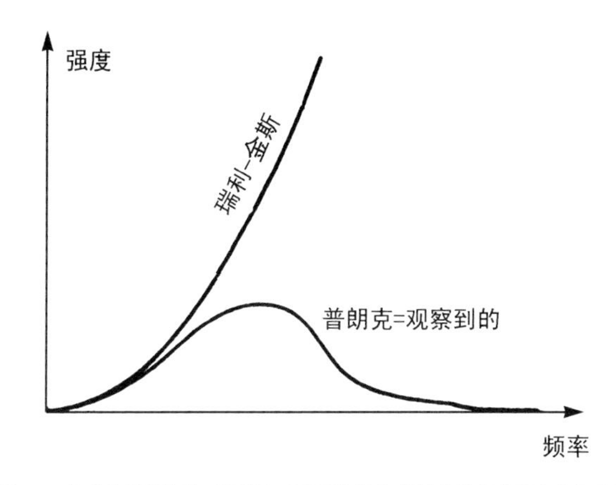

图6.2　经典计算（瑞利–金斯）和观察到的热体（“黑体”）辐射强度之间的偏差导致了普朗克开创的量子理论

量子理论的开端

这些迷惑如何得到解决呢？牛顿原先的粒子理论肯定需要麦克斯韦场来补充。人们是否可以走到另一极端，假定任何东西都是场，而粒子只是某种场的有限尺度的“结”？这本身也有困难，因为这样的话，粒子可连续地改变它们的形状，可以用无限多不同的方式蠕动和振动。而所有这些我们都没看到。物理世界中的所有种类的粒子都显得是等同的。例如，两个电子完全是相互一样的。甚至原子和分子只能采用分立的不同的形态[3]。如果粒子是场的话，那么需要一些新的因素去使场采取分立的特征。

1900年，才华横溢的，但又是保守谨慎的德国物理学家马克斯·普朗克提出了一个革命性的思想用以压制“黑体”的高频率的模式：电磁振动只能以“量子”的形式发生，量子的能量E和频率v之间有一确定的关系：

$$E = h\nu,$$

h为一自然的基本常数，现在被称作普朗克常数。令人叹为观止的是，普朗克利用这个荒谬绝伦（无法无天）的因素，能够在理论上得到和观察一致的作为频率函数的强度，这就是现在所谓的普朗克辐射定律。（按日常标准来看，普朗克常数是非常小的，大约为6.6×10^{-34}焦耳秒。）普朗克凭此壮举揭示了量子理论光临的曙光。尽管在爱因斯坦提出另一个使人惊愕不已的设想，即电磁场只能以这种分立的单位存在之前，普朗克理论并没有引起多大注意。我们记得，麦克斯韦和赫兹指出了光是由电磁场的振荡所组成的。这样一来，按照爱因斯坦——以及牛顿在两个多世纪以前所坚持的——光本身实际上应为粒子！（在19世纪初叶，卓越的英国理论家兼实验家托马斯·杨显明地建立了光为波动的事实。）

光如何由粒子又同时由场振荡所组成的呢？这两个概念的矛盾似乎是不可调和的。某些实验事实很清楚地显示光是粒子，而另一些事实则指出光为波动。1923年，法国贵族及富有洞察力的物理学家路易·德布罗意王子在他的博士论文中（该论文是爱因斯坦认可的！）使这个粒子——波动的图像更加混淆，他提出物体的粒子本身有时应像波动那样行为！任何质量为m的粒子的德布罗意波频率ν也满足普朗克关系式。这与爱因斯坦的$E = mc^2$相结合，即告诉我们ν和m之间的关系是：

$$h\nu = E = mc^2。$$

这样，按照德布罗意的设想，自然不遵循作为经典理论特征的粒子和场的二分法！事实上，任何以某频率ν振荡的东西都只能以分立的单位质量$h\nu/c^2$发生。自然以某种方式设计建造一个协调的世界，在其中粒子和场振动被认为是同一东西！或者，在她的世界中包含某种更微妙的要素，而“粒子”和“波动”两词汇只不过传达了它部分的合适的图像。

1913年，丹麦物理学家及20世纪主要科学思想家尼尔斯·玻尔再次极其漂亮地利用了普朗克关系。一个绕核公转的电子角动量（参阅215页）只能为$h/2\pi$的整数倍，这即是玻尔规则。后来狄拉克为了省事引进了符号$\hbar$：

$$\hbar = h/2\pi。$$

这样，绕着任何轴的角动量的可允许值为

$$0, \hbar, 2\hbar, 3\hbar, 4\hbar, \cdots$$

原子的“太阳系模型”在加上这个新的要素后，就得到了在相当的准确度上，自然实际服从的许多分立的稳定的能量级和谱频率的“怪异的”规则。

玻尔漂亮的设想虽然极其成功，却只是提供了称为“旧量子论”

的某种临时的“凑合物”的理论。我们今天所知道的量子理论是由后来的两套独立的方案所产生的。它们是由两个杰出的物理学家所开创的：一位是德国的沃纳·海森伯，另一位是奥地利的埃尔温·薛定谔。这两种方案（分别为1925年的“矩阵力学”和1926年的“波动力学”）在初始时显得完全不同，但是很快发现它们是等同的，并且很快就被包摄到一个更合理更一般的框架中去。这个框架是在不久之后首先由英国伟大的理论物理学家保罗·阿得林·毛里斯·狄拉克提出。我们将在以下几节了解该理论的概要以及它的非同寻常的含义。

双缝实验

让我们考虑这一“原型的”量子力学实验。一束电子或光或其他种类的“粒子——波”通过双窄缝射到后面的屏幕去（图6.3）。为了确定起见，我们用光做实验。按照通常的命名法，光量子称为“光子”。光作为粒子（亦即光子）最清楚地呈现在屏幕上。光以分立的定域性的能量单位到达那里，这能量按照普朗克公式$E=h\nu$恒定地和频率相关。从未接收过“半个”或任何部分光子的能量。光接收是以

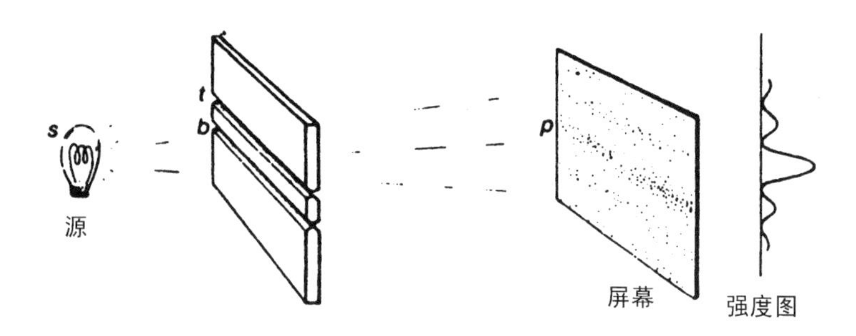

图6.3 单色光的双缝实验

光子单位的完全有或完全没有的现象。只有整数个光子才被观察到。

然而，光子通过缝隙时似乎产生了类波动的行为。先假定只有一条缝是开的（另一条缝被堵住）。光通过该缝后就被散开来，这是被称作光衍射的波动传播的一个特征。但是，这些对于粒子的图像仍是成立的。可以想象缝隙的边缘附近的某种影响使光子随机地偏折到两边去。当相当强的光也就是大量的光子通过缝隙时，屏幕上的照度显得非常均匀。但是如果降低光强度，则人们可断定，其亮度分布的确是由单独的斑点组成——和粒子图像相一致——是单独的光子打到屏幕上。亮度光滑的表观是由于大量的光子参与的统计效应（图6.4）。（作为比较：一个60瓦的电灯泡每1秒钟大约发射出100000000000000000000个光子！）光子在通过狭缝时的确被随机地弯折——弯折角不同则概率不同，就这样得到了所观察到的亮度分布。

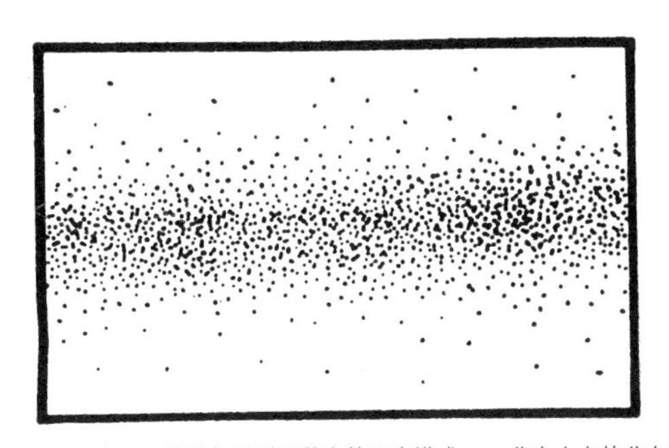

图6.4 只有一个缝隙打开时屏幕上的强度模式——分立小点的分布

然而，当我们打开另一条缝隙时就出现了粒子图像的关键问题！假设光是来自于一个黄色的钠灯，这样它基本上具有纯粹的非混合的颜色——用技术上的术语称为单色的，也即具有确定的波长或频率。在粒子图像中，这表明所有光子具有同样的能量。此处波长约为5×10^{-7}米。假定缝隙的宽度约为0.001毫米，而且两缝相距0.15毫米左右，屏幕大概在1米那么远。在相当强的光源照射下，我们仍然得到了规则的亮度模式。但是现在我们在屏幕中心附近可看到大约3毫米宽的称为干涉模式的条纹的波动形状（图6.5）。我们也许会期望第二个缝隙的打开会简单地把屏幕的光强加倍。如果我们考虑总的照度，这是对的。但是现在强度的模式的细节和单缝时完全不同。屏幕上的一些点——也就是模式在该处最亮处——照度为以前的四倍，而不仅仅是二倍。在另外的一些点——也就是模式在该处最暗处——光强为零。强度为零的点给粒子图像带来了最大的困惑。这些点是只有一条缝打开时粒子非常乐意来的地方。现在我们打开了另一条缝，忽然发现不知怎么搞的光子被防止跑到那里去。我们让光子通过另一条途径时，怎么会在实际上变成它在任何一条途径都通不过呢？

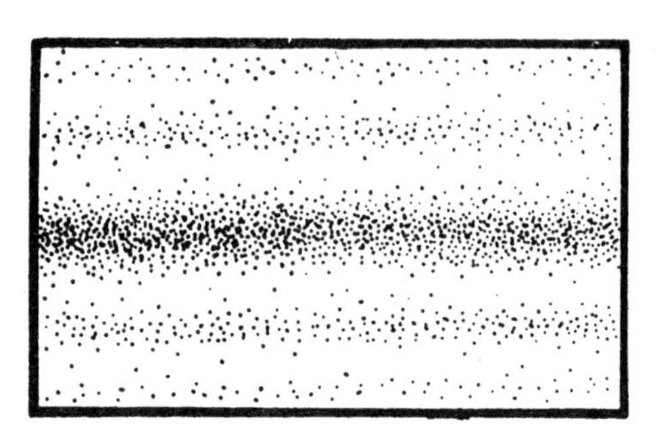

图6.5　两个缝隙同时打开时屏幕上的强度模式——分立小点的波动状分布

在光子的情形下，如果我们取它的波长作为其“尺度”的度量，则第二条缝离开第一条缝大约有300倍“光子尺度”那么远（每一条缝大约有两个波长宽）（图6.6），这样当光子通过一条缝时，它怎么会知道另一条缝是否被打开呢？事实上，对于“相消”或者“相长”现象的发生，两条缝之间的距离在原则上没有受到什么限制。

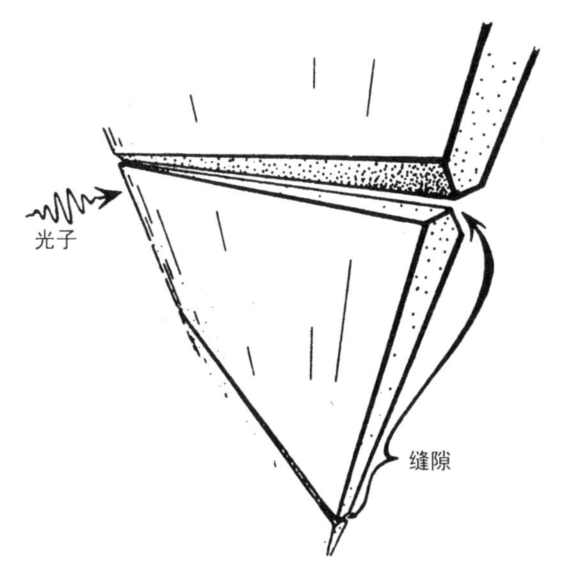

图6.6　从光子的观点看缝隙！大约在300倍“光子尺度”外的第二条缝是开还是闭，对它而言怎么会有影响呢？

当光通过缝隙时，它似乎像波动而不像粒子那样行为！这种抵消——相消干涉——是波动的一个众所周知的性质。如果两条路径的每一条分别都可让光通过，而现在两条同时都开放，则它们完全可能会相互抵消。我在图6.7中解释了何以至此。如果从一条缝隙来的一部分光和从另一条缝隙来的“同相”（也就是两个部分波的波峰同时发生，波谷也同时发生），则它们将互相加强。但是如果它们刚好“反相”（也就是一个部分波的波峰重叠到另一部分的波谷上），则它们将互相抵消。在双缝实验中，只要屏幕上到两缝隙的距离之差为波长的整数倍的地方，则波峰和波峰分别在一起发生，因而是亮的。如果距离差刚好在这些值的中间，则波峰就重叠到波谷上去，该处就是暗的。

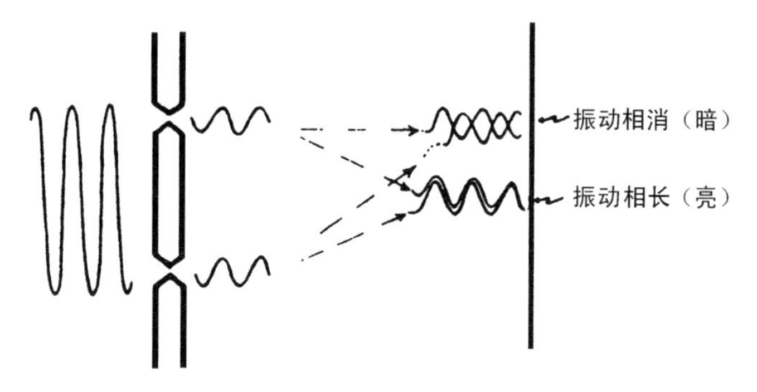

图6.7 在纯粹波动图像中，我们可按照波动的干涉来理解屏幕上亮的和暗（虽然不是分立）的模式

关于通常宏观的经典波动同时以这种方式通过两个缝隙没有任何困惑之处。波动毕竟只是某种媒质（场）或者某种包含有无数很小点状粒子的物体的一种“扰动”。扰动可以一部分通过一条缝隙，另一部分通过另一条缝隙。但是这里的情况非常不同：每一个单独光子自身是完整的波动！在某种意义上讲，每个粒子一下通过两条缝隙并且和自身干涉！人们可将光强降得足够低使得保证任一时刻不会有多于一个光子通过缝隙的附近。相消干涉现象，因之使得两个不同途径的光子互相抵消其实现的可能性，是加在单独光子之上的某种东西。如果两个途径之中只有一个开放，则光子就通过那个途径。但是如果两者都开放，则两种可能性奇迹般地互相抵消，而发现光子不能通过任一条缝隙！

读者应该深入思考一下这一个非同寻常事实的意义。光的确不具有有时像粒子有时像波那样的行为。每一个单独粒子自身完全地以类波动方式行为；一个粒子可得到的不同选择的可能性有时会完全相互抵消！

光子是否在实际上分成了两半并各自穿过一条缝隙呢？大多数物理学对这样的描述事物的方式持否定态度。他们坚持说，两条途径为粒子开放时，它们都对最后的效应有贡献。它们只是二中择一的途径，不应该认为粒子为了通过缝隙而被分成两半。我们可以考虑修正一下实验，把一个粒子探测器放在其中的一条缝隙，用来支持粒子不能分成两部分再分别通过两缝隙的观点。由于用它观测时，光子或任何其他种类的粒子总是作为单独整体而不是整体的一部分而出现，我们的探测器不是探测到整个光子，就是根本什么也没探测到。然而，当把探测器放在其中的一条缝隙处，使得观察者能说出光子是从哪一条缝隙通过时，屏幕上的波浪状的干涉花样就消失了。为了使干涉发生，显然必须对粒子“实际上”通过那一条缝隙“缺乏知识”。

为了得到干涉，两个不同选择都必须有贡献，有时“相加”——正如人们预料的那样相互加强到两倍——有时“相减”——这样两者会神秘地相互“抵消”掉。事实上，按照量子力学的规则，所发生的事比这些还更神秘！两种选择的确可以相加（屏幕上最亮的点），两者也的确可以相减（暗点）；但它们实际上也会以另外奇怪的组合形式结合在一起，例如：

“选择A”加上i乘以“选择B”，

这儿i是我们第3章的“负一的平方根”（$=\sqrt{-1}$）（在屏幕上中等

强度的地方）。事实上任何复数都能在“不同选择的组合”中起作用！

读者可能会记得在第3章时我的复数对于“量子力学的结构是绝对基本的”警告。这些数绝不仅仅是数学的精巧。它们通过令人信服的、使人意外的实验事实来迫使物理学家注意。我们必须接受复数权重才能理解量子力学。现在我们接着考虑它的推论。

概率幅

在上面的描述中利用光子并无任何特别之处。这里可以同样好地利用电子或任何其他种类的粒子或者甚至原子。量子力学的规则坚持，甚至连棒球和大象都应以这种古怪的方式行为，不同选择的可能性可用复数的组合“相加起来”！然而，我们从未在实际中看到棒球或大象这种奇怪方式的叠加。为什么我们没有见到呢？这是一个困难的富有争议的问题，我现在还不想去对付之。作为工作规则，现在让我们简单地假设物理描述有两种不同可能的水平，我们将其称为量子水平和经典水平。我们只在量子水平上利用这些古怪的复数组合。棒球和大象是经典水平上的对象。

量子水平就是分子、原子和亚原子粒子的水平。这通常被认为是非常“小尺度”现象的水平，但是这个“小”实际上并非是指物理尺度。我们将会看到量子效应能在许多米甚至1光年的距离上发生。如果认为只牵涉到非常小的能量差，这才有点接近于认为某种东西是“处于量子水平上”的特征。（以后我将尽力弄得更精确些，尤其是在第8章的465页。）经典水平就是我们直接了解的“宏观”水平。在这水平上，我们的“事物”发生的通常图像是正确的，并且可以使用通常的概率观念。我们将看到在量子水平上，我们必须使用的复数和经典概率有紧密的关系。它们并不真正相同，但是为对付这些复数，先回顾一下经典概率的行为是有益的。

考虑一个不确定的经典情形，两种选择之中我们不知哪一种会发生。可将这种情形描述作这些选择的“加权”组合：

$p\times$“选择A”加上$q\times$“选择B”，

此处p为A发生的概率，而q是B发生的概率。（要记住，概率是在0和1之间的实数。概率1表明“一定发生”，而概率0表明“一定不发生”。概率1/2表明“发生和不发生是同等可能的”。）如果A和B是仅有的不同选择，则两者概率的和必须是1：

$p+q=1$。

然而如果还有其他选择，则此和可以比1小。那么，比率$p:q$就给出了发生A和发生B的概率的比率。在只有两种选择时，发生A和发生B的实际概率分别为$p/(p+q)$和$q/(p+q)$。如果$p+q$比1大，我们还可以这样解释。（这可能是有用的，例如，只要我们进行了多次的实验，p为发生A的次数，q为发生B的次数。）如果$p+q=1$，我们就说p和q是归一化的，这样它们就给出了实际的概率，而不仅仅是概率的比率。

在量子力学中我们将做一些显得与此非常相似的事，现在p和q

变成为复数——我将使用w和z分别表示之：

$w\times$“选择A”加以$z\times$“选择B”。

我们如何解释w和z呢？由于它们会各自独立地变为负数或者复数，它们肯定不是通常的概率（或概率比），但是在许多方面很像概率。它们被叫作（适当地归一化之后——见后面）概率幅，或简单地称作幅度。此外，人们经常用这类暗示概率的术语，如：“发生A的幅度为w和发生B的幅度为z。”它们不是实际的概率，但是我们假装它们是——或宁愿说成概率在量子水平上的相似物。

通常的概率如何起作用呢？考虑一个宏观对象将有助于理解，譬如说打一个球使之穿过两个洞中的一个再到后面的屏幕去——正如上述的双缝实验那样（图6.3），但现在我们用经典的宏观球取代了前面讨论的光子。从s将球打到上洞的概率为$P(s, t)$，打到下洞的概率为$P(s, b)$。而且，如果我们在屏幕上选取特定的一点p，只要球的确通过t，则到此特定的p点的概率为$P(t, p)$，而球通过b到达p的概率为$P(b, p)$。如果只有上面的洞t是开放的，则球通过t到达p的实际概率为将从s到t的概率乘上从t到p的概率：

$$P(s, t)\times P(t, p)。$$

类似地，如果只有下面的洞是开放的，则球从s到p的概率为：

$$P(s, b)\times P(b, p)。$$

如果两个洞都开放的话，则从s通过t到达p的概率仍为第一表达式$P(s, t) \times P(t, p)$，正如只有t洞开放时那样。而从s通过b到p的概率仍为$P(s, b) \times P(b, p)$。所以，从s到p的总概率$P(s, p)$为两者之和：

$$P(s, p) = P(s, t) \times P(t, p) + P(s, b) \times P(b, p)。$$

在量子水平上，除了现在是奇怪的复的幅度起着我们前面的概率的作用外，其规则和这一模一样。这样，在上面考虑的双缝实验中，光子从源s到上缝t我们有一幅度$A(s, t)$，从上缝到达屏幕上p点有一幅度$A(t, p)$，两者相乘得到从s通过t到达p的幅度：

$$A(s, t) \times A(t, p)。$$

作为概率，假定上缝是开的，不管下缝是否打开，这都是正确的幅度。类似地，假定b是开的，则存在光子从s通过b到达p的幅度（不管t是否打开）：

$$A(s, b) \times A(b, p)。$$

如果两条缝隙都打开，我们可得到光子从s到p的总幅度：

$$A(s, p) = A(s, t) \times A(t, p) + A(s, b) \times A(b, p)。$$

这一切都非常好。但是，我们在量子效应被放大达到经典水平从而知道如何去解释这些幅度之前，它对我们并没有多大用处。我们可把一个光子探测器或光电管放在p处，它提供了把量子水平的事件——光子抵达p——放大成经典的可辨别得出的发生，例如听得见的“咔嗒”一声。（如果屏幕的作用相当于照相底版，使得光子留下可见的斑点，那么这也是一样的。但为了清楚起见我们就用光电管好了。）必须存在产生“咔嗒”一响的实际的概率，而不仅仅是这些神秘的“幅度”！当我们从量子水平变到经典水平时，如何从幅度过渡到概率呢？人们发现这里有一种非常美丽而神秘的规则。

其规则是我们必须对量子的复的幅度取平方模以得到经典的概率。什么是“平方模”？回忆一下我们对复平面上的复数的描述（第3章118页）。复数z的模$|z|$简单地就是z离开原点（也就是点0）的距离。平方模$|z|^2$即是这个数的平方。这样，如果我们写：

$$z=x+\mathrm{i}y,$$

这儿x和y都是实数。由于从0到z的连线为直角三角形O，x，z的斜边，从勾股定理得知我们所需的平方模是:

$$|z|^2=x^2+y^2。$$

注意，为了使之成为一个真正的“归一化的”概率，$|z|^2$的值必须在0和1之间。这表明对于适当归一化的幅度，在复平面上z必须处于单位圆内的某处（图6.8）。然而，有时我们要考虑组合：

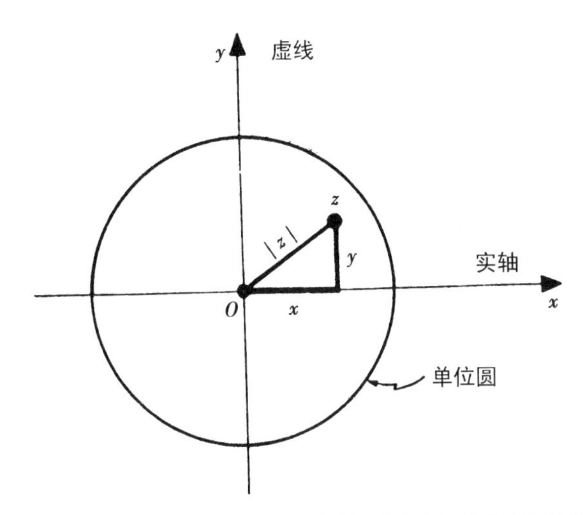

图6.8　用复平面上单位圆内的点z来代表概率幅。其与中心的距离的平方$|z|^2$可成为当效应被放大到经典水平时的实际概率

$$w\times\text{“选择}A\text{”}+z\times\text{“选择}B\text{”},$$

此处w和z仅仅是和概率幅成比例，它们没必要在单位圆内部。它们归一化（并因此提供真正的概率幅）的条件是平方模的和必须为1：

$$|w|^2+|z|^2=1。$$

如果它们不是归一化的，则A和B的实际幅度应分别为：

$$w/\sqrt{|w|^2+|z|^2}\text{ 和 }z/\sqrt{|w|^2+|z|^2},$$

它们都处于单位圆内部。

现在我们看到，概率幅根本不像真正的概率，而更像概率的“复数平方根”。当量子水平上的效应被放大到经典水平上时，这会产生什么影响呢？我们记得，在进行概率和幅度运算时，我们有时要将它们相乘，有时将它们相加。第一点值得注意的是，乘法运算在从量子过渡到经典规则时没有什么问题。这是因为乘积的模数等于各自模数的乘积的这一显著的数学事实：

$$|zw|^2=|z|^2|w|^2。$$

（这个性质可由第3章的一对复数的乘积的几何描述立即得出；但是若按照实部和虚部$z=x+iy \quad w=u+iv$，这还算是一点奇迹。不妨试一下！）

此事实的含义是，如果只有一条通道对粒子开放，也就是在双缝实验中只有一条缝隙（譬如t）开放，即可以“经典地”论证，不管是否在中间某点（譬如在t）进行附加的粒子检测，出来的概率必须是一样的[1]。我们可以在两个阶段或只在最后取平方模，也即：

$$|A(s,t)|^2\times|A(t,p)|^2=|A(s,t)\times A(t,p)|^2,$$

对于最后的概率，其结果都是一样的。

然而，如果多于一条通道可让粒子通过（也即如果两条缝隙都开

---

1. 该检测不可以干扰粒子通过t点。可将许多探测器放置在围绕着s的其他许多地方，当这些探测器都没有发生咔嗒的声响时，就可推理粒子通过t点！

放的话)，则我们要求和，而量子力学的特征就在这里开始出现。当我们取两个复数w和z的和($w+z$)的平方模时，通常不能得到它们各自的平方模的和；还有附加的“修正项”：

$$|w+z|^2=|w|^2+|z|^2+2|w||z|\cos\theta。$$

此处θ为点z和点w对复平面原点所张的角(图6.9)。(我们知道，一个角的余弦是一直角三角形的“邻边/斜边”比。不熟悉上式的敏捷读者可用第3章引进的几何去直接推导之。实际上，这正是众所周知的“余弦规则”，只不过稍微伪装了一下！)正是修正项$2|w||z|\cos\theta$提供了量子力学的不同选择间的量子干涉。$\cos\theta$的值的范围在-1和1之间。我们在$\theta=0°$时有$\cos\theta=1$。这时这两种选择相互加强，使得总概率比单独概率之和更大。我们在$\theta=180°$时有$\cos\theta=-1$，这时这两种选择便相互抵消，使得总概率比单独概率之和更小(相消干涉)。我们在$\theta=90°$时有$\cos\theta=0$。这时得到了一种中间状态，两种概率相加。对于大的或复杂的系统修正项通常被“平均掉了”——因为$\cos\theta$的“平均”值为零——我们就余下通常的经典概率的规则！但是在量子水平上这些项提供重要的干涉效应。

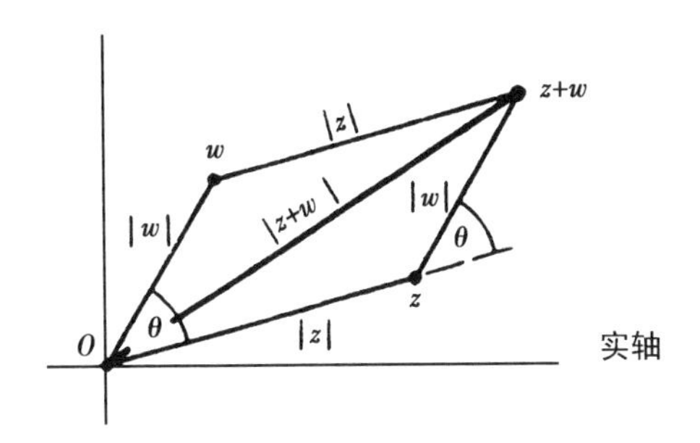

图6.9　有关两个幅度的和的平方模的修正项$2|w||z|\cos\theta$的几何

考虑双缝都打开时的双缝实验。到达p的光子幅度为和$w+z$，此处

$w=A(s,t)\times A(t,p)$和$z=A(s,b)\times A(b,p)$。

在屏幕的最亮的点我们有$w=z$（这样$\cos\theta=1$），所以

$$|w+z|^2=|2w|^2=4|w|^2$$

为只有一条缝开放时概率$|w|^2$的4倍——所以当光子数很大时光强变大到4倍，这与观察相一致。在屏幕的暗的点我们有$w=-z$（这样$\cos\theta=-1$），所以

$$|w+z|^2=|w-w|^2=0,$$

也就是零（相消干涉！），又与观察相一致。在刚好中间的点我们有$w=iz$或$w=-iz$（这样$\cos\theta=0$），所以

$$|w+z|^2=|w\pm iw|^2=|w|^2+|w|^2=2|w|^2$$

给出只有一条缝的强度的两倍（这是经典粒子的情形）。我们在下一节的结尾处会看到如何去实际计算亮、暗和中间的位置。

还有最后一点必须加以评论。当双缝都开放时，通过t到达p的粒子的幅度确是$w=A(s,t)\times A(t,p)$，但是我们不能将其平方模$|w|^2$当作粒子“实际”通过上面的缝隙而到达p的概率。这会导致没有意

义的答案，特别是如果p是在屏幕上的暗的地方时。但是，如果我们决定"检测"光子是否在t存在，把它在那儿的存在（或不存在）的效应放大到经典的水平，则可用$|A(s, t)|^2$作为光子实际到达t的概率。但是这样的检测抹去了波浪状的模式。为了使干涉发生，我们必须保证光子在通过缝隙时仍维持在量子水平上，以使得两个不同途径能共同有贡献并且有时会互相对消。单独的选择途径只有幅度，而没有概率。

粒子的量子态

这些在量子水平上为我们提供了"物理实在"的什么图像呢？在这里，一个系统的不同的"选择可能性"必须一直共存，并且用奇怪的复数权重加在一起。许多物理学家本身对是否能找到这样的图像感到绝望。相反的，他们断言，他们喜欢量子力学仅仅是它为我们提供了计算概率的步骤，而不是物理世界的客观图像的观点。有些人断定量子理论不可能有客观图像——至少没有一种和物理事实相一致。我认为这样的悲观主义是没有根据的。在我们已经讨论到的基础上，采取这种看法无论如何都是不成熟的。我们将在下面讨论某些量子效应更令人吃惊的困惑，进而更全面地了解这种绝望的原因。但是，现在我们暂且更乐观地前进，并接受量子力学告知我们所必须面临的情景。

这就是一种量子态所呈现的图像。我们现在考虑一个单独的量子粒子。一个粒子由它的空间位置经典地决定。为了知道它下一步还要做什么，我们还需要知道它的速度（或等效地，它的动量）。在量子力学中，粒子所能到达的每个单独位置都是它所能得到的一个"选择"。我们看到所有的选择必须以复数的权重组合在一道。这一复权重的集合描述了粒子的量子态。标准的做法是用希腊字母Ψ(发“psi”的音)表示权重的集合，Ψ被认为称作粒子的波函数的位置的复函数。对于每一位置x，波函数都有一个用$\Psi(x)$表示的特殊的值，它是粒子处于x的幅度。我们可用单独的Ψ来表示整个量子态。我所采取的观点是，粒子所处位置的物理实在的确是它的量子态Ψ。

我们如何画出复函数Ψ呢？一下子将所有的三维空间都画出是有点困难，所以我们先简化一些并假定粒子被限制在一维的线上——譬如说沿着标准(笛卡儿)坐标系的x轴上。如果Ψ是一个实函数，则我们可以想象和x轴垂直的“y轴”并画出Ψ的图[图6.10(a)]。但是，为了描述复函数的Ψ的值，我们在这儿需要一个“复的y轴”——它必须是一个复平面。我们在想象中可以利用空间的两个维：譬如把空间的y方向当作复平面的实轴，z方向作为虚轴。我们可以把$\Psi(x)$画成在这个复平面[也即是通过x轴上每一点的(y, z)平面]上的一点，这样就可得到一个波函数的精确的图像。这一点随着x的变化而变化，而它的轨迹在空间画出一条绕着x轴附近的曲线[见图6.10(b)]。我们称这条曲线为粒子的Ψ曲线。如果在一指定点x处放置一台粒子检测器，则在该点找到该粒子的概率可由幅度$\Psi(x)$取平方模而得到：

$$|\Psi(x)|^2。$$

这正是Ψ曲线离开x轴的距离的平方[1]。

---

1. 由于在一个准确点上找到一个粒子的概率为零，所以在这里产生了技术上的困难。我们把$|\Psi(x)|^2$定义为概率密度，它表示在我 们定义的点附近的某个很小的固定尺度的间隔内找到该粒子的概率。这样，$\Psi(x)$定义了幅度密度，而不是一个幅度。

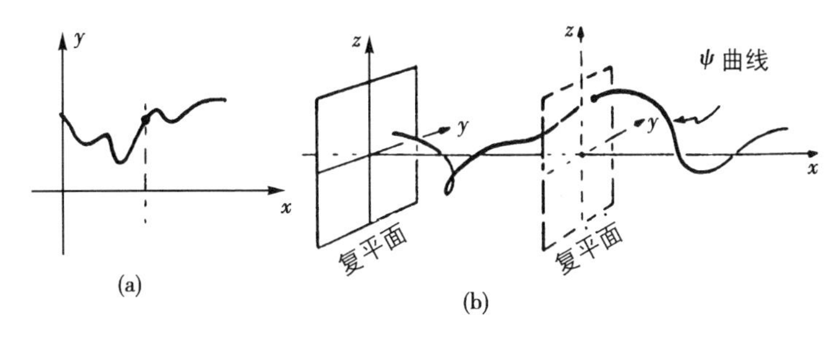

图6.10 （a）实变量x的实函数的图
（b）实变量x的复函数Ψ的图

为了画出在所有三维物理空间上波函数的完整的图，五维是必须的：三维是物理空间，加上画出$\Psi(x)$的复平面的二维。然而，我们简化了的图仍是有助的。如果我们选择沿着物理空间的任一特别的线来考察波函数，我们就可简单地让x轴沿着这线，并临时利用其他两个空间方向来提供所需的复平面。这对理解双缝实验是有用的。

正如我前面提到的，在经典物理中为确定粒子下一步怎么走，人们需要知道它的速度（或动量）。在这里，量子力学以显著的经济的方式为我们提供了这些。波函数Ψ中已经包含有不同可能动量的各种幅度！（一些不满的读者考虑到我们已经将点粒子的简单的经典图像变复杂了这么多，也许认为现在该是有一点经济的“时候”了！虽然我非常同情这种读者，我得警告他们赶紧将扔给他们的这一些先捡起来，因为后面还有更坏的来临！）如何从Ψ来决定速度幅度呢？实际上考虑动量幅度更好。（我们记得动量是速度乘以粒子的质量，215页。）人们所做的是把所谓的调和分析应用到函数Ψ上去。我不可能在这里仔细地解释它。但它和处理乐声有紧密的关系。任何波形都能被分解成为不同“和声”的和（这就是“调和分析”术语之来源)。它们是不同音调(亦即不同频率)的纯净的乐音。在波函数Ψ的情形,“纯音”对应于粒子可能有不同的动量,而每一“纯音”对Ψ贡献的大小提供了该动量值的幅度。而“纯粹乐音”本身被称作动量态。

动量态在Ψ曲线上看起来是什么样子的呢?它看起来像个螺旋,其正式的数学名字叫螺旋线(图6.11)[1]。卷得紧的螺旋对应于大动量,而几乎不卷的只具有很小的动量。极限情形是根本不卷,而Ψ曲线变成直线:这是零动量的情形。这里隐含有著名的普朗克关系。卷得紧表明短波长和高频率,并因此高动量和高能量;而卷得松表明低频率和低能量,能量E总是和频率ν成比例($E=h\nu$)。如果复平面以正常的方法指向,亦即上面给出的按照右手定则的x,y,z描述,那么在x轴正方向上的动量对应于右旋的螺旋(这正是通常用的螺旋)。

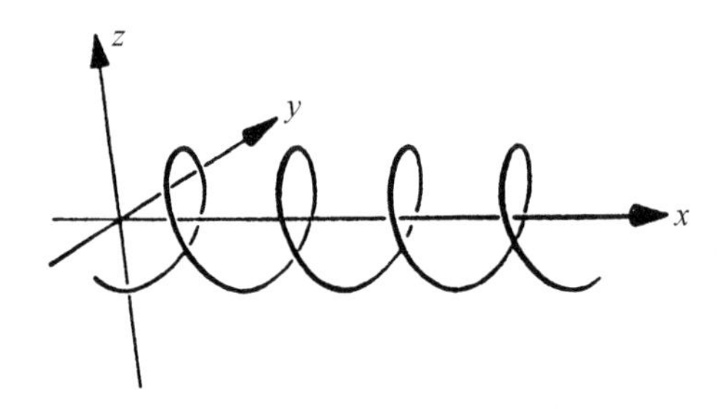

图6.11 动量态具有螺旋形状的Ψ曲线

不像上面那样按照通常的波函数,而是按照动量的波函数来描述量子态有时更有用。这归结为把Ψ按照不同的动量态而展开,从而建立一个新的函数$\tilde{\Psi}$。这回它是动量p而不是位置x的函数。它的

1. 按照更标准的分析的描述,我们的每一个螺旋(也就是动量态)由表达式$\Psi=e^{ipx/\hbar}=\cos(px/\hbar)+i\sin(px/\hbar)$给出(见第3章116页),这里$p$是问题中动量的值。

值$\widetilde{\Psi}(p)$对于每一个p给出了p动量态对Ψ的贡献的大小。(p空间称作动量空间。)$\widetilde{\Psi}$的解释是，对于每一特别选定的p，复数$\widetilde{\Psi}(p)$给出粒子具有动量p的幅度。

在函数Ψ和$\widetilde{\Psi}$之间的关系有一个数学术语。这些函数称为相互的傅里叶变换——这是以法国工程师兼数学家约瑟夫·傅里叶(1768—1830)命名的。在此我只对该关系做些评论。第一点是在Ψ和$\widetilde{\Psi}$之间存在一个显著的对称。我们可以应用在本质上和从Ψ得到$\widetilde{\Psi}$的同样的步骤从Ψ得到$\widetilde{\Psi}$。现在是对$\widetilde{\Psi}$进行调和分析。而"纯粹乐音"(也就是在动量空间表像中的螺旋)被称作位置态。每一位置x在动量空间决定一这样的"纯音"，而这个"纯音"对$\widetilde{\Psi}$的贡献的大小决定了$\Psi(x)$的值。

一个位置态本身在通常的位置空间表像中对应于在一个给定的x值处的非常尖锐的峰，除这一点外任何位置的幅度都为零。这种函数称作(狄拉克)δ函数——尽管由于它在x处的值为无限，从而它在技术上并不是通常意义上的"函数"。同样地，动量态(也即位置表像空间中的螺旋)在动量空间表像中给出δ函数(图6.12)。这样，我们看到了螺旋的傅里叶变换是一个δ函数，而且反之亦然！

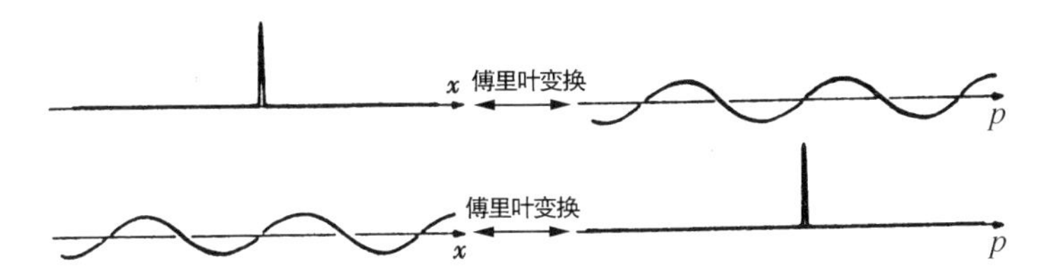

图6.12　位置空间中的δ函数变换成动量空间中的螺旋，反之亦然

每当人们测量粒子的位置，位置空间的描述总会用到。这种测量归结于做一些事情，将不同可能的粒子位置的效应放大到经典的水平。(粗略地讲，光电管和照相底版进行了光子位置的测量。)每当人们测量粒子的动量，动量空间的描述总会用到，这种测量就是将不同的可能的动量的效应放大到经典的水平(反冲效应或晶体的衍射可用于动量测量)。在每种情形下，相应的波函数(Ψ和$\widetilde{\Psi}$)的平方模给出了所要测量结果的所要的概率。

在本节结束之前我们再一次回到双缝实验。我们已经知道，按照量子力学，甚至一个单独的粒子都应像波动一样行为。这个波动为波函数Ψ所描述。动量态是最“类似波动”的波。我们在双缝实验中摹想具有确定频率的光子；这样光子的波函数是由在不同方向的动量态组成。这些态中的螺旋的螺矩都是相同的，这螺矩又称作波长。(波长由频率所固定。)

每个光子波函数一开始从源S散开来并且通过两个缝隙(在缝隙上不做任何检测)而到屏幕上去。只有波函数的一小部分从这缝隙出来。我们将每一条缝隙当作从该处分别散开来的波函数的新源。这两部分波函数互相干涉。这样，当它们到达屏幕时，在有些地方互相叠加，在另外一些地方互相抵消。为了找到它们在何处叠加和何处抵消，我们在屏幕上取点p并考察其到两条缝隙t和b的直线，沿着tp有一个螺旋，沿着bp有另一个螺旋。(我们沿着st和sb也有螺旋，但是假定光源到每一条缝隙的距离相同，则在缝隙处两个螺旋刚好旋转了一样多。)现在，当这些螺旋到达屏幕的p点处旋转了多少得由直线tp和bp的长度决定。当这些长度的差为波长的整数倍时，则两个螺旋在

p点就从它们的轴向同一方向位移（亦即$\theta=0°$，这儿的θ的意思和上节一样），这样相应的幅度就互相叠加，我们得到一个亮点。当这些长度的差为波长的整数倍加上半波长时，则两个螺旋在p点从它们的轴向相反方向位移（$\theta=180°$），这样相应的幅度就互相抵消，我们得到一个暗点。在所有其他情形下，这两个螺旋到达p时位移间有某一角度，这样幅度就以某种中间的方式相加，我们得到中等的光强（图6.13）。

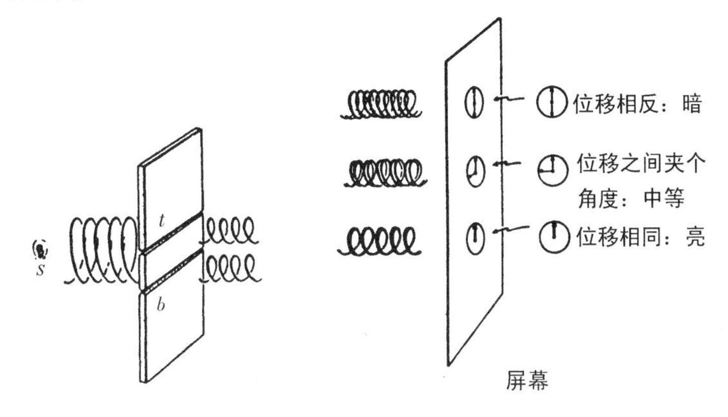

图6.13　按照光子动量态螺旋的描述来分析双缝实验

不确定性原理

大多数读者都听说过海森伯的不确定性原理。根据这一原理，不可能同时将一个粒子的位置和动量精确地测量（亦即放大到经典的水平）。更糟糕的是，这些精度，譬如分别为Δx和Δp的乘积有一绝对极限，它由下面的关系式给出：

$$\Delta x\Delta p \geqslant \hbar 。$$

这一公式告诉我们，位置x测量得越准确，则动量p的测量就越不准确，反之亦然。如果位置被测量到无限精确，则动量就变得完全不确定；另一方面，如果动量被无限精确地测量，则粒子的位置就变得完全不确定。为了从海森伯关系给出的极限大小得到一些感性认识，假定将一个电子的位置测量到纳米（10^{-9}米）的精度，那动量会变得这样的不确定，以至于人们不能预期1秒钟之后电子离其不到100千米！

一些描述使人相信，似乎这仅仅是测量过程中固有的粗陋。相应地根据这种观点，在刚才考虑的电子的情形下，为了找到它的位置不可避免地赋予了它这等强度的“随机的冲动”，使得电子以海森伯原理所表明的数量级的巨大的速度飞开。人们在其他的描述中认为不确定性是粒子自身的一个性质，它的运动有一种固有的随机性，这表明在量子水平上它的行为是内在的不可预见的。还有另一种说法认为，量子粒子是某种不可理喻的东西，对此经典位置和动量的概念均不适用。我对这几种看法都不喜欢。第一种有点误导，第二种肯定是错的，而第三种过于悲观。

波函数的描述究竟告诉了我们什么？首先让我们回忆一下动量态的描述。这是动量被准确指定的情况。Ψ曲线为一个螺旋，它离开轴的距离一直是一样的。所以不同位置的幅度都具有相同的平方模。如果要进行位置测量的话，则在任何一点找到该粒子的概率和在任何其他地方一样。粒子的位置是完全不确定的！关于位置态又如何呢？现在Ψ曲线是一个δ函数，位置被精确地固定在δ函数的尖峰处——其他地方的幅度均为零。在动量空间表像中最容易得到动量幅度。现在Ψ曲线为一个螺旋，而不同动量的幅度具有相等的平方模。在测量粒子动量时，其结果会变得完全不确定！

考察位置和动量都只被部分地限制的中间情形是有趣的，只要它们和海森伯关系相一致就可以了。图6.14画出了这种情形的Ψ曲线和相应的$\tilde{\Psi}$曲线（相互的傅里叶变换）。我们注意到只在非常小的范围内每一曲线到轴的距离明显地不为零。曲线在远处非常紧密地环抱着轴。这样，不管是在位置空间还是在动量空间中都只有在一个非常有限的区域平方模才有可觉察到的大小。因此，粒子在空间可以相当定域，但有一定的弥散，类似地，动量也是相当确定，粒子以相当确定的速度运动，而可能的粒子位置的弥散不随时间增加太大。这样的粒子态被称作波包，经常将它作为一个经典粒子的量子论的最好近似。但是动量（或速度）值的弥散表明波包将随时间弥散。原先开始的位置越定域，则弥散开得越快。

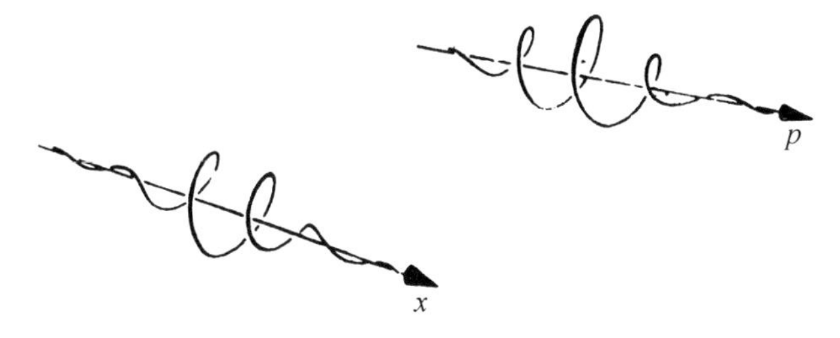

图6.14　波包。这些波包在位置空间和动量空间中都是定域的

U 和 *R* 演化步骤

在描述波包的时间发展中隐含着薛定谔方程，它告诉我们波函数在时间中的实际演化。薛定谔方程实际上是说，如果我们将Ψ分解成动量态（“纯音”），那么每一个单独的分量将以问题中具有此动量

的经典粒子速度去除c^2而得到的速度离开。薛定谔数学方程在实质上是以更加紧凑的形式写下这些。下面我们再看它的精确形式。它有点像哈密顿或麦克斯韦方程（和两者有紧密关系）。和那些方程一样，一旦波函数在某一时刻定好，则给出它的完全确定的演化！（参阅369页。）

我们如果将Ψ当作“世界实在”的描述，只要Ψ是由决定性的薛定谔演化所制约，就根本不存在被认为是量子力学固有的特征的不决定性。让我们将这种演化过程称为$\boldsymbol{U}$。然而，只要我们“进行一次测量”，将量子效应放大到经典水平，我们就改变了规则。现在我们不用$\boldsymbol{U}$，而是用完全不同的我称作$\boldsymbol{R}$的步骤，取量子幅度的平方模以得到经典概率[4]！正是步骤$\boldsymbol{R}$也只有$\boldsymbol{R}$在量子理论中引进了不确定性和概率。

决定性的过程$\boldsymbol{U}$似乎是做量子理论工作的物理学家关心的主要部分；而哲学家则对非决定性的态矢量减缩$\boldsymbol{R}$（或者，正如有时形象化描述的：波函数的坍缩）更感兴趣。我们是否简单地将$\boldsymbol{R}$认为是关于一个系统的“知识”的改变，还是认为（正如我认为的）是“真正地”发生了什么。我们的确得到了物理系统的态矢量随时间变化的两种完全不同的数学方式。$\boldsymbol{U}$是完全决定性的，而$\boldsymbol{R}$是概率定律；$\boldsymbol{U}$保持量子复叠加原则，但是$\boldsymbol{R}$显著地违反之；$\boldsymbol{U}$的作用是连续的，而$\boldsymbol{R}$公然是不连续的。按照量子力学的标准过程，不存在以任何方式将$\boldsymbol{R}$“归结”为$\boldsymbol{U}$的复杂的情况的含义。它干脆是和$\boldsymbol{U}$不同的过程，提供了量子力学的另一“半”的解释。所有的非决定性都是从$\boldsymbol{R}$而不是从$\boldsymbol{U}$来的。为了使量子理论和已有的观测事实美妙地协调，$\boldsymbol{U}$和$\boldsymbol{R}$两者都是需要的。

让我们回到波函数Ψ上来。假定它为一个动量态。只要此粒子不和任何东西相互作用，它就会在其余的时间里快乐地维持在那个动量态上。（这是薛定谔方程告知我们的。）无论我们什么时候去“测量其动量”都会得到同一确定的答案。此处不存在概率。和经典理论一样，可预言性在这里是非常清楚的。然而，假定在某一个阶段我们胆敢去测量（也就是放大到经典水平）粒子位置，这回我们就得到了一系列的概率幅，我们必须将它们平方求模。那时候有许许多多的概率，完全无法肯定测量会产生什么结果，其不确定性和海森伯原理相一致。

另一方面，让我们假定Ψ从一个位置态（或几乎为一个位置态）开始。现在，薛定谔方程告诉我们，Ψ不再停留在位置态上，它会很快地弥散开来。尽管如此，其弥散的方式完全由此方程所决定。它的行为没有任何不确定性或随机性。原则上存在去检查此事实的实验（下面还要讲到）。但是，如果我们不明智地决定去测量动量，就会发现所有可能的不同的动量值的幅度平方模相等。实验的结果则是完全的不确定性，这又和海森伯原则相一致，而概率是由幅度的平方模给定。

这无疑是非常奇怪和神秘的。但是它不是不可理喻的世界图像。关于这个由许多非常清楚和准确的定律制约的图像还有许多可说的。然而，关于何时应该祈求随机性的规则$\boldsymbol{R}$去取代宿命论的$\boldsymbol{U}$尚没有清楚的规则。“进行一次测量”是什么含义？为何（何时）对幅度平方取模使之“成为概率”？“经典水平”能被量子力学地理解吗？这些都是在本章后面要讨论的深刻的令人困惑的问题。

粒子同时在两处

我在上面的描述中采取了也许比通常的量子物理学家们更“现实”的关于波函数的观点。我采取了单独粒子的“客观实在”的状态的确是由它的波函数所描述的观点。似乎许多人发现这个观点很难以严肃的方式予以坚持。之所以这样的一个原因是，它牵涉到我们认为单独粒子在空间中弥散开来，而不总是集中在单独的点上的事实。对于一个动量态，由于Ψ在整个空间范围内平均地分布，这弥散达到了极端。人们不认为粒子本身发散到空间中去，而宁愿认为位置是完全不确定的。这样，人们关于位置所能说的是粒子在任何一处正和在另一处同样的可能。然而，我们已经看到，波函数不仅提供了不同位置的概率分布；它还提供了不同位置的幅度分布。如果我们知道这个幅度分布（亦即波函数Ψ），则我们从薛定谔方程就知道粒子的态从一个时刻向另一时刻演化的精确方式。为了这样地决定粒子的“运动”（也就是Ψ随时间的演化），我们需要粒子的这一“发散开去”的观点；而如果我们的确采用这个观点，我们就会看到粒子的运动的确是被精确地决定的。如果我们对粒子施加位置测量，那么关于$\Psi(x)$的“概率观点”就很合适，因为那时仅仅使用$\Psi(x)$的平方模的形式：$|\Psi(x)|^2$。

看来必须接受这样的粒子图像，它会在空间的大范围内发散开去，并会一直发散到下一次进行位置测量为止。甚至当一个粒子被定域为位置态后，下一时刻就会开始发散开去。动量态似乎难于被接受为一个粒子存在的“实在”图像，但它也许更难被接受为刚穿过双缝出来的双峰态的“实在”图像（图6.15）。在垂直的方向上，波函数Ψ的形式在每一条缝隙处都有尖锐的峰值。该波函数为上缝有峰值的波函数Ψ_t和在下缝有峰值的波函数Ψ_b的和[1]：

$$\Psi(x)=\Psi_t(x)+\Psi_b(x)。$$

如果认为Ψ代表粒子态的“实在”，那么我们必须接受粒子的确同时在两处的图像！基于这一观点，该粒子确实同一瞬间穿过两条缝隙。

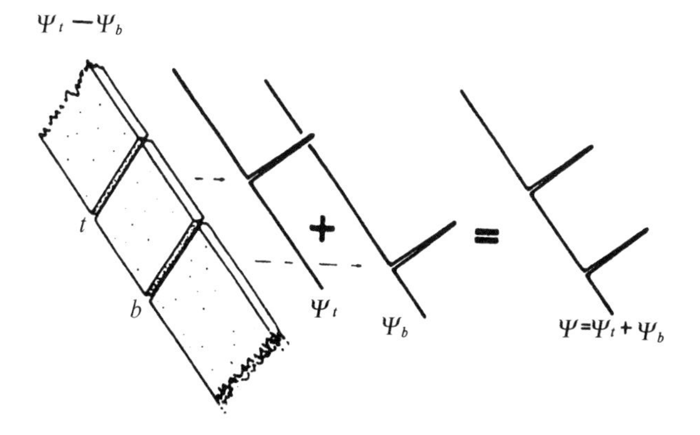

图6.15　当光子波函数从一双缝隙出来时，它同时在两处取得峰值

回忆一下反对粒子“同一瞬间穿过两条缝隙”这观点的标准说法：如果我们在缝隙处做测量以确定它是否通过那一条缝隙，我们总是发现整个粒子通过这条或那条缝隙。但是这是因为我们对粒子进行位置测量引起的，这时Ψ仅仅提供和按照平方模步骤一致的粒子位置的概率分布$|\Psi|^2$，而我们的确发现它在这一处或那一处。但是在缝隙处我们还能进行不同于位置测量的其他测量。为此，我们应该知道

1. 在更通常的量子力学描述中，将此和除以归一化因子—— 此处为$\sqrt{2}$就得到（$\Psi t+\Psi b$）/$\sqrt{2}$ ——但在这里没有必要用这种方式使描述更加复杂。

不同位置x的双缝波函数Ψ，而不仅是$|\Psi|^2$。这样的测量可以将上面给出的双峰态

$$\Psi = \Psi_t + \Psi_b$$

和另一双峰态，如

$$\Psi_t - \Psi_b$$

或

$$\Psi_t + i\Psi_b$$

区别开来。（见图6.16中三种不同情形下的Ψ曲线。）因为确实存在将这些不同可能性区别开来的测量，所以它们必须是光子能存在的*不同*可能的“实际”方式！

缝隙没有必要靠得很近使光子同一瞬间穿过它们。为了演示不管它们距离多么远量子粒子总能“同时在两处”，考虑一个稍微和双缝实验不同的实验装置。和以前一样，我们有一个发出单色光的灯泡。每一时刻只发一个光子；但是这回不让光子通过两个缝隙，我们让它从一面倾斜角45°的半镀银的镜面反射出来。（半镀银镜子是一种刚好将射到它上面的光反射一半，而让所余下的一半光直接穿透过去的镜子。）在它遭遇到镜子以后，光子的波函数分裂成两个部分，一部分反射，另一部分继续原先光子的方向。波函数又是双峰值的，但是

这回双峰是更宽广地分离开了。一个峰描述反射的光子，而另一峰描述透射的光子（图6.17）。此外，两峰的分离随着时间流逝变得越来越大，并随着时间无限地增加。想象波函数的这两部分跑到空间去，而我们整整等待了一年。那么光子波函数的这两部分相距将超过一光年。光子不知怎么搞的发现自己同时出现在相距比一光年还远的两地方！

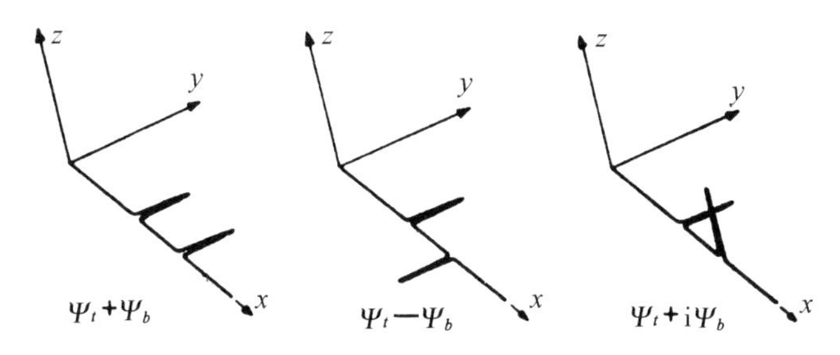

图6.16 三种具有双峰的光子波函数的不同方式

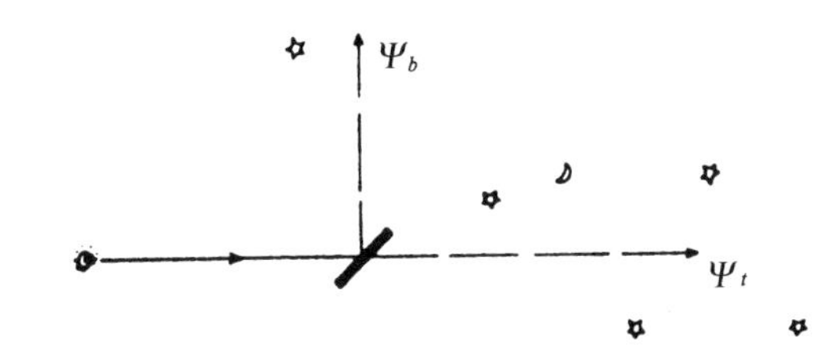

图6.17 双峰波函数的双峰可以分开到一光年那么远。这可以用半镀银镜面做到

是否有理由去认真地接受这样的图像呢？难道我们不能简单地认为光子有百分之五十的机会在一个地方，而另外百分之五十的机会在另一处呢？不，我们不能！不管旅行了多长时间，总能将光束折射回来，使之再互相遭遇，得到两种不同选择的概率权重所得不到的干涉效应。假定光束的两部分各遇到一面全镀银的镜子。我们调整好

镜子的角度使之再次遭遇在一起。在交会点放上另一面半镀银镜子，角度刚好和第一面一样。在两束光的直线方向上各放1个光电管（图6.18）我们会看到什么呢？如果情况仅仅是，光子有一半的机会走一条途径，另一半机会走另一条，那么我们应该发现其中一个检测器有一半的机会记录到光子，另一半机会是被另一个检测器记录到。然而，事情并非如此。如果两个途径的长度完全相同，则百分之百的机会是光子抵达放在原先光子运动的方向上的检测器A，而百分之零的概率是光子抵达另一检测器B——光子肯定打到检测器A上去！（正如在双缝实验中那样，我们可用上面的螺旋描述来看到这些。）

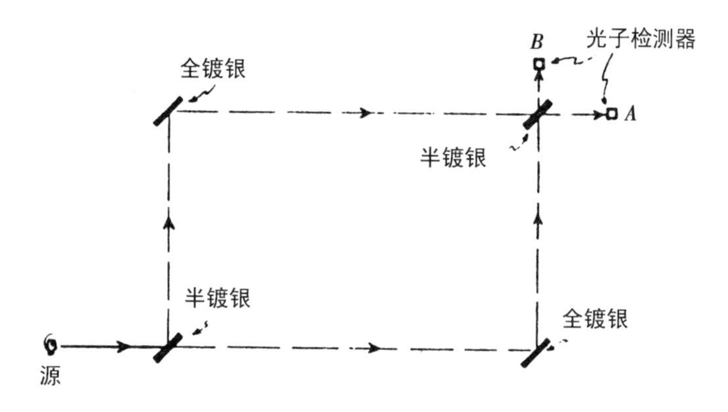

图6.18　双峰波函数的两个峰不能被简单地认为是光子在这一位置或那一位置的加权概率。可使光子所采取的两个途径相互干涉

当然，这类实验从未在路径长度达到光年数量级以上被实现过，但所叙述的结果从未被（传统的量子物理学家）认真地怀疑过！实际上，这类实验在途径长度为几米的情形下被实现过，其结果的确和量子力学的预言相一致（参阅*Wheeler 1983*）。关于光子在它第一次和最后一次和半反射镜遭遇之间的存在的态的“实在”，此结果告诉了我们什么呢？似乎不可避免的是，在某种意义上光子实际上同时沿

着两条途径旅行！因为如果将一吸收屏幕放在任何一条途径上，则光子到达A和B的概率将相等；但是当两条途径同时打开（并具有一样长度）则只能到达A！而堵住一条途径时却实际允许到达B！两条途径都打开时，光子“知道”不允许它到达B，所以它必须感觉到两条途径。

尼尔斯·玻尔关于在测量瞬息之间的光子存在没有客观“意义”的观点，依我看来是有关光子态实在的过于悲观的观点。量子力学让我们以波函数来描述光子位置的“实在”，而在半镀银镜子之间的光子波函数刚好是双峰态，双峰之间的距离有时非常可观。

我们还注意到，“同时处于两个指定的位置”不是光子态的完全描述：譬如讲我们要求能把态$\Psi_t+\Psi_b$从态$\Psi_t-\Psi_b$（或$\Psi_t+\mathrm{i}\Psi_b$）区别开来，这儿Ψt和Ψ_b是指分别处于两条途径中的光子（现在分别为“穿透的”和“反弹的”光子）。正是这种区别决定了光子到达半镀银镜子时，肯定到达A或B（或以中等的概率到达A或B）。

量子实在的令人困惑的特征，也就是我们必须认真地认为的粒子可以各种（不同！）的形式“同时处于两处”——这是因为必须允许用复数权重把量子态加起来以得到其他量子态这个事实引起的。这种态的叠加是量子力学称之为量子线性叠加的一般的、重要的特征。正是它允许我们从位置态组成动量态，或从动量态组成位置态。在这些情形下，线性叠加被应用到无限多的不同的态，也就是所有不同的位置态，或所有不同的动量态。但是，正如我们已经看到的，只要把它仅仅应用于一对态就引起了这样的困惑不解。其规则是不管任何两个态是多么不同，它们能在任何复线性叠加上共存。的确，任何自身由单独粒子构成的物理对象应当能以这种在空间中分隔得很开的态的叠加的形式而存在，并因此“同时处于两处”！量子力学的形式在这方面对于单独粒子还是许多粒子的复杂系统并没有差别。那么为何我们从未经验过宏观物体，（譬如棒球，甚至人）同时处于完全不同的地方？这是一个根本的问题，今日量子理论尚不能为我们真正地提供一个满意的答案。对于像棒球这样的如此富有内容的对象，我们必须认为这些系统处于“经典水平”——或者，正如通常说的，已对该棒球进行了“观察”或“测量”——那么对我们的线性叠加进行加权的复概率幅必然已被平方求模，并当作描述实际不同选择的概率。然而，这正好引起一个争议性问题：为何允许我们以这种方式改变$\boldsymbol{U}$到$\boldsymbol{R}$的量子规则！以后我还要讨论这个问题。

希尔伯特空间

我们记得在第5章为了描述经典系统引进了相空间的概念。相空间中的单独的点代表整个物理系统的（经典的）态。在量子力学中，其相应的类似概念是希尔伯特空间[1]。现在希尔伯特空间中的单独的点代表整个系统的量子态。我们需要浏览一下希尔伯特空间的数学结构。我希望读者对此无所畏惧，我应该说，虽然其中的一些思想也许是非常陌生的，它不是数学上非常复杂的东西。

希尔伯特空间的最基本的性质在于它是一种所谓的矢量空

1. 大卫·希尔伯特，我们已在前面的章节中提到了他的名字，在量子力学发现以前很久，他在无限维的情况下，并为了完全不同的数学上的目的，引进了这个重要的概念！

间——事实上，是一个复的矢量空间。这表明允许我们把空间的任何两个元素加起来得到另一个元素，也允许我们实行带有复杂权重的加法。因为这些是我们刚刚考虑的量子线性叠加的运算，也就是对于上面光子给予我们 $\Psi_t+\Psi_b$，$\Psi_t-\Psi_b$，$\Psi_t+\mathrm{i}\Psi_b$ 等的各种运算。我们能做到这些。我们使用的术语“复矢量空间”的所有含义就是允许进行这类带权的求和 [5]。

可以十分方便地使用狄拉克引进的记号，用某种角括号诸如 $|\Psi\rangle$，$|x\rangle$，$|\Psi\rangle$，$|1\rangle$，$|2\rangle$，$|3\rangle$，$|n\rangle$，$|\uparrow\rangle$，$|\downarrow$，$\rangle$，$|\rightarrow\rangle$，$|\nearrow\rangle$ 等表示被当作态矢量的希尔伯特空间元素。这样，这些符号现在表示量子态。我们把两个态矢量的叠加写作：

$$|\Psi\rangle + |x\rangle,$$

而带复数权重 w，z 的求和写作：

$$w|\Psi\rangle + z|x\rangle$$

（这里 $w|\Psi\rangle$ 表示 $w\times|\Psi\rangle$ 等。）相应地，我们现在可以将上述的组合 $\Psi_t+\Psi_b$，$\Psi_t-\Psi_b$，$\Psi_t+\mathrm{i}\Psi_b$ 分别写为 $|\Psi_t\rangle+|\Psi_b\rangle$，$|\Psi_t\rangle-|\Psi_b\rangle$，$|\Psi_t,\rangle+\mathrm{i}|\Psi_b\rangle$。我们还可以将一个单独态 $|\Psi\rangle$ 乘上一个复数 w 得到：

$$w|\Psi\rangle。$$

（这是前面的一个特例，即 $z=0$。）

我们知道可以允许进行复权重的组合，这里w和z不必要是真正的概率幅，只要是和这些幅度成比例即可。相应地，我们采用允许以一个非零复数去乘整个态矢量而物理态不变的规则。（这会改变w和z的实际的值，但是$w:z$保持不变。）下面的每一矢量$|\Psi\rangle$，$2|\Psi\rangle$，$-|\Psi\rangle$，$\mathrm{i}|\Psi\rangle$，$\sqrt{2}\,|\Psi\rangle$，$\pi|\Psi\rangle$，$(1-3\mathrm{i})|\Psi\rangle$ 等，正如$z|\Psi\rangle$ 一样，代表同一个物理态（$z\neq0$）。希尔伯特空间唯一不能解释为物理态的元素是零矢量。（亦即希尔伯特空间的原点。）

为了对所有的这一切进行几何描述，让我们首先考虑“实”矢量的更通常的概念。人们通常将这样的矢量简单地摹想成平面上或三维空间上的一个箭头。利用平行四边形定律可得到两个箭头的和（图6.19）。用一个（实）数乘一个矢量的运算，按照“箭头”的图像就是简单地将此箭头的长度乘上这数，同时保持箭头的方向不变。如果乘数为负的，那么箭头的方向倒过来；如果乘数为零，则得到零矢量，它没有方向。（矢量O表示零长度的“零箭头”。）作用到一个粒

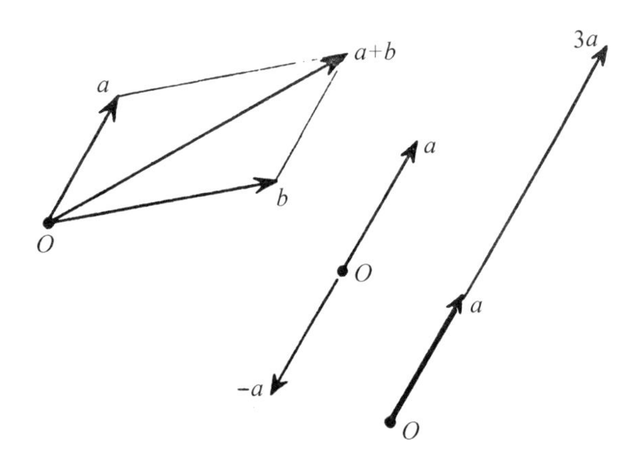

图6.19　在希尔伯特空间中的矢量加法和矢量乘以标量，可以用通常的方式，正如对在平常空间中的矢量那样摹想

子上的力即是这种矢量的一个例子。而经典速度、加速度和动量则为另外的例子。还有我们在上一章结尾处考虑的动量四矢量那是在四维而不是二维或三维空间的矢量。然而，希尔伯特空间中的矢量具有更高维数（事实上，通常是无限维的，但这一点在这里并不是重要的）。我们记得在经典相空间中也用箭头来表示矢量—— 那一定是非常高维的。相空间的“维数”不代表通常的空间的方向，希尔伯特空间的“维数”也是这样。相反地，每一希尔伯特空间的维数对应于量子系统的不同的独立的物理态。

由于 $|\Psi\rangle$ 和 $z|\Psi\rangle$ 是等效的，所以一个物理态实际上对应于希尔伯特空间中通过原点的整条直线或射线（表述成某一矢量的所有的倍数），而不是这条线上的某一特殊的矢量。这射线包含特定态矢量 $|\Psi\rangle$ 的所有可能的倍数（请记住，这些是复的倍数，所以直线实际上是复的线，但是现在最好不去忧虑它！）（图6.20）。我们将很快找到二维希尔伯特空间情形下的射线空间的精巧图画。无限维的希尔伯特空间

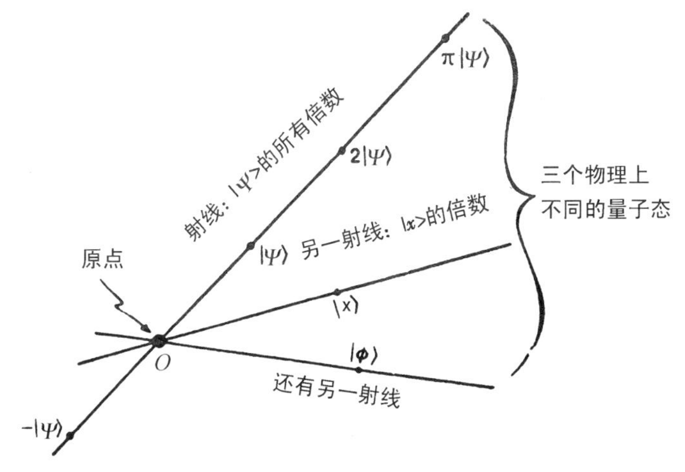

图6.20　希尔伯特空间中的整射线代表物理量子态

是另一种极端情形。甚至在简单的单独粒子位置的情形下也会出现无限维的希尔伯特空间。粒子所有可能的位置都有完整的维！粒子的每个位置都在希尔伯特空间中定义一个完整的“坐标轴”。这样，对应于粒子的无限不同的位置在希尔伯特空间中就有无限多不同的独立的方向（或“维数”）。动量态也可在同一希尔伯特空间中被表述。动量态可表达成位置态的组合，每一动量态对应于一个“对角线”出发的相对于位置轴倾斜的轴。所有动量态的集合提供了新的轴的集合。而从位置态轴向动量态轴的过渡牵涉到希尔伯特空间中的一个旋转。

人们别想以精密的方式来摹想这一切。那是不合情理的！然而，从通常的欧几里得几何可以得到某些对我们非常有用的观念。特别是，我们直到现在考虑过的轴（所有的位置空间轴或所有的动量空间轴）都认为是相互正交的，也就是相互夹角为“直角”。射线之间的“正交性”是量子力学中的一个重要概念：正交的射线是指相互独立的态。粒子所有可能不同的位置态都相互正交，所有可能不同的动量态也是如此。但是位置态并不和动量态垂直。这种情形已在图6.21上被非常

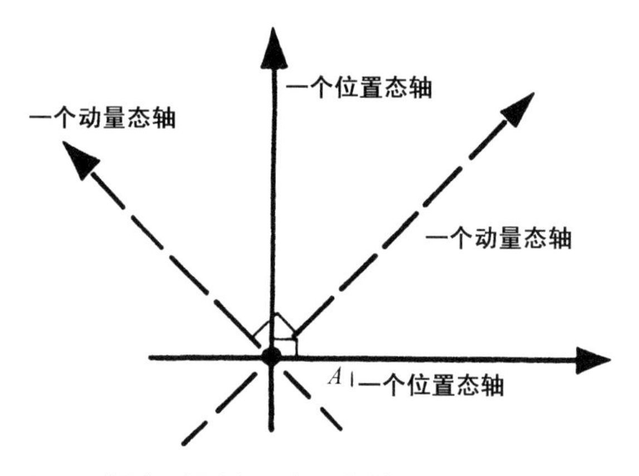

图6.21 位置态和动量态在同一个希尔伯特空间中提供了正交轴的不同选取

概要地表达出来。

测量

测量（或观察）的一般规则$\boldsymbol{R}$要求，量子系统的不同方面能被同时放大到经典水平，而之后系统应当选取的不同状态必须永远是正交的。对于一次完整的测量，可选取的不同选择的集合组成正交基矢量的集合，表明希尔伯特空间中的每一矢量都能（唯一地）按照它们线性地表达出来。对于一个只包含单粒子的系统的位置测量，这些基矢量定义了我们刚刚考虑的位置轴。对于动量，它是定义为动量轴的不同的集合，对于不同种类完整的测量，还相应有其他的集合。测量之后，该系统的态跃迁到这些测量所决定的集合的一个轴上去——其选择只由概率来制约。没有任何动力学定律能告诉我们大自然会在已挑出的轴中选择哪一个。其选择是随机的，其概率为概率幅的平方模。

假定我们对一个具有态$|\Psi\rangle$的系统进行了完整的测量，所选择的测量的基为：

$$|0\rangle,\ |1\rangle,\ |2\rangle,\ |3\rangle,\ \cdots$$

由于它们组成了完备集，任何态矢量，特别是$|\Psi\rangle$可以按照它们而被线性地[1]表示为：

1. 这里必须在允许矢量的无限求和的意义下才行。希尔伯特空间牵涉到了有关这种无限求和的规则（由于这些过于专业性，所以我不详细论及）。

$$|\Psi\rangle = z_0|0\rangle + z_1|1\rangle + z_2|2\rangle + z_3|3\rangle + \cdots$$

在几何上，分量z_0, z_1, z_2，…是矢量$|\Psi\rangle$的在不同的轴$|0\rangle, |1\rangle, |2\rangle$，…上的正交投影的大小的测度（图6.22）。

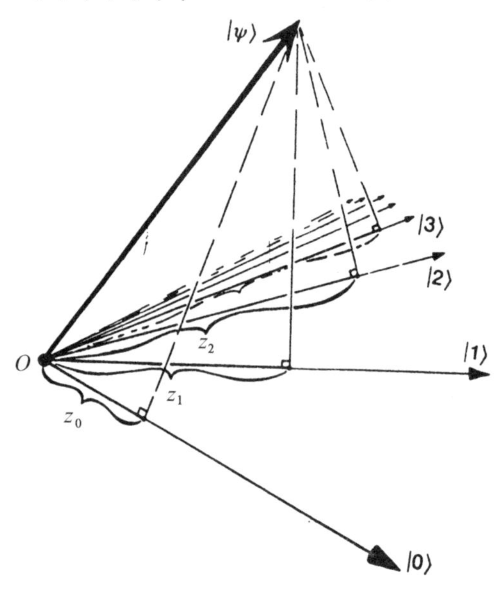

图6.22 态$|\Psi\rangle$在轴$|0\rangle, |1\rangle, |2\rangle$，…上的正交投影的大小提供了所需要的幅度$z_0, z_1, z_2$，…

我们能将复数z_0, z_1, z_2，…解释作所需要的概率幅，这样它们的平方模就提供了在测量后该系统处于相应的$|0\rangle, |1\rangle, |2\rangle$，…等态的不同概率。然而，这还不完全，因为我们还未固定住不同的基矢量$|0\rangle, |1\rangle, |2\rangle$，…的“尺度”。为此我们必须指明它们在某一种意义上是单位矢量（亦即具有单位“长度”的矢量），用数学的术语，它们组成了所谓的正交基（相互垂直的并归一化为单位矢量）[6]。如果$|\Psi\rangle$也被归一化成单位矢量，那么所需的相应的概率$|z_0|^2, |z_1|^2$,

$|z_2|^2$，… 如果$|\Psi\rangle$不是单位矢量，则这些数就分别和所需的概率幅成比例。实际的幅度就为：

$$\frac{z_0}{|\Psi|}, \frac{z_1}{|\Psi|}, \frac{z_2}{|\Psi|}, 等等,$$

并且实际概率为：

$$\frac{|z_0|^2}{|\Psi|^2}, \frac{|z_1|^2}{|\Psi|^2}, \frac{|z_2|^2}{|\Psi|^2}, 等等,$$

这里$|\Psi|$是态矢量$|\Psi\rangle$的“长度”。每一态矢量都具有正实数的“长度”（除了O具有零长度），而且如果$|\Psi\rangle$为单位矢量则$|\Psi|=1$。

完整测量是一种非常理想的测量。例如，一个粒子的位置的完整测量需要我们能在宇宙中的任何地方以无限精度将该粒子定位！一种更初等的测量是我们简单地问是或非的问题，譬如：“该粒子是处于某一根直线的左边或右边？”或“该粒子的动量是在某一个范围内吗？”等等。是或非的测量真正是测量的最基本类型。（例如，人们可以只用是或非测量把粒子的位置或动量收缩到任意小的范围。）假定是或非测量的结果为是，那态矢量必须在希尔伯特空间的“**是**”的我称之为Y的区域内。另一方面，如果测量的结果为**非**，那态矢量就在希尔伯特空间的“**非**”的我称之为N的区域内。区域Y和N是完全相互正交的，任何属于Y的态矢量必须和属于N的任何矢量正交（反之亦然）。此外，任一态矢量都能以唯一的方式表达成分别来自Y和N的两个矢量之和。用数学的语言讲Y和N是相互正交互补的。这样，$|\Psi|$可唯一地表达成：

$$|\Psi\rangle = |\Psi_Y\rangle + |\Psi_N\rangle,$$

这里$|\Psi_Y\rangle$ 属于Y，而$|\Psi_N\rangle$ 属于N。$|\Psi_Y\rangle$ 称为态$|\Psi\rangle$ 在Y的正交投影。相应地，$|\Psi_N\rangle$ 为$|\Psi\rangle$ 在N上的正交投影（图6.23）。

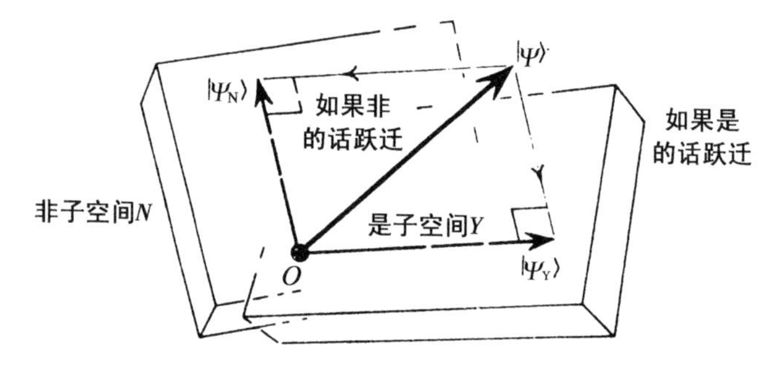

图6.23　态矢量的约化。可以按照一对相互正交互补的子空间Y和N来描述是或非测量。测量后，态$|\Psi\rangle$ 跃迁到它在其中一个子空间的投影，而态矢量长度平方在投影中减少的因子给出跃迁概率

在测量时，态$|\Psi\rangle$ 跃迁并成为（比例于）$|\Psi_Y\rangle$ 或$|\Psi_N\rangle$ 。如果结果为**是**，则它跃迁到$|\Psi_Y\rangle$；如果为**非**，则跃迁到$|\Psi_N\rangle$ 。如果$|\Psi\rangle$ 是归一化的，则发生这些的相应概率为这些投影的态的长度平方：

$$|\Psi_Y|^2,\ |\Psi_N|^2。$$

如果$|\Psi\rangle$ 不是归一化的，我们必须将这些表示式除以$|\Psi|^2$。（“勾股定理”，$|\Psi|^2=|\Psi_Y|^2+|\Psi_N|^2$断言，这些概率之和为1，正如所预想的那样！）请注意，从$|\Psi\rangle$ 跃迁到$|\Psi_Y\rangle$ 的概率由在投影中的长度平方的减少的比所给出。

关于作用于量子系统的“测量动作”还有最后一点要弄清。不管

对于任何态——譬如态$|x\rangle$——总存在一个可在原则上进行的是或非测量[7]。如果被测量的态是（比例于）$|x\rangle$，其答案则为**是**；如果垂直于$|x\rangle$则为**非**。这样上面的区域Y可包含任何选定的态所有的倍数。这似乎隐含有很强的意义，态矢量必须是客观存在的。不管物理系统的态是什么，我们可称之为$|x\rangle$。存在一种原则上可实行的测量，在此测量下$|x\rangle$为唯一的（只差一个比例系数）肯定得到**是**的结果的态。这种测量对于某些态$|x\rangle$也许是极其困难，甚至在实际中是“不可能”实现的。但是，根据这个理论，这样的测量在原则上能实现的事实，将会在本章后面产生某些惊人的推论。

自旋和态的黎曼球面

量子力学中称为“自旋”的量有时被认为是所有物理量中最“量子力学”的。这样，我们对之稍微多加注意是明智的。什么是自旋？它本质上是粒子旋转的度量。“自旋”这个术语暗示某种像板球或棒球自旋的东西。让我们回忆一下角动量的概念，正如能量和动量一样，它是守恒的（见第5章215页和293页）。只要物体不受摩擦力或其他力的干扰，它的角动量就不随时间改变。量子力学的自旋的确是如此，但是我们这里关心的是单独粒子的“自旋”，而不是大量的单独粒子围绕着它们共同质心的轨道运动（这正是板球的情形）。物理学的一个显著事实是，自然中发现的大多数粒子在这种意义下的确是在“自旋”，每种粒子都有自己固有的自旋的大小[8]。然而，正如下面要看到的，单独量子力学粒子的自旋有一种我们绝不能从自旋着的板球等的经验所能预料到的某种特殊的性质。

首先，对于一特殊类型的粒子，其自旋的大小总是一样的。只有自旋的轴的方向可以（以一种我们就要讲到的非常奇怪的方式）改变。这和板球的情形形成全然的对比，板球可依出球方式的不同具有任意大小任意方向的自旋！对于电子、质子或中子，自旋大小总为 $\hbar/2$，刚好是玻尔原先允许的一个原子的量子化的角动量的最小正值的一半。（我们记得这些值为0，$\hbar$，$2\hbar$，$3\hbar$，…）我们在这里需要基本单位的一半——而在某种意义上，$\hbar/2$本身是更基本的单位。只包括一些公转的粒子，而每一个粒子都不自旋的物体不允许有这个角动量值。它只能是由自旋为粒子自身的固有的性质而引起的（也就是说，自旋不是因为它的“部分”围绕某种中心的公转引起的）。

具有自旋为 $\hbar/2$的奇数倍（如 $\hbar/2$，$3\hbar/2$或$5\hbar/2$等）的粒子称为费米子。它在量子力学描述中呈现出非常奇怪的行径：完整的360°的旋转使态矢量回到负的态矢量，而不是回归到自身！自然界的许多粒子的确是费米子。它们古怪的形式，对我们自身的存在是如此之关键——我们在后面还要讲到。余下的自旋为 $\hbar/2$的偶数倍，也就是 $\hbar$ 的整数倍（即0，$\hbar$，$2\hbar$，$3\hbar$，…）的粒子称作玻色子。在360°的旋转下，玻色子的态矢量回归到自身，而不是它的负矢量。

考虑一个半自旋也就是自旋值为 $\hbar/2$的粒子。为了确定起见，假定此粒子为电子，但质子、中子甚至某种原子的情形也是一样的。（一个“粒子”可以允许具有个别部分，只要它整个可以用量子力学处理，并具有定义得很好的总角动量就可以了。）我们使电子处于静止状态，并只考虑其自旋态。现在量子态空间（希尔伯特空间）只有二维，所以我们可以采用只有两种状态的基。我把这些态标成$|\uparrow\rangle$和

$|\downarrow\rangle$。其中$|\uparrow\rangle$表示按右手定则垂直向上的自旋，$|\downarrow\rangle$表示向下的自旋（图6.24）。态$|\uparrow\rangle$和态$|\downarrow\rangle$是相互正交的，我们并将它们归一化（$|\uparrow|^2=|\downarrow|^2=1$）。电子任何可能的自旋态都是这仅有的两个正交态$|\uparrow\rangle$和$|\downarrow\rangle$也就是向上和向下的态的线性叠加，譬如$w|\uparrow\rangle+z|\downarrow\rangle$。

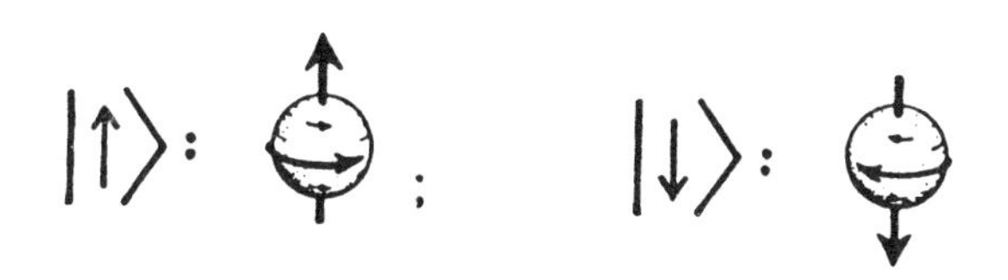

图6.24　电子自旋态的基由两种状态组成。它们可取作自旋向上和自旋向下的两种态

关于“向上”和“向下”的方向并没有什么特别之处。我们可以一样便利地选择在任何其他方向的自旋，譬如向右$|\rightarrow\rangle$和相反的向左$|\leftarrow\rangle$的态去描述。然而，对于$|\uparrow\rangle$和$|\downarrow\rangle$的适当的复数比例的选取，我们发现[1]：

$$|\rightarrow\rangle=|\uparrow\rangle+|\downarrow\rangle \text{ 以及 } |\leftarrow\rangle=|\uparrow\rangle-|\downarrow\rangle。$$

这为我们提供了新的视角：任何电子的自旋态都是两正交态$|\rightarrow\rangle$和$|\leftarrow\rangle$也就是向右的和向左的态的线性叠加。我们可以另外选择完全任意的方向，譬如态矢量$|\nearrow\rangle$指定的方向。这又是$|\uparrow\rangle$和$|\downarrow\rangle$的某种复线性叠加，譬如：

$$|\nearrow\rangle=w|\uparrow\rangle+z|\downarrow\rangle,$$

1. 正如早先的许多不同地方，我宁愿不使用$1/\sqrt{2}$之类的因子以免弄乱这些描述。该因子是当我们要求$|\rightarrow\rangle$和$|\leftarrow\rangle$归一化时所引起的。

而每一个自旋态为此态和与它正交的态$|\swarrow\rangle$（指向和$|\nearrow\rangle$相反[9]）的线性叠加。（注意，在希尔伯特空间中的“正交”的概念不需要对应于通常空间的“直角”。此处正交的希尔伯特空间矢量对应于空间的相反方向，而不是两个方向成直角。）

什么是$|\nearrow\rangle$在空间中所决定的方向和两个复数w和z的几何关系呢？由于$|\nearrow\rangle$给出的物理态并不因为被用任何非零复数去乘它而改变，所以只有z和w的比才有意义。将这个比写作：

$q=z/w$。

q只是某个复数，除了为了和$w=0$的情形相一致而“$q=\infty$”，也就是当自旋方向垂直向下也是允许的以外。除了$q=\infty$以外，我们总能用q代表复平面上的一点，正如我们在第3章所做的。我们可以想象复平面水平地处于空间中，按上面的描述实轴的方向“向右”（亦即在自旋态$|\rightarrow\rangle$的方向上）。想象一个中心在复平面原点上的单位球面，这样点1，i，-1，-i都在球面的赤道上。我们将南极上的点设定为∞，然后从该点开始投影，这样整个复平面都被映射到球面上。任何复平面上的点q都对应于球面上唯一的一点q，它可通过作过复平面上的q点与南极点这两点的直线而得到（图6.25）。这种对应称为球极平面投影。它具有美丽的几何性质（亦即它可将圆域保角映射成圆域）。该投影使我们可用复数和∞一起，也就是可能存在的复比q的集合，来标记球面上的每一点。以这种特殊方式标记的球面称作黎曼球面。

黎曼球面对于电子自旋态的意义在于，态$|\nearrow\rangle=w|\uparrow\rangle+z|\downarrow\rangle$的

自旋方向和由从中心到黎曼球面上标记有$q=z/w$点的实际方向一致。我们注意到，北极对应于态$|\uparrow\rangle$，它是$z=0$，也就是标记作$q=0$，而南极为$|\uparrow\rangle$，标记作$w=0$亦即$q=\infty$。最右的点标记着$q=1$，它提供$|\rightarrow\rangle=|\uparrow\rangle+|\downarrow\rangle$，而最左的点$q=-1$提供了$|\leftarrow\rangle=|\uparrow\rangle-|\downarrow\rangle$。绕过球面最远的点标作$q=\mathrm{i}$，相应于态$|\uparrow\rangle+\mathrm{i}|\downarrow\rangle$，其自旋的方向直接离开我们，而最近的点为$q=-\mathrm{i}$，对应于$|\uparrow\rangle-\mathrm{i}|\downarrow\rangle$，其自旋直接指向我们。而一般的标记为$q$的点对应于$|\uparrow\rangle+q|\downarrow\rangle$。

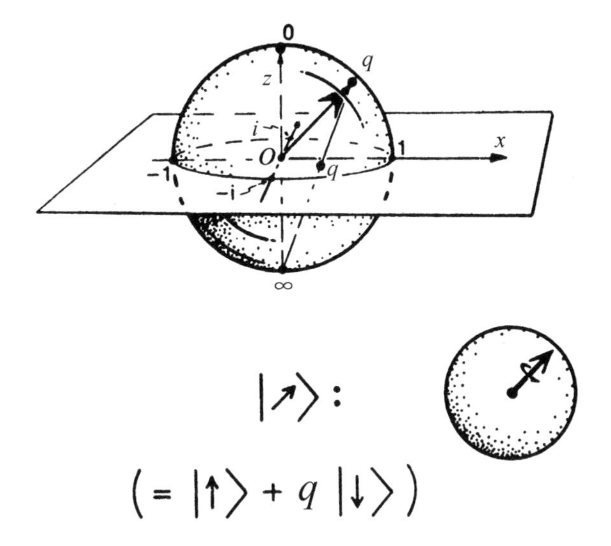

图6.25　此处用黎曼球面来表示自旋为1/2的粒子的物理上不同的自旋态。自球面南极（∞）作球极平面投影，将球面投射到通过其赤道的亚根平面上

所有这一切和人们要进行的电子自旋的测量有什么关系呢？[10] 在空间选取某一个方向；我们称为α。如果我们在此方向测量电子自旋，答案为**是**表明电子（现在）的确以右手定则在α方向自旋，而**非**表明自旋的方向和α相反。

假定答案为**是**，那么我们将此结果的态标记为$|\alpha\rangle$。如果我们简单地重复此测量，利用和前面完全同样的方向α，则我们的答案应该又是百分之百的概率为**是**。但是如果在第二次测量时我们改变方向，改到一个新的β方向，则会发现答案为**是**的跃迁到态$|\beta\rangle$上去的概率小了。还有答案为**非**的跃迁到和β相反方向的态上去的概率。如何计算此概率呢？答案是在上节结尾处的方案中。第二次测量为**是**的概率为：

$$\frac{1}{2}(1+\cos\theta),$$

这里θ是两个方向α，β之间的夹角[11]。相应地，第二次测量为**非**的概率为：

$$\frac{1}{2}(1-\cos\theta)。$$

我们从这里能看到，如果第二次测量是在与第一次夹角直角的情况，则两种结果的概率都为百分之五十（$\cos 90^\circ=0$）：第二次测量的结果完全是随机的！如果两次测量的夹角为锐角，则答案为**是**的可能性比非要更大。如果为钝角，则**非**的可能性更大。在β和α相反的极端情形下，答案为**是**的概率为0，而为**非**的概率为百分之百；也就是说，第二次测量的结果一定是和第一次相反。（参见 *Feynman et al.1965* 关于自旋的更详尽的讨论。）

黎曼球面实际上对于任何双态的量子系统，在描述一系列可能的量子态（准确到一个比例系数）时起着基本的（但是未被广泛认识到

的）作用。对于半自旋的粒子，它的几何作用特别明显，因为球面上的点对应于自旋轴的可能的空间方向。在其他很多情形，难以看到黎曼球面的作用。考虑刚刚通过双缝隙，或从半镀银镜子反射回来的光子。光子态为某个描述两个完全不同位置的双态$|\Psi_t\rangle$和$|\Psi_b\rangle$的诸如$|\Psi_t\rangle + |\Psi_b\rangle$，$|\Psi_t\rangle - |\Psi_b\rangle$或$|\Psi_t\rangle + \mathrm{i}|\Psi_b\rangle$等的线性组合。黎曼球面仍然描述物理上一系列不同的可能性，但现在仅仅是抽象地。态$|\Psi_t\rangle$由北极（“顶”），$|\Psi_b\rangle$由南极（“底”）分别代表。而$|\Psi_t\rangle + |\Psi_b\rangle$，$|\Psi_t\rangle - |\Psi_b\rangle$以及$|\Psi_t\rangle + \mathrm{i}|\Psi_b\rangle$由赤道上的不同的点代表。一般地，$w|\Psi_t\rangle + z|\Psi_b\rangle$为点$q=z/w$所代表。在很多情况下，正像这个例子，“黎曼球面可能的价值”相当隐蔽，和空间几何没有明显的关系。

量子态的客观性和可测量性

尽管我们在正常的情况下只能为实验的结果提供概率的这个事实，关于量子力学的态似乎有某些客观的东西。人们经常断言，态矢量只为了方便描述“我们已知”的物理系统——或者，态矢量也许实际上并不描述一个单独的系统，而仅仅是提供大量制备好的类似系统在“系综”方面的概率信息。在关于量子力学告诉我们物理世界的实在性方面，我觉得这种意见过分胆怯。

有关态矢量的“物理实在性”的一些谨慎或怀疑，是由于按照该理论，物理上可测量的东西严格受到限制这个事实引起的。让我们考虑上述的电子自旋态。假定自旋态刚好是$|\alpha\rangle$，但是我们不知道这些，也就是说我们不知道电子自旋的方向α。我们能否用测量来决定此方向呢？不，我们不能。我们最多能做的只是提取“部分”信息——就

是简单的是或非问题的答案。我们可以选取空间中的某个方向β并在该方向上测量电子自旋。我们得到的答案非**是**即**非**，但在此之后，我们就丧失了关于原先自旋方向的信息。答案为**是**的话，我们知道现在这个态和$|\beta\rangle$成比例；答案为**非**的话，则现在的态在和β相反的方向上。没有任何一种情形告诉我们测量之前态的方向α，它仅仅是给出了关于α的某种概率的信息。

另一方面，似乎有某种完全客观的关于方向α的东西，电子在测量之前"刚好沿着这个方向自旋"[1]。由于我们也许选定了在方向α上测量电子的自旋——而电子必须肯定地给出的答案，如果我们刚好猜中了的话！无论如何，电子的自旋态中储藏着电子实际上必须给出的这个答案的"信息"。

我似乎觉得，在按照量子力学来讨论物理实在的问题时，我们应该将什么是"客观的"和什么是"可测量的"区别开来。在对一个系统进行实验时，不能准确地（除了比例系数外）断定它处于何态，也就是说系统的态矢量的确是不可测量的。但是，态矢量似乎的确（又是除了比例系数外）是系统的完全客观的性质，它为人们可能进行的实验的结果所完全表征。在诸如电子的半自旋的单独粒子的情形，因为它仅仅断言存在电子自旋被精确定义的某方向，即便也许我们不知道这个方向，这种客观性也不是不合理的。（然而，以后我们会看到，对于更复杂的系统，这个"客观的"图像会变得更奇怪得多——甚至对于仅仅包含一对半自旋粒子的系统而言也是如此。）

---

1. 这个客观性是我们认真采用标准量子力学形式的一个特征。在一种非标准的观点中，系统也许事先已"知道"它将提供给任何测量的结果。还会带给我们物理实在的一种不同的显然客观的图像。

但是，在电子自旋被测量之前它毕竟必须处于一个物理上定义的态吗？在许多情形下，它没有必要。因为它自身不能被认为是一个量子系统，物理态一般地必须认为是一个和其他大量粒子纠缠在一起的电子的描述。然而在特殊情形下，可以考虑电子本身（至少就其自旋而言）。按照标准的量子理论，在这种情况下，譬如它的自旋的方向预先（也许未知的时刻）被测量过之后的一段时间内没受到干扰，那么电子就具有完全客观的定义好的自旋方向。

复制量子态

电子自旋态的客观性以及不可测量性阐释了另一个重要事实：不能在使原先的态不被触动的情形下将其复制。因为假定我们能对一个电子的自旋态$|\alpha\rangle$进行复制。若能复制一遍，则能两遍多遍地复制。结果的系统会在一个定义得非常好的方向上具有大的角动量。可由宏观测量把这个方向$|\alpha\rangle$确定下来。这就违反了自旋态$|\alpha\rangle$的基本的不可测量性。

然而，如果我们准备去破坏原先的态，则复制便成为可能。例如，我们有一处于未知的自旋态$|\alpha\rangle$的电子和另一处于另一个自旋态$|\gamma\rangle$的中子。将它们交换，使中子自旋态为$|\alpha\rangle$而电子态为$|\gamma\rangle$是完全合法的。我们所不能做的是复制$|\alpha\rangle$。（除非我们预先知道$|\alpha\rangle$实际上为何态！）（还可参阅*Wootters and Zurek 1982*）

我们记得在第1章（31页）讨论过“远距运送机器”。这机器，原则上依赖于在遥远的行星上有可能拼装出一个人的身体和大脑的复制本。一个人的“所知所闻”可以依赖于一个量子态的某些方面，这是一个迷人的猜想。若果真如此，则量子力学禁止我们去复制“所知所闻”而不破坏原先的态。远距离搬运的“矛盾”可望以这种方式得到解决。量子效应和大脑功能的可能关联将在最后两章考虑。

光子自旋

让我们在下面考虑光子的“自旋”以及它和黎曼球面的关系。光子具有自旋，但是因为它们总是以光速运动，人们不能将自旋认为是围绕于一个固定点；相反的自旋轴总在运动的方向。光子自旋称之为极化，这就是“偏振片”太阳镜的行为所根据的现象。把两块偏振片重叠在一起并透视之。一般地讲，你会发现有一定量的光透过去。现在使其中一块不动而旋转另一块，通过的光量会发生变化。在一个方向上，穿透的光达到最大，第二块偏振片实际上并没减少穿透的光量；在与此垂直的方向上，第二块偏振片可使通过的光量减少到零。

按照光的波动图像最容易理解所发生的现象。在这里我们需要用麦克斯韦的光波的振动电磁场描述。图6.26画出了平面偏振的光。电场在一个称为极化面的平面上上下振动。而磁场在一个垂直于电场振动的平面上振动，电磁场相互共振。每一块偏振片让极化面和偏振片结构相平行的光通过。当第二块偏振片的结构和第一块指向一致时，

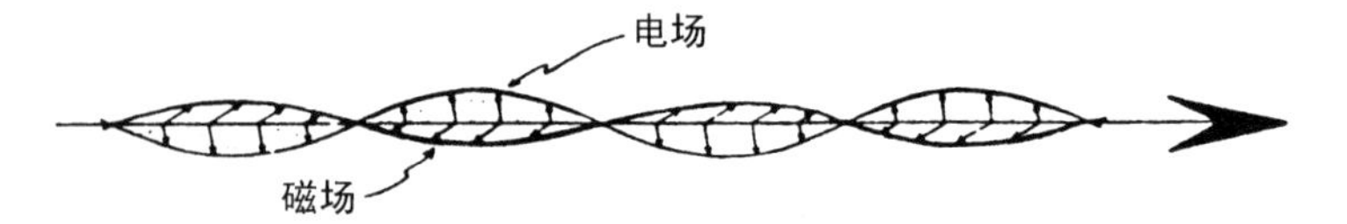

图6.26 平面偏振的电磁波

所有通过第一块偏振片的光就会通过第二块偏振片。但是，当它们结构的方向相互垂直时，第二块偏振片就将通过第一块偏振片的光全部阻拦住。如果两块偏振片的指向夹角为φ时，则第二块偏振片让

$$\cos^2\varphi$$

部分的光通过。

在粒子表像中，我们应该把*每一单独光子*认为是具有偏振的。第一块偏振片的行为像一个偏振度测量器。如果光子的确在一个合适的方向偏振，它就给出**是**的答案，并让光子通过。如果光子在与此相垂直的方向偏振，则答案为**非**，光子就被吸收。（注意在希尔伯特空间中的“正交”并不对应于通常空间中的“相交成直角”！）假定光子通过了第一块偏振片，则第二块偏振片就会问相应的问题，但是对于某个其他的方向。如果两个方向的夹角为φ，我们现在就有$\cos^2\varphi$作为已经通过第一块偏振片的光子通过第二块偏振片的*概率*。

黎曼球面和这些有何相干呢？为了得到偏振态的全部复数系列，我们必须考虑*圆的*和*椭圆的*偏振。图6.27画出了经典波动的情形。圆偏振时电场*旋转*，而不是振荡。磁场仍然和电场成直角并同步地旋转。椭圆偏振可看成旋转和振动的结合，而描写电场的矢量在空间划出一个*椭圆*。在量子描述中，每一*单独*光子允许这些不同极化的方式——*光子自旋*的态。

如何在黎曼球面上将所有这些可能性表示出来呢？想象一个垂

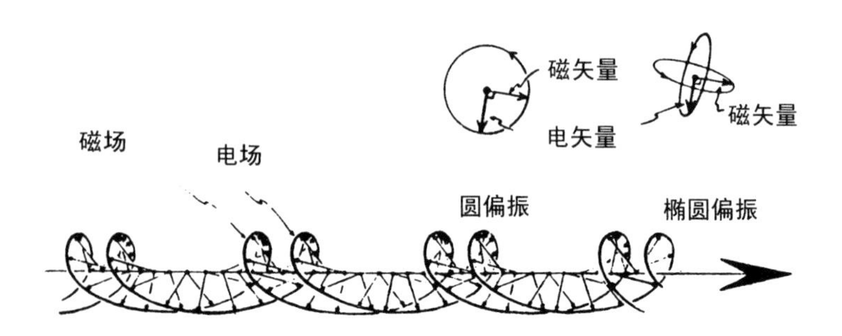

图6.27　圆偏振电磁波（椭圆偏振是介于图6.26和图6.27之间的中间情况）

直向上运动的光子。现在北极代表右手自旋的态$|R\rangle$，这表明当光子通过时电场矢量以反时针方向绕着垂直的轴旋转（从上面看）。而南极代表左手自旋的态$|L\rangle$。（我们可以把光子想象成像来复枪子弹一样自旋，或是右旋或是左旋。）一般的自旋态$|R\rangle + q|L\rangle$是这两种态的复线性组合，它对应于黎曼球面上标出的一点。为了求出q和偏振椭圆的关系，我们首先取q的平方根p：

$$p = \sqrt{q}\ 。$$

然后在黎曼球面标出p而不是q。考虑通过球面中心的一个平面，该平面垂直于连接标上p的点和球心的直线。此平面和球面的交线为一圆周。我们将此圆周垂直投影就得了偏振椭圆（图6.28）[1]。q的黎曼球面仍然描述了光子偏振态的总体，但是q的平方根为之提供了空间实现。

1. 复数$-p$和p一样同为q的平方根，并给出同一偏振椭圆。取平方根和光子是自旋为1也就是基本单位$\hbar/2$的二倍以及质量为零的事实相关。对于引力子——这种还未探测到的质量为零的量子引力的粒子——自旋为2也就是基本单位的4倍，在上述的描述中我们要取q的四次方根。

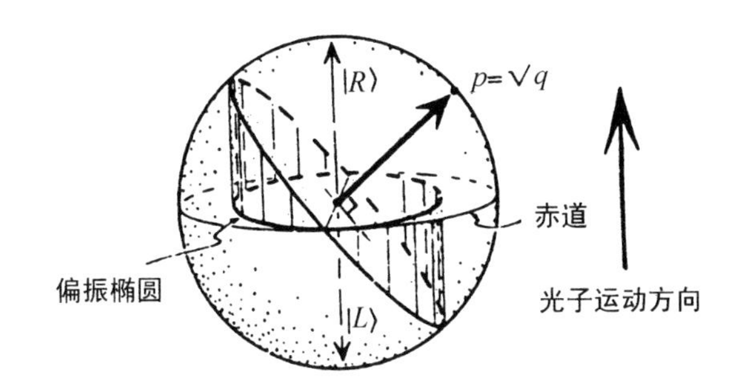

图6.28 黎曼球面（现在是 $\sqrt{q}$ 的）也描述了一个光子的偏振态（指向 $\sqrt{q}$ 的矢量称为斯托克斯矢量）

我们可同样地将用于电子的同一个公式 $1/2(1+\cos\theta)$ 用于计算概率，只要我们把它应用于 q 而不是 p。考虑一平面偏振，我们首先在一个方向上，然后在另一和它夹 φ 角的方向上测量光子的偏振。这两个方向对应于球面赤道上从中心看张角为 φ 的两个 p 值。因为 p 为 q 的平方根，所以 q 点在中心的张角为 p 点张角的两倍：$\theta=2\varphi$。这样，在第一测量结果为**是**后第二测量结果亦为**是**（亦就是通过第一块偏振片的光子再通过第二块偏振片）的概率为 $1/2(1+\cos 2\varphi)$，这正是前面断言的 $\cos^2\varphi$（可用简单的三角学知识验证之）。

大自旋物体

对于具有多于两个基态的量子系统，在物理上可区别的态的空间比黎曼球面更复杂。然而在自旋的情况，黎曼球面本身总是起着直接的几何作用。考虑以下有质量的自旋为 $n\times\hbar/2$ 的粒子或原子，让它处于静止。这样自旋就定义了一个 $n+1$ 态的量子系统。（对于一个无质量的，也就是以光速运动的自旋的粒子，譬如光子，正如上面所描述的，自旋总是一个两态系统。但是对于有质量的粒子，态的数目随着自旋而增加。）如果我们选择在某一个方向测量该自旋，会发现共有$n+1$个不同的可能的结果，此结果依自旋相对于该方向的指向而定。按照基本的单位$\hbar/2$，在那个方向自旋的可能结果为n，$n-2$，$n-4$，$\cdots$，$2-n$或$-n$。这样$n=2$时其值为2，0或-2；$n=3$时其值为3，1，-1或-3；等等。负值对应于自旋主要指向和所测量的方向相反的方向。在半自旋的情形，亦即$n=1$时，上述的值1对应于**是**，而值-1对应于**非**。

由于我不企图在这里解释的原因，人们发现（*Majorana 1932*，*Penrose 1987a*）对于$\hbar n/2$的自旋每一个自旋态（准确到一个比例系数）可唯一地由黎曼球面上的（无序的）n点的集合，也就是从中心出发的n个（通常不同的）方向表征（图6.29）。这些方向由可能对此系统进行的测量所表征：如果我们在它们中的任一个方向测量自旋，则结果一定不会全在相反方向上，也就是给出值n，$n-2$，$n-4$，$\cdots$，$2-n$，但不会有$-n$。在譬如上述电子的$n=1$的特殊情形下，这就是在上面描述中标以q的黎曼球面上的一点。但是对于大数值的自旋，正如我刚才描述的，图像变得更为精巧——虽然，由于某种原因，物理

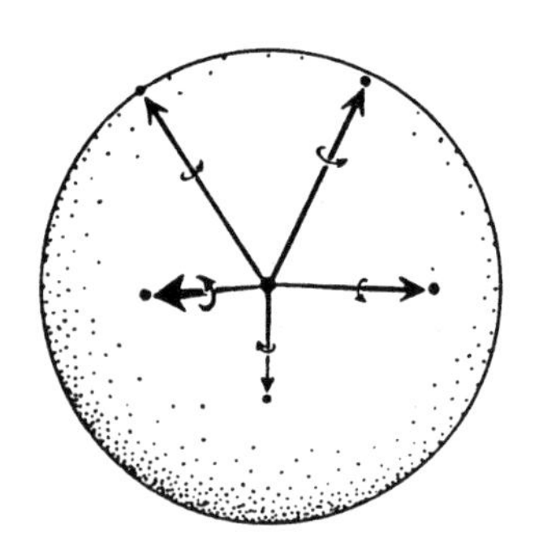

图6.29　对于一个有质量的粒子，一般的高自旋态可用指向任意方向的半自旋态的集体来描述

学家对此并不特别熟悉。

在这些描述中有些相当令人吃惊和困惑的东西。人们经常相信，当系统变得更大更复杂时，在某种适当的极限的意义上，原子（或基本粒子或分子）的量子描述就会过渡到经典的牛顿描述。然而，在实际情况中，这肯定是不对的。正如我们已经看到的，具有大角动量的客体的自旋态对应于大量的杂乱地撒开在黎曼球面上的点[1]。我们可以把物体的自旋认为是由一大堆大小为一半的，方向由这些点决定的自旋所组成。这些结合态中只有很少情形，其大部分点集中在球面上的一个小区域中（亦即大部分半自旋近似地指向同一个方向）—— 这些才对应于人们通常在譬如板球等经典物体处遇到的角动量的实际的态。我们也许会预料到，如果我们选择一个总角动量为某个非常大的数（按照单位 $\hbar/2$），但是处于"随机"的自旋态，那么某种类似于经典自旋的东西就会开始出现。但是情况根本不是这样，一般地讲，具有大的总自旋的量子自旋态和经典态毫不相像！

那么经典物理中的角动量的对应物是如何构成的呢？大多数大自旋量子态实际上不和经典的东西相类似，它们是每一个都类似于经典的（正交的）态的线性叠加。对此系统进行"测量"时，其状态（以某种概率）"跃迁"到这一个或那一个类经典的态上去。这种情形和系统的任何其他经典的可测量的性质相类似，而不仅仅是角动量。正是量子力学这个方面在一旦系统"到达经典水平"时即起作用。在后面我还要仔细讨论这些，但在讨论这么"大"或这么"复杂"的量子

1. 更准确地讲，角动量是由不同数量的点的这种形态的复线性组合所描述。由于在复杂系统中，不同的叠加可得到不同的总自旋值。这只会使总的图像更不像经典角动量！

系统之前，我们必须对量子力学如何实际处理包含多于一个粒子的系统的古怪方式有些了解。

多粒子系统

很不幸，多粒子状态的量子力学描述是相当复杂的。事实上，它们会变得极其复杂。人们必须按照所有粒子各自所有可能的不同位置的叠加来思考！这导致可能状态的极庞大的空间——比在经典理论中的一个场大得多了。我们已经知道，甚至在单粒子的量子态，也即一个波函数即有一整个经典场的复杂性。这个图像（需要无限个参数才能指明）已经比粒子的经典图像（这里只需几个参数就能指明其状态——如果没有内部自由度，譬如自旋的话，实际上是6个，参阅第5章228页）复杂得很多。这似乎很糟糕。人们也许以为，必须用两个场来描述两个粒子的量子态。根本不是这回事！两个或更多粒子的状态的描述，正如我们将看到的，要比这个更繁复得多！

一个单独的（无自旋的）粒子的量子态由粒子所能占领的每一可能位置上的一个复数（幅度）所定义。粒子在点A有一幅度，在点B有一幅度，在点C有一幅度，等等。现在考虑两个粒子。譬如，第一个粒子可能待在A，而第二个粒子待在B这种可能性必须有一幅度。另外，第一个粒子可待在B，而第二个粒子待在A，这也需要一幅度；或第一个粒子待在B，而第二个粒子待在C；或者也许两个粒子都在A。每一种可能都有一个幅度。这样，波函数不仅仅是位置的一对函数（也就是一对场）；它必须是两个位置的一个函数！

为了估计一个双位置的函数比两个单位置的函数复杂多少，我们可想象一种情景，只存在有限数目的允许位置的集合。假定只有10个允许的由（正交）态给定的位置：

$$|0\rangle, |1\rangle, |2\rangle, |3\rangle, |4\rangle, |5\rangle, |6\rangle, |7\rangle, |8\rangle, |9\rangle 。$$

粒子态$|\Psi\rangle$为某种组合：

$$|\Psi\rangle = z_0|0\rangle + z_1|1\rangle + z_2|2\rangle + z_3|3\rangle + \cdots + z_9|9\rangle,$$

此处不同分量z_0，z_1，z_2，⋯，z_9分别顺序地提供了粒子在每一点处的幅度。10个复数指定了粒子的状态。对于双粒子状态，我们对每一对位置都需要一个幅度。共有

$$10^2 = 100$$

个不同的（有序）位置对，所以我们需要100个复数！如果我们只有两个单粒子态（亦即“位置的两个函数”而不是上面的“一个双位置的函数”），则我们只需要20个复数。

我们可以把这100个数标为：

$$z_{00}, z_{01}, z_{02}, \cdots, z_{09}, z_{10}, z_{11}, z_{12}, \cdots z_{20} \cdots z_{99},$$

以及把相应的（正交）基矢量标为：[12]

$$|0\rangle\,|0\rangle,\ |0\rangle\,|1\rangle,\ |0\rangle\,|2\rangle,\ \cdots,$$
$$|0\rangle\,|9\rangle,\ |1\rangle\,|0\rangle,\ \cdots,\ |9\rangle\,|9\rangle,$$

则一般的双粒子态$|\Psi\rangle$可写成：

$$|\Psi\rangle = z_{00}|0\rangle\,|0\rangle + z_{01}|0\rangle\,|1\rangle\ 1 + \cdots + z_{99}|9\rangle\,|9\rangle 。$$

此处态的“乘积”记号具有如下意义：如果$|\alpha\rangle$是第一个粒子可能的态（不必是位置态），而$|\beta\rangle$为第二个粒子的可能的态，则断言第一个粒子的态为$|\alpha\rangle$以及第二个态为$|\beta\rangle$的态可写作：

$$|\alpha\rangle\,|\beta\rangle 。$$

可对任何其他的量子态而不必仅仅是单粒子态取“乘积”。这样，我们总是将乘积态$|\alpha\rangle\,|\beta\rangle$（不必为单粒子的态）解释作描述以下事件的同时发生：

“第一系统处于态$|\alpha\rangle$而且第二系统处于态$|\beta\rangle$。”

（可对$|\alpha\rangle\,|\beta\rangle\,|\gamma\rangle$等进行类似的解释；见下面。）然而，**一般**双粒子态实际上并不具备这种“乘积”的形式。例如，它可以为：

$$|\alpha\rangle\,|\beta\rangle + |\rho\rangle\,|\sigma\rangle,$$

此处$|\rho\rangle$为第一系统的另一个可能的态，而$|\sigma\rangle$是第二系统的另一个

可能的态。此状态是一线性叠加；也就是第一个（$|\alpha\rangle$ 以及 $|\beta\rangle$）的同时发生加上第二个（$|\rho\rangle$ 以及 $|\sigma\rangle$）的同时发生，而它不能被重写成一个简单的乘积（亦即作为两个态的同时发生）。作为另一例子，态 $|\alpha\rangle|\beta\rangle - \mathrm{i}|\rho\rangle|\sigma\rangle$ 描述另一个不同的线性叠加。注意量子力学需要很清楚地区别"以及"和"加"这两个词。在现在语言中——譬如在保险小册子中——非常不幸地将"加"在"以及"的意义上使用。这里我们要加倍小心！

3个粒子的情形非常类似。在上述的只有10个可选择的位置的情况下，为了指明一般的三粒子状态，我们现在需要一千个复数！三粒子态的完备基是：

$$|0\rangle|0\rangle|0\rangle, |0\rangle|0\rangle|1\rangle, |0\rangle|0\rangle|2\rangle,$$
$$\cdots, |9\rangle|9\rangle|9\rangle。$$

特殊的三粒子态具有如下形式：

$$|\alpha\rangle|\beta\rangle|\gamma\rangle$$

（这里 $|\alpha\rangle$、$|\beta\rangle$ 和 $|\gamma\rangle$ 不必为位置态），但是对于一般的三粒子态，人们必须将许多这种简单的"乘积"叠加起来。对于四个或更多粒子的相应的模式则不必赘述。

迄今为止我们只是讨论可辨别的粒子。这里我们将"第一个粒子"，"第二个粒子"和"第三个粒子"等都当作不同种类的。然而，量子力学的一个显著特点是，等同粒子的规则与上面不同。其规则事实上是，在很清楚的意义上，特别种类的粒子必须完全等同，而不仅仅是极端接近于等同。但是，所有电子之间相互等同的方式和所有光子的方式不同。粒子的这两种一般种类必须以相互不同的方式处理。

为了不使读者在完全被用词不当所混淆之前，让我首先解释费米态和玻色态实际上是如何表征的。其规则如下。如果$|\Psi\rangle$是牵涉到某一特别种类的一些费米子，那么如果两个费米子相互交换，则$|\Psi\rangle$必须作如下的变化：

$$|\Psi\rangle \rightarrow -|\Psi\rangle。$$

如果$|\Psi\rangle$牵涉到某一特别种类的一些玻色子，则其中任何两个玻色子交换时，$|\Psi\rangle$必须作如下变化：

$$|\Psi\rangle \rightarrow |\Psi\rangle。$$

它的一个含义是两个费米子不能处于同一态中。因为如果这样的话，把它们交换就根本不影响其总的态，我们就必须有$-|\Psi\rangle = |\Psi\rangle$，也就是$|\Psi\rangle = 0$，对于量子态来说这是不允许的。这个性质称为泡利不相容原理[13]，它对物体的结构具有基本的含义。物体的主要成分的确是费米子、电子、质子和中子。若没有不相容原理，物体就会向自身坍缩！

我们来重新考虑10个位置的情形。我们假定有一个含有两个等

同费米子的态。态$|0\rangle|0\rangle$被泡利原理所排除（在第一个因子和第二个因子交换时它保持不变并没有反号）。而且，$|0\rangle|1\rangle$就这样子也是不行的，由于在交换时没有变成它的反号；但是这很容易由下式予以补救：

$$|0\rangle|1\rangle-|1\rangle|0\rangle$$

（如果需要的话，为了归一化，可以加上一个总的因子$1/\sqrt{2}$）。此态在两粒子相互交换时正确地变号。但现在$|0\rangle|1\rangle$和$|1\rangle|0\rangle$不再分别为独立的态。我们现在只许用一个态来取代这两个态。总之，共有

$$\frac{1}{2}(10\times9)=45$$

个这类的态，每一个态是从不同的$|0\rangle$，$|1\rangle$，…，$|9\rangle$态的无序对而来。这样，需要45个复数才能指明我们系统的态。对于3个费米子，人们需要3个不同的位置，而基本的态看起来像下面的样子：

$$|0\rangle|1\rangle|2\rangle+|1\rangle|2\rangle|0\rangle+|2\rangle|0\rangle|1\rangle$$
$$-|0\rangle|2\rangle|1\rangle-|2\rangle|1\rangle|0\rangle-|1\rangle|0\rangle|2\rangle,$$

总共有$(10\times9\times8)/6=120$态，这样需要用120个复数去指明三费米子态。更多费米子的情形是类似的。

对于一对等同的玻色子，独立的基本态共有两类，即像

$$|0\rangle|1\rangle+|1\rangle|0\rangle$$

的态和像

$$|0\rangle|0\rangle$$

的态（现在这是允许的），共有（10×11）/2＝55态。这样我们的双玻色子态需要55个复数。对于三玻色子共有3种类型的基本的态，共需要（10×11×12）/6＝220个复数，等等。

当然，为了表达主要的观念，我在这里考虑简单化的情形。更现实的描述则需要位置态的整个连续统，但其基本思想是一样的。另一微小的复杂性是自旋的参与。一个半自旋的粒子（必须为费米子）在每一个位置都有两个可能的态。我们可以把它们标作“↑”（自旋“向上”）和“↓”（自旋“向下”）。在我们简化的情况下，对于每一个粒子共有20个而不是10个基本的态：

$$|0\uparrow\rangle, |0\downarrow\rangle, |1\uparrow\rangle, |1\downarrow\rangle, |2\uparrow\rangle, |2\downarrow\rangle,$$
$$\cdots, |9\uparrow\rangle, |9\downarrow\rangle,$$

但是除此以外，所有讨论都和以前一样地进行。[这样，对于两个这样子的费米子人们需要（20×19）/ 2＝190个数；对于3个则需要（20×19×18）/6＝1140个数，等等。]

我在第1章提到了这样的一个事实，根据现代理论，如果一个人

的身体中的一个粒子和他的屋子的砖头中的一个粒子相交换，则根本不会有什么事会发生。如果那一个粒子为玻色子，正如我们看到的，态$|\Psi\rangle$的确完全不受影响。如果该粒子为一个费米子，则态$|\Psi\rangle$将由$-|\Psi\rangle$所替换，在物理上它和$|\Psi\rangle$是等同的。（如果我们感到有必要，可以修补这一符号改变，在交换之时简单地将粒子旋转360°就可以了，我们记得在进行360°旋转时，玻色子不受影响而费米子变号！）现代理论（大约在1926年）的确告诉我们有关物理物质的个别本体的问题的某些基础的东西。严格地讲，人们不能提到“这个特别的电子”或“那个单独光子”。断言“第一电子在这里而第二电子在那里”是声称态具有$|0\rangle|1\rangle$的形式。正如我们已经看到的，这对于费米子态是不允许的！然而，我们可以讲“存在一对电子，一个在这里，另一个在那里”，可以合法地说所有电子或所有质子或所有光子的集团（虽然在这里不管不同种类的粒子之间的相互作用）。许多单独电子为这个总图像提供一个近似，正如许多单独的质子或光子那样。这个近似在大多数目的下相当有效，但在其他一些情形下失效，超导、超流和激光的行为是众所周知的反例。

量子力学呈现的物理世界根本不是我们在经典物理中习惯了的图像。请赶紧抓牢你的帽子——量子世界中还有更为怪异的现象！

爱因斯坦-波多尔斯基-罗森“佯谬”

正如在本章开头提到的，阿尔伯特·爱因斯坦的观念，对于量子理论的发现是相当根本的。我们记得早在1905年，正是他曾先提出了“光子”的概念——电磁场的量子，由此而发展了波粒二象性的观念。（“玻色子”的概念，正如许多其他的思想也是一部分属于他的，这在理论中占有中心地位。）然而，爱因斯坦从未接受后来从这些思想发展而来的这一个理论，他认为这理论只不过是物理世界的临时性描述。他对于这一个理论的概率方面的厌恶是众所周知的，这集中表现在他在1926年致马克斯·玻恩的回信之中（引用于*Pais 1982*，P443）：

> 量子力学是令人印象深刻的。但是一个来自内部的声音告诉我，它还不是事物的真谛所在。该理论虽然富于成果，但是却几乎没有在接近古老的神秘方面使我们往前迈出一步。无论如何，我坚信：祂不掷骰子。

然而，比这物理学的非决定论性更甚的，也是最困扰爱因斯坦的是，量子力学的描述方式明显地缺乏客观性。我在解释量子理论时竭尽全力地强调，该理论所作的世界描述，虽然经常是非常古怪和反直观的，却是真正客观的。相反地，玻尔似乎认定（在测量之间）系统的量子态并没有物理的真正的实在，只不过是关于该系统的“某人知识”的总结而已。难道不同的观察者会有关于同一个系统的不同知识，这样波函数变成某种根本上主观的——或“完全在物理学家头脑中的”某种东西？许多世纪以来，我们发展的美妙无比而精确的物理图像不应该完全消失掉；所以玻尔在经典水平上认为世界确实具有客观的实体。而似乎作为它这一切的基础的量子水平态却不具有“实在性”。

爱因斯坦完全拒绝这样的图像，他相信甚至在量子力学的微小尺度下，必须存在一个客观的物理世界。在他和玻尔之间的长期论战中，他企图（但没有成功）指出在事物的量子图像中的固有的矛盾，在量子理论之下还必须有另一个更深的结构，或许这一个结构和经典物理呈现给我们的图像更相似。也许一种我们没有直接知识的、系统的、更小的基元或“部分”的统计作用，是量子系统的概率行为的基本原因。爱因斯坦的追随者，尤其是大卫·玻姆，发展出一种“隐变量”的观点。按照这种观点，的确有某种确定的存在，但是我们不能直接得到精确定义一个系统的参量，由于在测量之前不知道这些参数值，所以产生了量子的概率。

这种隐变量理论能与量子物理所观察到的所有事实相一致吗？只要隐参数能瞬息地影响任意远的区域，也就是理论本质上是非定域的，则答案似乎是肯定的！那也不会使爱因斯坦高兴，特别是由于它引起了和狭义相对论冲突的困难。我在以后再考虑这些。最成功的隐变量理论称为德布罗意-玻姆模型（*Broglie 1956*，*Bohm 1952*）。由于本章的目的是对标准的量子理论，而不是对不同的竞争设想的总括，所以我不在这里讨论这些模型。如果人们需要物理的客观性，但又准备免除决定性，则标准理论本身就已足够了。人们简单地以为态矢量提供了“实在”——它通常按照平滑的决定性的步骤$\boldsymbol{U}$演化，但是只要有效应将其放大到经典水平，它就要按照$\boldsymbol{R}$作古怪的跃迁。然而，非定域性和相对论的明显困难依然存在。让我们浏览一下这些问题。

假定我们有一个包含两个子系统A和B的物理系统。例如，A和B可以是两个不同的粒子。假定A的状态有两个（正交的）选择$|\alpha\rangle$和

$|\rho\rangle$，而状态B可为$|\beta\rangle$和$|\sigma\rangle$。正如上面看到的，一般的结合态不是简单地为A的一个态和B的一个态的积（“并且”），而是这种乘积的叠加（“加”）。（我们说A和B是相关的。）让我们假定此系统的态为：

$$|\alpha\rangle\,|\beta\rangle+|\rho\rangle\,|\sigma\rangle。$$

现在对A进行一个是或非的测量，将$|\alpha\rangle$（**是**）从$|\rho\rangle$（**非**）中辨别出来。B发生了什么呢？如果测量的结果为**是**，那结果的态应为：

$$|\alpha\rangle\,|\beta\rangle,$$

而如果结果为**非**，则结果的态是：

$$|\rho\rangle\,|\sigma\rangle。$$

这样我们测量A会引起状态B的跃迁：在答案为**是**时它跃迁到$|\beta\rangle$，而在答案为**非**时跃迁到$|\sigma\rangle$！粒子B根本没必要处在靠近A的任何地方；它们可以相距1光年那么远。然而，B的跃迁和A的测量是同时发生的！

但是，且慢！读者会说，这些被断定为“跃迁”的究竟是怎么回事？为何事情不像下面所描述的那样呢？想象一个盒子并事先知道里面装有一个黑球一个白球。假定取出这些球，把它们放在屋子的两个相反的角落里，并且没有一个球被看到。然后审视其中一个球并发现是白的（正如上述的$|\alpha\rangle$）——嘿，奇怪！另一球变成黑的（如同$|\beta\rangle$）！如果发现第一球是黑的（$|\rho\rangle$），则一眨眼间第二球的不确定态

就跃迁到“肯定是白的状态”($|\sigma\rangle$)。读者会坚持道，没人在他或她头脑中会把第二球从“非确定的”状态到“肯定是黑的”或“肯定是白的”的突变归结为某种神秘的非定域性的从考察第一球的时刻瞬息间传来的“影响”。

但是，自然界实际上比这更不寻常得多。在上述实验中，我们的确可以想象在测量A之前系统已经“知道”，譬如讲B的状态为$|\beta\rangle$而A的状态为$|\alpha\rangle$(或B是$|\sigma\rangle$而A是$|\rho\rangle$)，只不过实验者不知道而已。在发现A是$|\alpha\rangle$后，他简单地推断B应处于$|\beta\rangle$。这是一种“经典的”观点——正如在定域的隐变量理论中一样——在实际上并没有发生物理的“跃迁”(所有都是在实验者的头脑中进行的！)根据这样的一种观点，系统的每一部分在事先“知道”任何要对之进行的结果。概率的出现只是由于实验者缺乏知识而已。值得注意的是，不能用这样的观点来解释量子力学中出现的令人困惑的，显然是非定域的概率！

为了展示这一点，让我们考虑一个和上面相像的情形，但是只有在A和B分隔得很开以后才决定对系统A测量的选择。似乎B的行为瞬息地受这个选择的影响！正是阿尔伯特·爱因斯坦、鲍里斯·波多尔斯基和纳森·罗森(1935)提出了这类似是而非的“EPR”型的“理想实验”。我将沿用大卫·玻姆(1951)提出的一个变种。从约翰·S.贝尔的一个杰出的定理(参阅*Bell 1987*，*Rae 1986*，*Squires 1986*)可以得到这样的推论，任何定域的“现实的”(例如隐变量，或“经典型的”)描述都不能给出正确的量子概率。

假定由一个在某一中心点自旋为零的粒子衰变产生两个半自旋

的粒子——我将其称为电子和正电子（也即反电子），它们沿着相反方向做直线运动（图6.30）。由于角动量守恒，电子和正电子加起来的总自旋必须为零，这是因为原先中心粒子的角动量为零。这个实验的含义是，当我们在某一个方向测量电子的自旋，无论我们选择什么方向，正电子都在相反的方向上自旋！这两个粒子可以相隔几英里甚至1光年那么远。然而对一个粒子的测量的选择似乎瞬息地固定了另一个粒子的自旋轴。

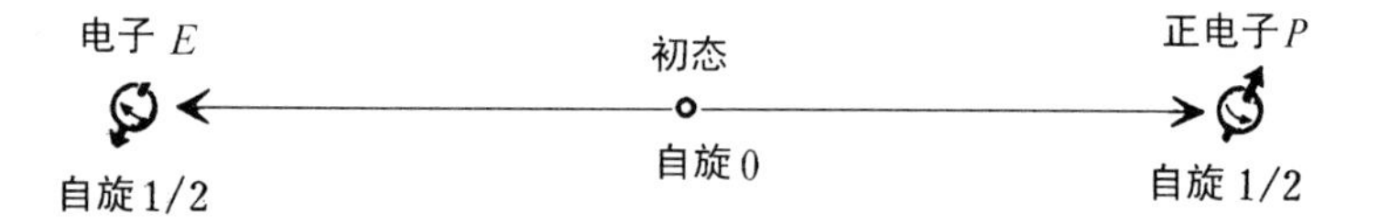

图6.30　自旋为0的粒子衰变成两个自旋为1/2的粒子，一个电子E和一个正电子P。测量其中的一个自旋为1/2的粒子的自旋，显然瞬息地决定了另一个粒子的自旋态

让我们看看量子的形式是如何地导致这一个结论的。我们用态矢量$|Q\rangle$来表达联合的双粒子的零角动量态，并发现下式成立：

$$|Q\rangle = |E\uparrow\rangle\,|P\downarrow\rangle - |E\downarrow\rangle\,|P\uparrow\rangle,$$

这里E是电子而P是正电子。这里的情形是按照自旋向上或向下的方向来描述的。我们发现，整个态应是自旋向上的电子和自旋向下的正电子以及自旋向下的电子和自旋向上的正电子的态的线性叠加。这样，如果我们在自旋向上或向下态的方向测量电子时，若发现电子自旋确实向上，则我们必须跃迁到态$|E\uparrow\rangle\,|P\downarrow\rangle$，这样正电子的自旋态必须向下。另一方面，如果我们发现电子自旋向下，则态跃迁到$|E\downarrow\rangle\,|P\uparrow\rangle$，这时正电子自旋向上。

假定我们现在选择其他的一对相反的方向，譬如向右的和向左的，而

$$|E\rightarrow\rangle = |E\uparrow\rangle + |E\downarrow\rangle,\ |P\rightarrow\rangle = |P\uparrow\rangle + |P\downarrow\rangle;$$

并且

$$|E\leftarrow\rangle = |E\uparrow\rangle - |E\downarrow\rangle,\ |P\leftarrow\rangle = |P\uparrow\rangle - |P\downarrow\rangle;$$

则我们发现（如果你愿意的话，可用代数检查一下！）

$$\begin{aligned}
&|E\rightarrow\rangle\,|p\leftarrow\rangle - |E\leftarrow\rangle\,|p\rightarrow\rangle = \\
&(|E\uparrow\rangle + |E\downarrow\rangle)(|P\uparrow - |P\downarrow\rangle) - \\
&(|E\uparrow\rangle - |E\downarrow\rangle)(|P\uparrow + |P\downarrow\rangle) = \\
&|E\uparrow\rangle\,|P\uparrow\rangle + |E\downarrow\rangle\,|P\uparrow\rangle - |E\uparrow\rangle\,|P\downarrow\rangle - \\
&|E\downarrow\rangle\,|P\downarrow\rangle - |E\uparrow\rangle\,|P\uparrow\rangle + |E\downarrow\rangle\,|P\uparrow\rangle - \\
&|E\uparrow\rangle\,|P\downarrow\rangle + |E\downarrow\rangle\,|P\downarrow\rangle = \\
&-2(|E\uparrow\rangle\,|P\downarrow\rangle - |E\downarrow\rangle\,|P\uparrow\rangle) = \\
&-2\,|Q\rangle 。
\end{aligned}$$

它（除了一个不重要的因子 -2 以外）和我们开始的态一致。这样，我们原先的态可同样合格地被认为是自旋向左的电子和自旋向右的正电子以及自旋向右的电子和自旋向左的正电子的态的线性叠加！如果我们要在向左或向右的方向上而不是向上或向下的方向上测量电子的自旋，这一个表达式就十分有用。如果我们发现电子的自旋向右，

则态跃迁到$|E\rightarrow\rangle\ |P\leftarrow\rangle$，这样正电子的自旋就向左。另一方面，如果我们发现电子自旋向左，则态跃迁到$|E\leftarrow\rangle\ |P\rightarrow\rangle$。这样正电子自旋就向右。假定我们在任何其他方向上测量电子的自旋，其情景完全是相对应的：正电子的自旋态会立即跃迁到同一方向或者相反的方向上去，这要依赖于对电子测量的结果。

为何我们不能用一种类似的方法，以上述的从一个盒子中取出黑球和白球的例子，来模拟我们电子和正电子的自旋呢？让我们考虑一般的情形。我们现在不用黑球和白球，而用原先合在一起然后向两个相反方向运动的两台仪器E和P。假定不管E还是P都能对在任何方向进行的自旋测量作**是**或**非**的响应。对于选择任何的方向，其响应可以被仪器完全决定，或许仪器只产生概率的响应，其概率由该仪器所决定。但是，我们假定在分开之后，不管是E还是P都是完全相互独立的行为。

我们在每一边都有一台自旋测量仪，一台测量E的自旋，另一台测量P的自旋。假定在每台测量仪上都有自旋的三个方向的刻度，譬如E测量仪上的A、B、C和P测量仪上的A'、B'、C'。方向A'、B'、C'分别和A、B、C相平行。我们取A、B和C在平面上的相互夹角为120°（图6.31）。现在想象在每一边的不同的刻度将该实验重复多遍。有时E测量仪会记录上**是**（也就是自旋是在测量的方向A、B或C上），还有时候会记录**非**（自旋在相反方向）。类似地，P测量仪有时会记录**是**，有时会记录**非**。我们注意到实际量子概率必然具备两个性质：

（1）如果两边的刻度是同样的（亦即A和A'，等等），那么两个测量所产生的结果总是不同意（亦即，只要P测量仪记录**非**时，E测量仪就记录**是**，而且只要P给出**是**时，E就为**非**）。

（2）如果将刻度盘随机地旋转放置，两者完全相互独立，则两个测量仪同意或不同意的情况是等概率的。

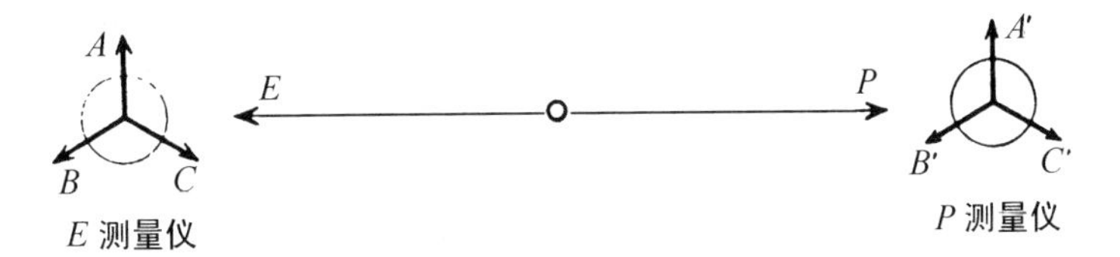

图6.31　EPR佯谬和贝尔定理的大卫·莫明简化形式，显示出在现实的定域的自然观点和量子理论的结果之间存在矛盾。E测量仪和P测量仪各自独立地具有测量它们各自粒子的自旋的三个方向刻度

我们容易看出，性质（1）和性质（2）是直接从我们早先的量子概率规则来的。我们可以假定E测量仪先动作。然后P测量仪发现粒子的自旋态，和E测量仪测量的结果相反。这样立即得到了性质（1）。为了得到性质（2），我们注意到，对于测量方向之间差120°的情形，如果E测量仪给出**是**，则P方向是和它所作用的自旋态夹角为60°；如果E给出**非**，则它和这自旋态夹角为120°。这样测量同意的概率为$\frac{3}{4}=\frac{1}{2}(1+\cos 60^\circ)$，不同意的概率为$\frac{1}{4}=\frac{1}{2}(1+\cos 120^\circ)$。所以，对于三个$P$刻度，如果$E$给出**是**，$P$也给出**是**的概率为$\frac{1}{3}=(0+\frac{3}{4}+\frac{3}{4})=\frac{1}{2}$，而$P$给出**非**的概率为$\frac{1}{3}(1+\frac{1}{4}+\frac{1}{4})=\frac{1}{2}$，亦即同意和不同意是等概率的。类似地，如果$E$给出**非**，情况也一样。这的确就是性质（2）。（参阅340页）

非常令人吃惊的是，性质（1）和性质（2）和任何定域的现实模型（亦即和所有能摹想到的这类仪器）都不协调！假定我们有这样的

一个模型，E仪器必须准备好应付每一可能的A、B或C测量。我们注意到，如果只准备得到随机的答案，那么为了和性质（1）相符合，P仪器分别对于A'、B'和C'不能一定给出不同意的结果。的确，两台仪器必须对预先确定的准备好的三种可能的测量每种给出答案。例如，假定对于A、B、C这些答案分别为**是**、**是**、**是**；则右手的粒子就必须准备对于三个相应的右手刻度给**非**、**非**、**非**的答案。如果，左手准备的答案为**是**、**是**、**非**，则右手答案就必须为**非**、**非**、**是**。所有其他情况都在本质上和这些相似。现在让我们看看这是否和性质（2）相协调。做**是**、**是**、**是/非**、**非**、**非**的指定不是非常有助的，因为这时在所有可能的配对A/A'，A/B'，A/C'，B/A'等中有9种情形不同意，0种情形同意。关于其他情况，譬如**是**、**是**、**非/非**、**非**、**是**以及类似的情况又如何呢？有5种不同意，4种同意。（只要全部列举出来就能检验了：**是/非**、**是/非**、**是/是**、**是/非**、**是/非**、**是/是**、**非/非**、**非/非**、**非/是**，其中5种不同意，4种同意。）这离开（2）的需要要近得多了，但还不够好，因为我们要求同意和不同意一样多！其他任何和性质（1）相协调的一对指定都会给出5比4（除了更坏的**非**、**非**、**非/是**、**是**、**是**情形，又给出9比0的答案）。不存在一组准备好的答案能产生量子力学的概率。因此，定域的现实模型必须被排除掉[14]！

光子实验：相对论的一个问题

我们应该问实际的实验是否支持量子力学的这些令人惊愕的预言。刚刚描述的精密的实验只是假想的，并没有被进行过。但是人们曾经利用一对光子的极化，而不是自旋为$\frac{1}{2}$的有质量的粒子的自旋进行过类似的实验。除了这个区别外，这些实验在本质上和上述的一样，除了有关的角度（由于光子的自旋为一，而不是一半）只是那些半自旋的粒子的一半。对光子的极化或偏振已在各种不同的方向组合上测量过，结果和量子力学的预言完全一致，而和任何定域的现实模型不协调！

迄今最精确和令人信服的实验结果是由阿兰·阿斯佩（1986）和他在巴黎的合作者得到的[15]。阿斯佩的实验还有另一个有趣的特点。以何种方法测量光子极化的“决定”是在光子完全飞走之后才做的。这样，如果我们认为存在从一个光子探测器跑到在相反一边的另一个光子探测器的非定域的，通知另外那个光子人们想要测量的偏振的方向的某种影响，则我们看到这种影响必须走得比光还快！任何和这事实相一致的量子世界的现实的描述，显然必须是非因果性的。这是在效应应该能比光传递得更快的意义上讲的。

但是，我们在上一章已经看到，只要相对论是正确的，用超光速发送信号就会导致荒谬（并和我们“自由意志”的感觉相矛盾等，参阅274页）。这肯定是对的。但是，在EPR类型实验中出现的非定域的“影响”，如果这样做的话就会导致荒谬，所以不能用以传递信息。（吉拉尔迪，雷米尼和韦伯在1980年详细地演示了这样的“影响”不能用于传递信号。）直到我们被告知实际是两种选择中的哪一种时，说一个光子“在垂直或水平”（或相反地说是在60°或者150°）方向偏振是没有用的。“信息”的这一部分（亦即不同的偏振方向）比光到达得更快（“瞬息”），而这两个方向中哪一个实际上被极化的知识，通过传递第一偏振测量的结果的通常信号，将更慢地到达。

在通常发送信息的意义上，虽然EPR类型的实验不和相对论的因果性发生冲突，它肯定和我们的“物理实在”的图像中的相对论精神相矛盾。让我们看看如何将态矢量的现实的观点应用到上述的EPR类型的实验（牵涉到光子）中去。当两个光子向外运动，态矢量描述作为单独单元的光子对的情形。没有一个光子单独地具有一个客观的态；量子态只适用于两个光子一起的情形。没有一个光子单独地有偏振方向；偏振是两个光子结合在一起的性质。当这两个光子中的一个偏振被测量时，态矢量就跃迁，使得未被测量的光子具有确定的偏振。当那个光子的偏振接着被测量时，将通常的量子规则应用到那个偏振态上去，就正确地得到了概率的值。用这种方式来看问题就得到了正确的答案；这正是我们通常应用量子力学的方法。但是，在本质上这是一种非相对论性的观点。因为这两个偏振的测量是称为类空分隔的。它表明任一测量都处于另一测量的光锥之外，正如图5.21中的点R和点Q的情形。两个测量哪个先发生的问题在实际上没有物理意义，它依赖于“观察者”的运动状态（图6.32）。如果观察者向右运动得足够快，则他认为右手的测量先发生；如果向左，则左手的测量先发生！但是，如果我们认为右手的光子先被测量，我们就得到了和认为左手光子先被测量的完全不同的物理实在的图像！（正是不同的测量引起了非定域的“跃迁”。）在我们物理实在的时空图像——甚至是

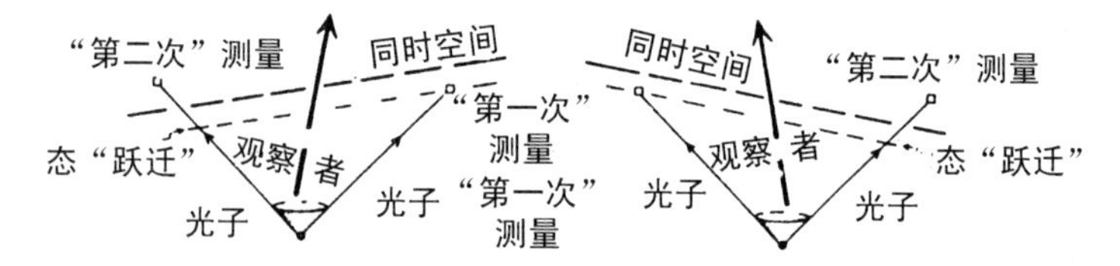

图6.32 在EPR实验中两个光子从一个自旋为零的态向相反的方向发射。两个不同的观察者形成“实在”的不一致的图像。向右运动的观察者判断态的左手部分在它被测量之前跃迁，这跃迁是由于右边的测量引起的。而向左运动的观察者的观点与此刚好相反

正确的非定域的量子力学的图像——和狭义相对论之间有本质上的冲突！这是一个严重的困惑，“量子的现实主义者”还不能予以解决（参阅*Aharonov and Albert 1981*）。我在以后还要回到这问题上来。

薛定谔方程；狄拉克方程

我在本章的前一部分提到了薛定谔方程。它是一个定义得很好的决定性的方程，在许多方面和经典物理的方程相当类似。该法则说，只要不对量子系统进行“测量”（或“观察”），薛定谔方程必须成立。读者或许会愿意看到它的实际形式：

$$\mathrm{i}\hbar\frac{\partial}{\partial t}|\Psi\rangle = H|\Psi\rangle。$$

我们会记得，$\hbar$ 是普朗克常数的狄拉克写法（$h/2\pi$），$\mathrm{i}=\sqrt{-1}$，而作用到$|\Psi\rangle$上的算符$\partial/\partial t$（对时间的偏微分）就表示$|\Psi\rangle$对时间的变化率。薛定谔方程讲“$H|\Psi\rangle$”描述$|\Psi\rangle$是如何演化的。

但是“H”是什么呢？它是我们在前一章考虑过的哈密顿函数，但是这里有一个根本的不同！回顾一下经典哈密顿量是按照系统中的所有物理对象的各种位置坐标q_i和动量坐标p_i来表达的总能量。为了得到量子的哈密顿量，我们可取同样的表式，但是对每一处出现的动量p_i要用微分算符“对q_i的偏微分”的倍数取代。明确地讲，我们用$-\mathrm{i}\hbar\partial/\partial q_i$来取代$p_i$。我们的量子哈密顿量$H$就变成某种（经常是复杂的）牵涉到微分和乘法等的数学运算——而不仅仅是一个数！这有点像变魔术！但是它不仅仅是数学符咒，它是真正起作用的魔术！

(应用这个过程从经典哈密顿量产生量子哈密顿量需要一点“艺术”,但是和其奇异的性质相比较,在这个过程中固有的、起作用的模糊之处是这么微小,真是令人印象深刻。)

薛定谔方程(不管H是什么样子的)是线性的,这是值得注意的重要之处。也就是说,如果$|\Psi\rangle$和$|\varphi\rangle$都满足该方程,则$|\Psi\rangle + |\varphi\rangle$或甚至任何组合$w|\Psi\rangle + z|\varphi\rangle$都满足,这里$w$和$z$为固定的复数。这样,薛定谔方程维持复线性叠加。两个可能的不同的态的(复)线性叠加不能仅仅由于$\boldsymbol{U}$的作用而被“拆开”!这就是为何为了使只有一个选择存活下来,作为与$\boldsymbol{U}$相分别的步骤$\boldsymbol{R}$的作用是必需的。

薛定谔方程像经典物理中的哈密顿形式一样不是那么特殊的方程,而是量子力学方程的一般框架。一旦人们得到了合适的哈密顿量,态按照薛定谔方程演化的方式,使得$|\Psi\rangle$仿佛是服从于某种诸如麦克斯韦的经典场方程的经典场。事实上,如果$|\Psi\rangle$描述一单独光子的态,那么薛定谔方程实际上成为麦克斯韦方程!单光子的方程刚好和整个电磁场的方程[1]完全相同。这一个事实是我们早先瞥见的单独光子的麦克斯韦场的类波动行为和偏振的缘由。另一个例子是,如果$|\Psi\rangle$描述单电子的态,则薛定谔方程就变成狄拉克著名的电子波动方程。这一个方程是他以伟大的创造性和洞察力于1928年发现的。

事实上,狄拉克电子方程必须和麦克斯韦方程以及爱因斯坦方程同列为物理学的伟大的场方程之一。为了使我们对之有深刻的印象,

1. 然而,在两种方程允许的解的类型方面存在一个重大的差别。经典麦克斯韦场必须是实的,而光子态是复的。光子态还必须满足所谓的“正频率”条件。

我就得必须引入令人眼花缭乱的数学观念。只要举一个例子就可以了，狄拉克方程中的 $|\Psi\rangle$ 有一奇怪的“费米子”的性质，即在360°旋转下 $|\Psi\rangle$ 变成 $-|\Psi\rangle$，这一点我们早先已经考虑过了（336页）。狄拉克方程和麦克斯韦方程一道组成了最成功的量子场论——量子电动力学的基础。我们在下面简要地讨论它。

量子场论

所谓“量子场论”的学科是从狭义相对论和量子力学的观念的结合而产生的。它和标准（亦即非相对论性）的量子力学的差别在于，任何特殊种类的粒子的数目不必是常数。每一种粒子都有其反粒子（有时，诸如光子、反粒子和原先粒子是一样的）。一个有质量的粒子和它的反粒子可以湮没而形成能量，并且这样的对子可由能量产生出来。的确，甚至粒子数也不必是确定的；因为不同粒子数的态的线性叠加是允许的。最高级的量子场论是“量子电动力学”——基本上是电子和光子的理论。该理论的预言具有令人印象深刻的精确性（例如，上一章已提到的电子的磁矩的精确值，参阅199页）。然而，它是一个不整洁的理论——不是一个完全协调的理论——因为它一开始给出了没有意义的“无限的”答案，必须用称为“重正化”的步骤才能把这些无限消除。并不是所有量子场论都可以用重正化来补救的，即使是可行的话，其计算也是非常困难的。

使用“路径积分”是量子场论的一个受欢迎的方法。它是不仅把不同粒子态（通常的波函数）而且把物理行为的整个时空历史的量子线性叠加而形成的（参阅费曼1985年的通俗介绍）。但是，这个方法自身也有附加的无穷大，人们只有引进不同的“数学技巧”才能赋予意义。尽管量子场论有毋庸置疑的威力和印象深刻的精确度（在那些理论能完全实现的很少情况），人们仍然觉得，必须有深刻的理解，才能相信它似乎是导向“任何物理实在的图像”[16]。

我应该澄清的是，由量子场论提供的量子理论和狭义相对论之间的一致性只是部分的——只对$\boldsymbol{U}$过程——并且它具有相当数学形式的性质。量子场论甚至还未触及困难之处：对$\boldsymbol{R}$过程中产生的“量子跃迁”（EPR类型实验留给我们的）做协调的相对论解释。此外，我们还没找到一个一致的或可信的引力量子场论。我将在第8章提议，这些问题也许不是完全相互无关的。

薛定谔猫

最后让我们回到从一开始描述就尾随我们的问题。我们为何从未见到经典尺度现象的量子线性叠加，诸如板球同时处于两个地方？究竟是什么东西使得构造测量仪器的原子的某种形态能用过程$\boldsymbol{R}$来取代$\boldsymbol{U}$？任何测量仪器自身无疑是物理世界的一部分，它是由那些十足量子力学的构件制备而成，它的行为是被设计来作此探索的。为何不将测量仪器和被考察的物理系统一起作为合并的量子系统来处理，如果这样就不牵涉到神秘“外界”的测量。这合并的系统应简单地按照$\boldsymbol{U}$来演化。但是，果真如此吗？$\boldsymbol{U}$在合并系统的作用是完全决定性的，并没有$\boldsymbol{R}$类型的概率不确定性卷入到合并系统并对自身进行“测量”或“观察”的余地！这里存在一个明显的矛盾，在埃尔温·薛定谔（1935）引入著名的理想实验——薛定谔猫的矛盾中变得特别形象。

想象一个封闭的容器，它制造得如此完美以至于没有任何向内或向外的影响能通过容器壁。想象在容器里有一只猫，并且还有一台能被某量子事件触发的仪器。如果该事件发生，该仪器打碎装着氰化物的药瓶，并将猫毒死。如果该事件没发生，则猫继续活着。在薛定谔原先的设计中，量子事件为放射性原子的衰变。让我稍作修正，并把光子触发光电管作为我们的量子事件。在这里光子是由某个处于预先确定状态的光源发出，然后由半镀银的镜子反射下来（图6.33）。镜面的反射将光子波函数分裂成两个分开的部分，由该镜子使之一部分反射而另一部分穿透。光子波函数的被反射部分聚集在光电管上，这样如果光子被光电管所记录，它就是被反射的。这种情形下，氰化物就流出来，猫就被毒死。如果光电管没有记录，光子就穿透过半镀银的镜子而到达后面的墙上，猫就存活。

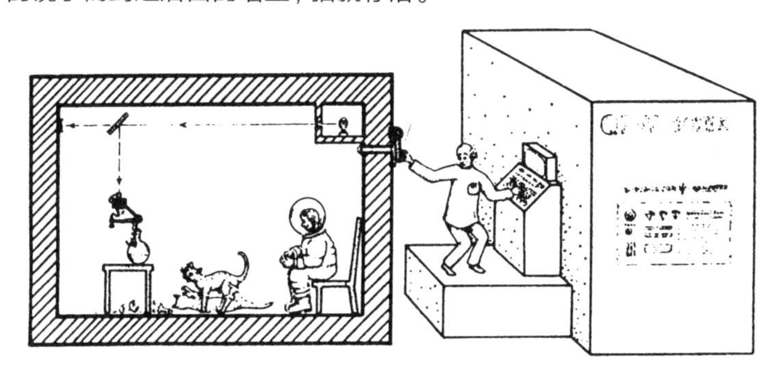

图6.33　薛定谔猫——以及附加物。

从处在容器内的（有点危险的）一个观察者的观点，这的确是在那里所发生的描述。（我们最好为此观察者提供合适的防护服！）或者光子被反射，因为光电管“观察到”并记录到，猫被毒死；或者光子穿透过，由于光电管没有“观察到”并没有记录，猫是活的。实际上，两者必居其一：$\boldsymbol{R}$起了作用，每一种可能性的概率为百分之五十

（因为它是一面半镀银的镜子）。现在，让我采用处于容器之外的物理学家的观点。我们可以认为，在容器被封之前他已知内部的初始态矢量。（我不是指在实际上他能知道，而是量子理论没有说在原则上不能让他知道。）根据外面的观察者，在实际上没有进行“测量”，这样整个态矢量必须按照$\boldsymbol{U}$进行。光子由处于预定的状态的源中发出——两个观察者在这一点上是一致的——它的波函数分成两束，譬如讲每一部分光子的幅度均为$1/\sqrt{2}$（这样平方模就给出$1/2$的概率）。由于这整个系统被外界的观察者当作单独的量子系统来处理，不同选择之间的线性叠加必须一直保持到猫的尺度。光电管记录到和没有记录到光子的幅度各为$1/\sqrt{2}$。在这种态下两种选择都必须存在，在量子线性叠加中权重相同。根据外面的观察者，猫是处于死和处于活的线性叠加态！

我们真的会相信这种事吗？薛定谔本人清楚地表示他不相信。他论证道：量子力学的$\boldsymbol{U}$规则实际上不能适用于像猫这么大、这么复杂的东西上。在这过程中薛定谔方程一定出了什么差错。当然薛定谔有权利用这种方式来评论他的方程，但是我们并没有分享到这种特权！相反地，大量（也许大多数）物理学家宁愿坚持，现在有如此大量的实验证据支持$\boldsymbol{U}$——没有一个人反对之——甚至在猫的尺度下，我们没有什么权利去抛弃这类演化。如果这一点被接受，我们就似乎被导致到物理实在的非常主观的观点。对于这外面的观察者，猫的确是处于活和死的线性组合中，只有当容器最后被打开后猫的态矢量才坍缩成其中的一种选择。另一方面，对于在里面的（适当防护的）观察者，猫的态矢量坍缩得早得多，而外面观察者的线性叠加和他不相干。

$$|\Psi\rangle = \frac{1}{\sqrt{2}}\{|死\rangle + |活\rangle\}$$

态矢量似乎毕竟“完全处于精神之中”！

但是，我们真能采用态矢量的这种主观观点吗？假定外面的观察者做了某些复杂得多的事，而不仅仅是“窥视”该容器。假定他首先从他得到的容器内部的初始态的知识，使用他能得到的一台大型计算设备，由薛定谔方程计算出容器内的态应实际上是什么样的，得到了（正确的！）答案$|\Psi\rangle$。这里$|\Psi\rangle$的确是上述的死猫和活猫的线性叠加。然后他进行一个特殊的实验，把这个态$|\Psi\rangle$和所有与之正交的态鉴别开来。（根据前述的量子力学规则，他在原则上可以进行这样的实验，尽管在具体实现时会遭遇到极大的困难。）“是的，它是处于态$|\Psi\rangle$”和“不，它处于与$|\Psi\rangle$正交的态”的两种结果的概率分别为百分之百和百分之零。特别是，态$|\chi\rangle = |死\rangle - |活\rangle$的概率为零，它是和$|\Psi\rangle$正交。$|\chi\rangle$作为实验结果的不可能性只能是因为两个选择$|死\rangle$和$|活\rangle$共存并相互干涉而引起的。

如果我们稍稍调整光子的路径长度（或镀银的量），使所得到的态不是$|死\rangle + |活\rangle$，而是别的组合，譬如$|死\rangle - i|活\rangle$，等等。所有这些不同的组合在原则上都具有不同的实验后果！所以它甚至“不仅”是某种会影响我们的可怜的猫的死亡和存活的共存的事体。所有不同的复组合都是允许的，它们在原则上应能互相被区分开来！然而，对于容器内的观察者，似乎所有这些组合都是无关紧要的。猫或者是活的，或者是死的。我们如何理解这种偏离呢？我将简要地指出一些关于这些（以及相关的）问题的不同观点，——虽然毫无疑问地，我将

不会完全公平地对待它们！

现存量子理论的不同看法

首先，在实现诸如将态$|\Psi\rangle$与任何和$|\Psi\rangle$正交的态区分开来的实验中存在着明显的困难。毫无疑问地，在实际上，这种实验对于外面的观察者而言是不可能的。特别是，甚至在他计算$|\Psi\rangle$将来实际上应是什么样子之前，他需要知道（包括内部观察者的）整个内容的态矢量！然而，我们要求这个实验不仅在实际上，而且在原则上不可能实现，否则我们就没有权利从物理实在中移走态|活〉或态|死〉中的一个。麻烦在于，量子理论的现状并没有在“可能的”测量和“不可能的”测量之间划上一道清楚界限的法规。也许应该存在这样清楚的区别。但是，理论的现状不允许这种东西。引进这种区别就会使量子理论改观。

其次，一种相当普遍的观点认为，如果我们充分地考虑环境的影响，则困难就会被消除。的确，要使系统完全和外界隔离在实际上是不可能的。只要外界的环境牵涉到容器内的态，则外部观察者就不能认为系统是由一个单独的态矢量来描述。甚至他自己的态和这系统以一种复杂的方式相关联。况且，还有大量的不同粒子纠缠以及一直弥散到宇宙中越来越远的，包括极大量自由度的不同可能的线性组合的效应。不存在一种可行的方式（譬如靠观察适当的干涉效应）把这些复线性组合从仅仅为概率加权的选择中区别出来。这甚至不必是把系统和外界隔离开来的问题。猫本身牵涉到巨大数量的粒子。这样，死猫和活猫的复线性组合可以像简单的概率混合那样处理。然而，我本人认为这根本不是令人满意的。正如对付前面的观点一样，我们可以问在哪一阶段可以正式认为“不可能”得到干涉效应——使得可以宣布说复线性叠加的幅度平方模提供了衡量“死”和“活”的概率？甚至如果世界的“实在”在某种意义上“在实际上”变成一个实数概率权重，如何将它只分解成这种或那种选择？在仅仅依赖演化 U 的基础上，我看不到实在如何将两种选择的一个复（或实）线性叠加变换成其中的这样一种选择。我们似乎被逼回到世界的主观观点上去！

有时人们采取这样的观点，复杂的系统实际上不应该由“态”而应由所谓的密度矩阵的推广来描述（*von Neumann 1955*）。这些同时牵涉到经典概率和量子幅度。事实上，许多不同的量子态被一起用来代表实在。密度矩阵是有用的，但是它们自身不能解决量子测量深刻而可疑的症结。

人们也许同意，实际的演化是决定性的 U，但在了解该组合系统的量子态究竟是什么时牵涉到的不确定性引起了概率。这可认为是关于概率起源的非常“经典的”观点——它们全部是从初始态的不确定性引起的。人们可以想象，微小的初始态的差别会产生演化中的巨大差别。正如经典系统会产生“混沌”一样（譬如，天气预报，参阅第5章224页）。然而，单由 U 本身不会产生这种“混沌”，因为它是线性的：在 U 的作用下，人们不想要的线性叠加被一直维持着。要把这种叠加归结成这种或那种选择，U 本身做不到，需要某种非线性的东西。

作为另一种观点，我们也许注意到了这个事实，在薛定谔猫的实验中唯一和观察结果完全明确的偏差似乎是由于有意识的观察者引起的，一个（或两个）在容器里面和另一个在外面。也许复量子叠加定律不能应用于意识！欧根·P. 维格纳（1961）为此观点提出了一个粗糙的数学模型。他提议，薛定谔方程的线性也许对于有意识的（或仅仅是“活”的）本体无效，它由某种非线性的步骤所取代，由此被归结成两种选择中的一个。读者或许会认为，由于我在寻求某种量子现象在我们意识思维中的作用——我们的确如此，我倒最为同情这种可能性。然而，我一点也不喜欢它。它似乎会导致世界实在的非常不均衡的使人烦恼的观点。宇宙中意识栖息存在的角落可以说是非常稀少并相隔得非常远，依此观点，复线性叠加只在那些角落归结成实际的选择。情况也许是这样，对我们来说，其他这样的角落和宇宙的其余部分显得相同，因为不管我们自身看到（或观察到）什么，由于我们意识的行为使它“归结成选择”，而不管是否之前已经归结成这个样子。若果真如此，这种巨大的失衡会给世界的实在性提供一个非常使人烦忧的图像，而要我作为其中一员只能非常犹豫地去接受它！

还有一种相关的称作参与宇宙的观点（由约翰·A. 惠勒在1983年提出），将意识的作用推向一个（不同的）极端。例如，我们注意到，这一个行星上的意识生命的演化是由于不同时期的适当的沧桑巨变。这些被设想为量子事件，所以它们只在线性叠加的形式中存在，直到它们最后导致意识生命的演化——其存在完全依赖于正确的巨变“在实际上”发生！依此观点，正是我们自身的存在把我们的过去变戏法为存在。此图像中的逻辑循环的矛盾引起人们的一些注意，但我自己感到这种观点困难重重，并且几乎是不可信的。

另外一种本身是逻辑性的，但是提供出同等奇怪图像的称为多世界的观点。这是休·埃弗里特三世首次公开提出的（1957）。按照多世界解释，***R***根本从未发生过。实在的态矢量的全部演化被认为总是由决定性的过程***U***所制约的。这意味着可怜的薛定谔猫和容器中的受防护的观察者的确应该存在于一种复线性组合之中，猫处于某种活和死的叠加态中。然而，死的状态是和内部观察者意识的一种态相关，而活的与另一状态相关（并且假定，部分地和猫的意识相关——并且当这些内容呈现给外界观察者时，最终也和他相关）。每一观察者的意识被看作“分裂”，这样现在他存在两次，每一次他的情形都有不同的经验（也就是，一次看到死猫，另一次看到活猫）。的确不仅是一个观察者，他所居住的整个宇宙都在他对宇宙所进行的每一“观察”中分裂成两个（或更多个）。这种分裂不断地发生——不仅仅是由于观察者进行的“观察”，而且还一般地由于量子事件的宏观的放大——这样使得这些宇宙“分枝”疯狂地蔓延。的确，每一种不同的可能性都会在某种巨大的叠加中共存。这肯定不是最经济的观点，但是我本人反对它的原因并不是这种不经济。特别是，我看不出为何意识只能知晓线性叠加的“一”个选择。是有关于意识的什么东西使人们无法“知晓”令人焦虑的死猫和活猫的线性叠加呢？我似乎觉得在多世界观点和人们实际观察到的之间相符合之前必须先有关于意识的理论。在宇宙的“真正”（客观）态矢量和我们要实际“观察”到的之间我看不到什么关系。有人断言，***R***的“幻像”在某种意义上能在这图像中被等效地导出，但我认为这一断言不成立。要使这种方案可行，人们至少需要进一步的要素。依我看来，多世界观点并没有在实际上触动量子测量的真正的困惑，而自身却引进了许多问题。（比较*Witt and Graham 1973*的讨论。）

现状如何

就量子力学的理论现状而言，任何解释上的困惑总是以这种或那种面目出现而挥之不尽。让我们简略地复习一下标准的量子理论在实际上告诉我们应如何描述世界，尤其是和这些令人困惑的问题之间的关系。然后我们向自己提出这样的问题：我们将往何处去？

首先，我们知道只能把量子理论的描述有意义（有用）地应用到分子、原子或亚原子粒子的所谓量子水平上去。但是，只要在不同的可能性之间的能量差保持非常小时，也能在大尺度下应用。在量子水平上，我们应该把这种“选择”当作可共存的东西来处理，以一种复数权重来叠加。我们用以加权的复数称为概率幅。每一不同的复加权选择的总体定义一个不同的量子态，而任一个量子系统必须用这样的量子态来描述。以自旋的情况作例子最为清楚了。对于什么是构成量子态的“实际的”选择以及什么仅仅是选择的“组合”，我们无可奉告。无论如何，只要系统仍处于量子水平，量子态就以完全决定性的形式演化。由重要的薛定谔方程制约的过程 U 即是这种决定性的演化。

当不同量子选择的效应被放大到经典水平，使得选择之间的差别足够大到我们可以直接感知，那这样的复权重叠加似乎不再维持。相反地，复幅度的平方模被形成（也即把它们在复平面上的位置离开原点的距离取平方），而现在这实数扮演问题中选择的实际概率的新角色。只有其中的一个选择依照过程 R（称为态矢量的减缩或波函数的坍缩，完全和 U 不同）在物理经验的实在中存活。量子理论的非决定性正是在这里也仅是在这里被引进来。

人们也许可以有力地为量子态提供一个客观的图像辩护，但是它是复杂的，甚至有些使人觉得似是而非。当有若干个粒子参与时，量子态（通常）会变得非常复杂。单独粒子自身不再有它们自己的“态”，而是处于和其他粒子相缠结的复杂的相关状态中。当在一个区域“观察”一个粒子时，也就是它触发了某种效应使之放大到经典水平，那么必须祈求***R***——但是这显然同时地影响其他和该粒子相关的所有粒子。爱因斯坦、波多尔斯基和罗森（EPR）类型的实验（譬如在阿斯佩实验中，由一个量子的源向相反方向发射出一对光子，然后在相隔几米的距离下分别测量它们的偏振）对这些量子物理困惑的，却又是根本的事实给出了清楚的观察结果：它是非定域的（使得阿斯佩实验中的光子不能被当成分开的独立的本体来处理）！如果***R***被认为是一种客观方式的作用（它似乎为量子态的客观性所隐含），那就相应地违背了狭义相对论的精神。看来不存在能和相对论要求相一致的（正在减缩的）态矢量的真正客观的时空描述。然而，量子理论的观察效应不违反相对论。

量子理论在关于何时和为何***R***实际上（或显得？）发生的问题上保持缄默。并且，它本身并没有适当解释为何经典水平的世界“显得”经典。要知道“大多数”量子态根本不像经典态！

现状如何？我相信，人们必须认真地考虑量子力学在应用于宏观物体时就是错了的可能性，或者定律***U***和***R***只不过是提供极为近似某种更完全的，但还未发现的理论。正是这两个定律结合在一起提供了现在理论而不光是***U***所享有的与观察的美妙的符合。如果把***U***的线性推广到宏观世界去，我们就必须接受板球等不同位置（或不同自旋等）的复线性叠加的物理实在。常识告诉我们，这不是世界真正行为的方式！经典物理的描述的确为板球提供了很好的近似。它们具有定义得相当好的位置，并没有出现量子力学线性定律所允许的同时处于两处的情况。如果过程$\boldsymbol{U}$和$\boldsymbol{R}$为更广泛的定律所取代，则新定律不像薛定谔方程那样，它具有非线性的特征（因为$\boldsymbol{R}$自身非线性地起作用）。有些人持反对态度，他们完全正确地指出，标准量子理论深奥优美的数学性是来自于它的线性。但是我感到，如果量子理论在将来不遭受到一些根本的改变，那是令人惊讶的——对于某种东西它会变成线性只能是一种近似。肯定存在过一些这类改变的先例，牛顿的优雅而有力的万有引力理论要大大地归功于这一个事实，理论中的力以线性的方式相加。然而，和爱因斯坦广义相对论相比，这种线性只是（虽然是极好的）近似——爱因斯坦理论的精巧甚至超过了牛顿理论！

我毫不犹豫地相信，量子理论矛盾的解决在于我们找到一个改善的理论。虽然这也许不是传统的观点，但也不是毫无传统可言。[许多量子理论的创始者也有这种想法。我是指爱因斯坦的观点。薛定谔（1935）、德布罗意（1956）和狄拉克（1939）也认为此理论是临时的。] 但是，甚至如果人们相信此理论是要进行某种修正，而应该如何进行修正的方式还要受到巨大的限制。也许某种“隐变量”观点最终会变成可接受的。但是，由EPR类型的实验展示的非定域性对任何在通常时空中能安然发生的世界“现实的”描写都构成了严重的挑战——这正是依照相对论原理所提供给我们的特殊类型的时空——所以我相信需要更多得多的激变。况且，从未发现量子理论和实验之间的任何种类的偏离——当然除了人们把板球线性叠加态的不存在当成反例之外。依我自己的观点看，不存在线性叠加的板球正是相反的证据！但是这对它本身并没有什么大帮助。我们知道，量子定律支配着亚微观水平的东西，而经典物理支配着板球水平的东西。为了看到量子世界如何和经典世界合拢，在它们中间的某个地方，我坚持，我们必须对新的定律有所理解。我还相信，如果想理解精神的话我们必须理解这种新的定律。我相信，为了所有这一切，我们必须寻求新的线索。

在本章的量子理论描述中，我完全采用传统的办法，虽然也许比通常更加强调几何和“现实性”。我们将在下一章寻找某些必需的线索——我相信它能为改善量子理论提供某些暗示。我们从家乡开始旅行，但将被迫浪迹天涯。我们必须探索空间的极遥远处，并且要回溯到时间最初的起点！

第 7 章
宇宙论和时间箭头

时间的流逝

体验时间进展的感觉是我们知觉的中心。我们似乎从确定的过去向未定的将来不断前进。我们觉得过去的已经完结了，它是不可改变的，它在某种意义上还在“那里”。我们现在关于它的知识来自于我们的记录、我们记忆的痕迹以及从这些推导而来的东西。但是，我们从未怀疑过去的“实在性”。过去的那个样子也只能是这样了。发生过的事情已经发生过了，不管是我们还是任何人做任何事情都无法改变它！另一方面，将来似乎还是未定的。它可以这样也可以那样。或许这种“选择”完全是由物理定律所决定，或许一部分由我们自己（或上帝）所决定；不过似乎这种“选择”仍然有待于进行。无论未来的“现实”实际上可能决定成为什么，似乎都只是潜力。当我们有意识地感觉到时间的流逝时，广漠而表面上不确定的将来的最急切部分连续地变成为现实，并因此进入僵死的过去。有时我们会感到，我们甚至对特殊潜在的未来选择的某种影响独自“负责”，这种选择事实上已被实现，并成为过去的永恒实在。我们更经常觉得，当确定的过去疆域无情地吞噬未定的将来时，自身只是一个无助的旁观者——也许还要庆幸自己对这一切不必负责任。

但是，正如我们所知道的，物理告诉我们的却是另一回事。所有成功的物理方程都在时间上是对称的。它们在时间的任何方向上使用都显得一样。在物理学上，将来和过去似乎是平权的。牛顿定律、哈密顿方程、麦克斯韦方程、爱因斯坦广义相对论、狄拉克方程、薛定谔方程——如果我们颠倒时间方向（用$-t$来取代代表时间的坐标t），所有这些方程在实质上都不变。全部经典力学以及量子力学的$\boldsymbol{U}$部分都是完全时间可逆的。现在存在一个问题，量子力学的$\boldsymbol{R}$部分在实际上是否时间可逆的。这个问题将是下一章论证的中心。此刻，让我们首先避开这个问题，并把它当作这个课题的“传统智慧”，也就是不管其初看起来怎样，$\boldsymbol{R}$的动做也应该被认为是时间对称的（参阅*Aharonov, Bergmann, and Lebowitz 1964*）。如果我们接受这些，似乎就必须环视四周，看看是否在他处能找到物理定律断言的过去和将来的差别之所在。

我们研究这个问题之前，必须考虑在我们的时间感觉和现代物理理论教导我们所相信的东西之间另一个令人困惑的偏离。根据相对论，根本就没有什么叫作“现在”的东西。我们所能得到和这最接近的概念是（正如258页的图5.21）观察者在时空中的同时空间，但是它依赖于观察者的运动！一个观察者的“现在”和另一观察者的不同[1]。关于时空中的两个事件A和B，第一位观察者U会认为B属于固定的过去，而A属于未定的将来；而对于第二观察者V可变为A属于固定的过去，而B属于未定的将来！（图7.1）。只要A和B中的任何一个事件是确定的，我们就不能完全有意义地断言另一个事件是否仍是未定的。

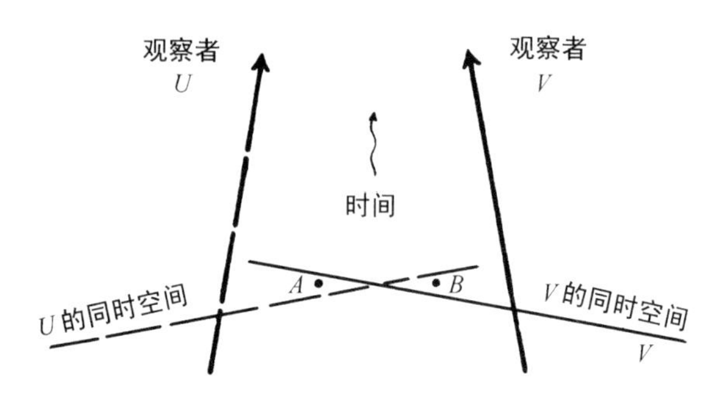

图7.1 时间真能流逝吗？从观察者U看来，B在“固定的”过去，而A还处于“未定的”将来，观察者V的观点刚好相反

回想一下259—260页的讨论以及图5.22。两人在路上相遇，按照其中一人，仙女座大星云太空舰队已经启程，而另一人却认为，还没有决定是否实际进行这次航行。那个已经决定的结果怎么还会有某种不确定呢？如果对于其中一个人而言决定已做出，那很清楚不能再有任何非确定性。太空舰队的启程已是不可避免。事实上他们中没有任何一个人知道太空舰队的发射。他们将来只能在地球上的望远镜观测揭示了舰队的确已在航程中时才知道。然后，他们可以回到原先邂逅之处[2]，并且得出结论，在那个时刻，按照其中一人，这个决定于未定的将来才做，而对于另一人，决定已在固定的过去做过。那时关于未来是否确有任何未定之处？或者是否两人的未来都已被“固定了”？

情况似乎变成，如果任何事情完全确定，则整个时空应该的的确确是确定的！不可能有“未确定的”未来。整个时空必须是固定的，没有任何不确定的疆域。的确，这似乎正是爱因斯坦自己的结论（参阅*Pais 1982*，P444）。此外，根本就没有时间流逝。我们只有“时空”——并且根本就没有正在被确定的过去无情侵占的未来疆域！（读者也许会诧异量子力学的"不确定性"在所有这些中扮演什么角色。我将在下一章回到量子力学引起的这一问题。此刻，最好只按照纯粹经典的图像来思考这一切。)

依我看来，在我们关于时间流逝的意识感觉和我们关于物理世界的实在的(超等精密的)理论所作的断言之间存在着严重的偏离。假定(正如我所相信的)知觉的更基础的某种东西一定能在和某种物理的关系中得到理解的话，则这些偏离必须在实际上告诉我们这种物理的一些深刻的内容。看来不管什么物理在起作用，它至少必须有一根本的时间反对称要素，也就是说它应该能把过去和将来区分开来。

如果物理的定律不能区分将来和过去——并且甚至连"现在"这个概念和相对论都不能和谐相处——那么究竟何处可以寻找到和我们自以为理解世界的方式更一致的物理定律呢？事实上，事情并非像我似乎要表明的那样具有这样大的偏离。我们的物理理解除了仅仅是时间演化的方程以外，还包含有牵涉到时间不对称的重要部分。其中最重要的是热力学第二定律。我们先要对这一个定律有所了解。

熵的无情增加

想象把一杯水放在桌子的边缘上。稍微推一下就会落到地面上去——无疑地会被打碎成许多碎片，水会溅到相当大的面积上，或许会被地毯吸收，还会流到地板的缝隙中去。我们这一杯水在这里只不过忠实地遵循着物理的方程罢了。牛顿的描述即已足够。杯子和水中的原子独立地遵守牛顿定律(图7.2)。现在让我们把这图像在时间的相反方向表演。由于这些定律的时间可逆性，这些水可以一样容易地从地毯和地板缝隙中流出，流进一个从许多碎片拼凑而成的玻璃杯中，这整体从地板上刚好跳跃到桌子的高度，然后停在它的边缘上。正如杯子落下打碎的过程一样，所有这一切又都和牛顿定律相符合。

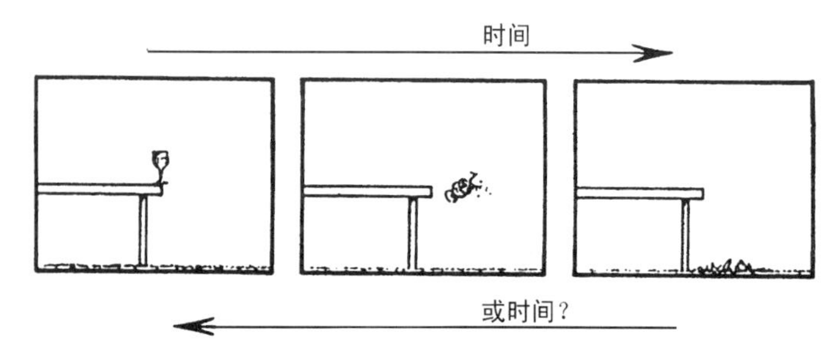

图7.2　力学定律是时间对称的；但是由右图到左图这样景象的时间顺序从未实现过，而由左图到右图则是司空见惯的

读者也许会问使杯子从地板上升到桌子上去的能量从何而来。那没有问题。不可能有能量的问题，因为在杯子从桌子落下时，从下落得到的能量必须跑到某处去。下落杯子的能量事实上变成热。在杯子摔到地面的时刻，杯子碎片、水、地毯和地板的原子会以一种比以前更快一些的杂乱的方式运动。也就是说，玻璃片、水、地毯和地板会比这发生之前仅仅变得稍热一些（不管蒸发引起的可能的热丧失——但是在原则上，那也是可逆的）。由于能量守恒，这热刚好等于这杯水从桌子上落下时的能量损失。所以，这些热能也刚好是足以使玻璃杯重新举到桌子上的能量！注意，在我们考虑能量守恒时把热能也计入是很重要的。把热能也包括进去的能量守恒定律称为热力学第一定律。由牛顿力学推导而来的热力学第一定律是时间对称的。第一定律并不以任何方式限制玻璃和水，从而排除碎片聚集成杯子，并且充满水后奇迹般地跳回到桌面上的可能性。

我们从未看到这类事情发生的原因是，在玻璃碎片、水、地板和地毯中的原子的“热”运动全是极其紊乱的，所以大部分原子都在错误的方向上运动。为了聚集玻璃碎片并收回所有溅开的水，而且最后优美地跳回到桌子上，必须以不可思议的精确度把它们的运动协调起来。可以肯定的是，这样协同的运动实际上是不存在的！只有极其侥幸地，也就是如果真有这样的“魔术”发生的话，才会有这种协同。

然而沿着时间的另一方向，这种协同运动则是司空见惯的。假定在物理状态的某种大尺度变化发生（这里是玻璃杯被打碎，水流走）之后而不是之前，粒子以协同的方式运动，我们并不把这些认为是侥幸。在此事件以后，粒子的运动的存在必须是高度协同的；由于这些运动具有这类性质，所以如果我们以完全精确的方式去颠倒每一个别原子的运动，则结果正是集中碎片，充满水并把水杯刚好举到出发之处所需要的行为。

把高度协调一致的运动看作大尺度变化的效应而不看作原因的观点是可以接受的并且是熟悉的。然而“原因”和“效应”两词需要面对时间反对称的问题。通俗地讲。我们已习惯于在原因必须先于效应的意义上应用这些术语。但是要想理解在过去和将来之间物理上的不同，就必须非常警惕不让我们日常的关于过去和将来的感觉无意识地注入讨论中去。我必须警告读者，要避免这样是极其困难的，但是我们必须强制自己这样做。我们必须尽力地这样使用词句，即在过去和将来的物理差异上不偏不倚。相应地，如果情势被认为刚好是合适的，我们就必定允许自己把事件的原因放在将来，而把效应放到过去！经典物理的决定性的方程（或量子物理的U过程）对于未来方向的演化并没有什么特权。它们可以一样好地适用于向过去方向的演化。未来之决定过去犹如过去之决定未来。我们可以用某种任意的方式指明系统在将来的某一个状态，并用之来计算过去应该是什么样子的。如果我们允许在时间的正常未来方向演化方程时，把过去当作“原因”，而把将来当作“效应”；则在时间的过去方向上，我们就可以应用演化方程的同等有效的步骤，并且显然地应该把将来当作“原因”，而把过去当作“效应”。

然而，在我们使用“原因”和“效应”的术语时牵涉到其他的某些东西，这根本就不是哪个事件发生在过去、哪个发生在将来的问题。让我们想象一个假想的宇宙，而且我们自己宇宙中的时间对称的同样的经典方程可适用于它。但是，在这宇宙中人们熟悉的行为（例如，一个玻璃杯被打碎，水流走）和这些行为的时间反演的发生共存。随同我们比较熟悉的经验，假定有时玻璃碎片真的聚集起来，神秘地充满了流走的水，然后又跳回到桌上去；还假定，有时搅拌煮熟的鸡蛋魔术般地恢复回来并最后飞回到打碎的蛋壳里，蛋壳完好地聚集起来，并把它新得到的内容封好；从溶解在甜咖啡中的糖会形成一块方糖，并自动地从杯子里跳回到某人手中。如果我们生活在这类事为司空见惯的世界中，我们肯定不会把这类事件的“原因”归结成奇异的有关单独原子的相关行为的不可能的机遇，而是认为是某种“目的论效应”。由于这种效应，自装配的物体有时力求得到所需要的某种宏观的结构。“看！”我们会说，“它正在重新发生。那团乱七八糟的东西正把自己聚集成另一杯水！”我们会毫无疑问地认为，原子的目标是如此之精确，因为这是产生桌子上的一杯水的方式。桌子上的杯子变成“原因”而地面上显得杂乱的一团原子是“效应”——尽管这个“效应”在时间上比“原因”发生得更早。类似地，在搅拌煮熟的鸡蛋中的原子的精细组织的运动不是向聚集的鸡蛋壳跳回的“原因”，而是未来所发生的“效应”；糖块不是“因为”原子以非凡的精度运动，而是由于某个人——显然是在将来——要把糖块抓到手里，所以才集合起来并从杯子里跳出来！

当然，在我们的世界中看不到这类事的发生——或者可以更好地表达成，我们没看到这些事和那些正常类型的事共存。如果所有我们看到的都和上述的那样反常，则我们不会有任何问题。只要在我们所有的描述中把“过去”和“将来”，“以前”和“以后”等术语互相交换一下就可以了。可以认为时间沿着和原先认定的相反的方向前进，那个世界就可描述成和我们自己的世界一样。然而，我在这里摹想另一种不同的可能性——水杯的破碎和聚集能共存。在这样的世界中，我们不能仅仅靠改变时间进展的方向的习惯方法来恢复我们所熟悉的描述。当然，我们的世界刚好不是那样子，为何不是那样子？为了着手理解此事实，我要求你尝试想象这样的一个世界，并惊异我们会如何描述其中发生的事情。我要求你接受，在这样的一个世界中，我们一定能把粗糙的宏观的东西——诸如一满杯水，没有碎的蛋，手中的方糖——描述成提供的“原因”，而将详细的，或有精密关联的个别原子运动当作“效应”，而不管“原因”是否处于效应的将来或过去。

为何在刚好我们生活其中的世界中，在实际上原因总是超前于效应；或换一种讲法，为何准确协同的粒子运动总是在某种物态的大尺度变化之后而不是之前呢？为了对这类事物有更好的描述，我必须引进熵的概念。粗略地讲，系统的熵是其呈现的无序的量度。（以后我会表达得更精确一些。）这样，碎玻璃杯和地板上溅开的水，是比桌子上完好的一满杯水具有更高的熵的态；搅拌的鸡蛋比新鲜的未打碎的蛋具有更高的熵；甜咖啡比淡咖啡以及未溶解的糖块的熵更大。低熵态似乎是某种以明显的方式“被特别地安排好”，而高熵态却没有那么“被特别地安排”。

当我们谈到低熵态的“特殊性”时，很重要的一点是要意识到，我们指的是显明的特殊性。因为，在一个更微妙的意义上，这些情形下的高熵态，由于个别粒子运动的非常精密的协调，正和低熵态一样地是“被特别地安排的”。例如，在打碎杯子后流到地板缝隙中的水分子的似乎随机的运动其实是非常特殊的：其运动是如此之精密，如果它们所有都刚好颠倒过来，则原先的低熵态也就是桌子上的完好的、装满水的杯子就会被恢复。（情况必定如此，由于所有这些运动的反演刚好简单地对应于时间方向的反转——依此杯子会聚集好，并跳回到桌子上去。）但是，所有水分子的这种协调的运动并非我们称为低熵的那种“特殊性”。熵是指显明的无序性。存在于粒子运动的精确的协同的有序不是显明的有序，故不能用以降低系统的熵。所以，流出的水中的分子的有序性在这种方式中不能算数，它的熵是高的。然而，在完好的一杯水的显明的有序给出了低的熵值。这里表明的是这样的一个事实，即粒子运动只有相对少的可能形态和一个完好装满水的杯子的显明形态相一致；相对来说，有更多得多的运动与地板缝中稍微加热的流水的显明形态相一致。

热力学第二定律断言孤立系统的熵随时间增加（或对于一个可逆的系统保持常数）。我们不能把协同的粒子的运动当作低熵。如果算的话，根据此定义，系统的“熵”就会永远是常数。熵概念只能指的确是显明的无序性。对于一个和宇宙的其余部分隔离开的系统，它的总熵增加。所以，如果它从某种显明的组织好的状态出发的话，该组织在过程中就会被腐蚀，而这些显明的特征就转化成“无用的”协同的粒子运动。第二定律似乎是一个绝望的裁决，因为它断言存在一个无情和普遍的物理原则，它告诉我们组织总是被不断地损坏。我们将来会看到，这个悲观的结论并非完全合适！

什么是熵

但是精确地讲，物理系统的熵应是什么呢？我们看到了它是显明无序的某种测度。但是，由于我这样不精密地使用诸如“显明”和“无序”的字眼，熵的概念实在还算不上一个清晰的物理量。第二定律还有另一方面似乎表明熵概念中的不精确的因素：只有所谓的不可逆的系统熵才实际上增加，而不仅仅是保持常数。“不可逆”是什么含义呢？如果计入所有粒子的细节运动，则所有系统都是可逆的！我们应该讲，在实际上杯子从桌子落下并粉碎，鸡蛋的搅拌，或糖在咖啡中的溶解都是不可逆的；而少数粒子的互相反弹，还有许多能量没有损耗变成热的各种仔细控制的情形是可逆的。基本上讲，“不可逆”这一个术语只是指这样的一个事实，即不可能去追踪或控制系统中的所有个别粒子运动的所有细节。这些不可控制的运动被叫作“热”。这样，不可逆性似乎只是一个“实用的”东西。虽然按照力学定律我们完全允许去恢复鸡蛋，但在原则上这是不可能的。难道我们的熵概念要依赖于什么是可行的，什么是不可行的吗？

我们记得在第5章中，能量以及动量和角动量的物理概念可以按照粒子的位置、速度、质量和力在数学上被精确地定义。我们怎能期望

“显明无序性”的概念也做到一样好，使之成为一个数学上精确的概念呢？显然，对于一个观察者“显明”并不表明对另一个观察者亦是如此。它是否取决于每位观察者对被观察系统的测量精度呢？一个观察者用一台更好的测量仪也许能比另一个观察者得到关于系统微观结构的更细致的信息。系统中更多的“隐蔽的有序”也许对一个观察者是显明的，对另一个观察者却是另外一回事。相应地，前者会断言熵比后者估算的要低。不同观察者的美学判断似乎也会被牵涉到那些被定为“有序”而不是“无序”的东西。我们可以想象，有些艺术家的观点认为一堆破碎的玻璃片远比曾经待在桌子的边缘上丑陋吓人的杯子更为美丽有序！熵是否会在这种具有艺术感觉的观察者的判断那里被降低呢？

尽管存在这些主观性的问题，使人惊异的是，在精密的科学描述中熵概念是极其有用的。这一点是无疑的。这么有用的原因在于，一个系统按照细致的粒子位置和速度从有序向无序的转变是极其巨大的，并且（在几乎所有的情况下）完全把在宏观尺度上关于何为“显明有序”的观点的任何合理的差别完全淹没。特别是艺术家或科学家关于聚集或破碎的玻璃哪种更有序的判断，以熵的测度来考察，则几乎毫无结果。迄今为止对于熵的主要贡献来自于引起温度微小增加的随机的粒子运动，水的溅开以及一杯水落到地面上去等。

为了更精密地定义熵的概念，让我们回到第5章引进的相空间的观念。我们记得，系统的相空间通常具有极大的维数，其中每一点代表了包括系统的所有细节的整个物理态。相空间的一个单独的点提供了构成该物理系统的每一个单独粒子的位置和动量坐标。为了熵的概念，我们需要用一种办法把从其显明（也即宏观）性质看起来一样的所有的态集中起来。这样，我们必须把我们的相空间分成一些区域（图7.3）。属于任何特别区域的不同点虽然代表它们粒子的位置和运动的不同细节，但是对于宏观的观察特征而言，仍然认为是一样的物理系统。从什么是显明的观点看，一个单独区域中的所有点应被考虑作相同的物理系统。相空间这样地被划分成区域的做法被称为相空间的粗粒化。

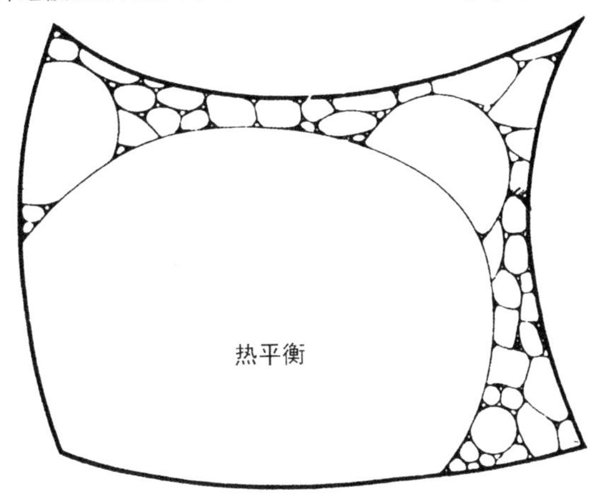

图7.3　相空间被粗粒化成在宏观上无法相互区分开的态的区域。熵和相空间体积的对数成比例

现在，这些区域中的一些会比其他的区域庞大得多。例如，考虑一盒气体的相空间。相空间的大部分体积对应于气体非常均匀地在盒子中分布的态，粒子以一种能提供均匀温度和压力的特征的方式运动。这种运动的特别方式，在某种意义上可能是称之为麦克斯韦分布的最“紊乱的”一种，它是以我们前面提到的同一位詹姆斯·克拉克·麦克斯韦来命名的：气体处于这种紊乱状态时就说它达到了热平衡。相空间中的点的绝对大的体积对应于热平衡；该体积中的点描述和热平衡一致的个别粒子位置和速度的所有不同的细致形态。这个巨大的体积是我们在相空间中的一个（很容易是）最大的区域，实际上它几乎占

据了整个相空间！让我们考虑气体的另一种可能的态，譬如所有的气体被局限在盒子的一个角落上。又存在许多不同的个别粒子的细致的态，它们都描述以同样的方式把气体局限在盒子角落的宏观态。所有这些在宏观上都不能互相区别，而相空间中代表它们的点构成了相空间的另一个区域。然而，这一个区域体积比代表热平衡的那个区域要小得多了。如果我们的盒子的体积为1立方米，装有在通常大气压和温度下的平衡的气体，而角落区域的体积取作1立方厘米，则上面的相空间体积的缩小因子大约为$10^{10^{25}}$！

为了评价这类相空间体积之间的差异，想象一种简化的情形，即把许多球分配到几个方格中去。假如每一方格或者是空的或者只容纳一个球。用球来代表气体分子而方格表示分子在盒子里所占据的位置。让我们从所有方格中挑出特殊的小子集；这些被用于代表对应于盒子的一个角落的区域的气体分子位置。为明确起见，假定刚好有1/10数目的方格为特殊的——譬如讲有n个特殊的方格和$9n$个非特殊的方格（图7.4）。我们希望把m个球随机地分配到这些方格中去，并且求

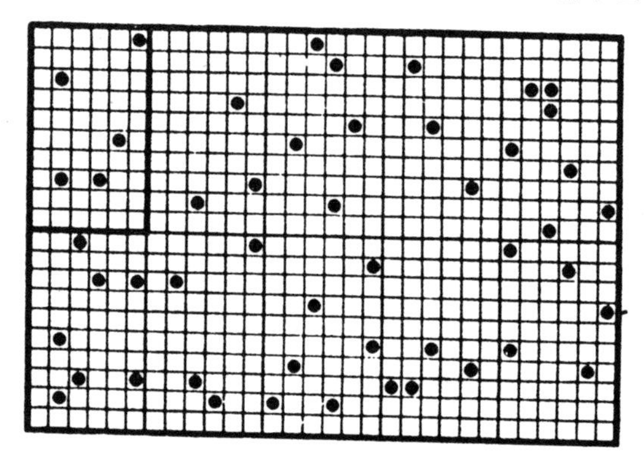

图7.4　一盒气体的模型：一些小球分布在数目比球大得多的方格中去，1/10的方格被认作特殊的。在左上角上已把这些特殊的标出

出所有的球都落到特殊方格中去的机会。如果只有1个球和10个方格（这样我们只有1个特殊方格），则很清楚，机会应为1/10。如果只有1个球，但有任意数目10n的方格（这样我们就有n个特殊方格），则情况不变。这样就对于仅有一个原子的“气体”，把气体局限在那个角落的区域，就具有整个“相空间”体积的1/10。倘若我们增加球的数目，所有它们都在特殊方格中的机会就非常显著地减少。对于2个球，譬如讲20个方格[1]（其中2个是特殊的）（$m=2$，$n=2$），机会为1/190，或者对于100个方格（其中10个是特殊的）（$m=2$，$n=10$），机会为1/110；对于数量非常大的方格机会变成1/100。这样，对于2个原子“气体”特殊区域的体积仅为整个“相空间”的1/100。对于3球和30个方格（$m=3$，$n=3$），机会为1/4060；而对于数量非常大的方格，机会为1/1000——这样，对于3个原子“气体”特殊区域体积就为相空间体积的1/1000。对于4球和非常大量的方格，机会为$1/10^4$。对于5球和非常大量的方格，机会为$1/10^5$，等等。对于m球和大量的方格，机会为$1/10^m$。这样，对于m原子“气体”，特殊区域的体积为“相空间”的$1/10^m$（如果把“动量”也包括在内，这仍然成立。）

我们可以把这些应用于前面考虑的一盒实际气体的情形。但是现在，特殊区域不是占据总体积的1/10，而是$1/10^6$（亦即1立方米中的1立方厘米）。这表明现在的机会不是$1/10^m$，而是$1/(1000000)^m$也就是$1/10^{6m}$。在通常的情况下，我们整个盒子中大约有10^{25}个分子，所以我们取$m=10^{25}$。这样，代表所有气体被局限在角落里的相空间的特殊区域只有整个相空间体积的

1. 对于一般的n，m，机会为$C_n^m/C_{10n}^m=\frac{n!(10n-m)!}{(10n)!(n-m)!}$。

$1/10^{60000000000000000000000000}$!

状态的熵是包含代表该态的相空间区域体积V的测度。鉴于上述的这些体积间的巨大差别，最好不把它定义为和该体积成比例，而是定义为和该体积的对数成比例：

熵$=k\lg V$。

取对数有助于使这些数显得更合情理。例如10000000的对数[1]大约为16。量k称为玻耳兹曼常数。其数值大约为10^{-23}焦/开。此处取对数的主要原因是使熵对于独立的系统成为可加量。这样，对于两个完全独立的系统，它们合并起来的系统的总熵为每一个单独系统的熵的和。这是对数函数的基本代数性质的推论：$\lg AB=\lg A+\lg B$。如果系统在它们各自的相空间中属于体积为A和B的区域，则合并起来后的相空间中的区域体积就是它们的积AB，这是因为一个系统的每一可能性都必须各自分别计算。所以合并系统的熵的确为两个单独的熵的总和。

按照熵的观点，相空间中区域尺度的巨大差异显得更合理。上述的1立方米盒子的气体的熵只比集中在1立方厘米尺度的“特殊”区域的气体大1400焦/开（$=14k\times10^{25}$）[由于$\log_e(10^{6\times10^{25}})$大约为$14\times10^{25}$]。

1. 这里使用的对数是自然对数，亦即对数底为e=2.7182818285…而不是10，但之间的区别是完全不重要的。一个数n的自然对数$x=\log n$是我们为得到n，而将e自乘的指数，亦即$e^x=n$的解（见115页的脚注）。

为了得到这些区划的实际的熵值，我们要稍微忧虑所选择的单位（米、焦、千克、开等）。这有点离题太远，实际上，对于我马上要给出的极其巨大的熵值，选用何种单位根本没有什么本质上的不同。然而，为了确定起见（对于专家而言），我将采用由量子力学规则所提供的自然单位，这时玻耳兹曼常数就变成1：

$$k=1。$$

第二定律在起作用

现在假定我们的系统从某种非常特殊的情形开始，譬如所有气体都在盒子的一个角落里。下一时刻，气体就会散开，并会急速地占领越来越大的体积。它过一阵就达到了热平衡。在相空间中看我们的图像应是什么样的呢？在每一阶段，气体所有粒子的位置和运动的完全的细节的状态都由相空间中的单独的一点描述。这一点在相空间中随着气体的演化而徘徊，这一精确的徘徊描述了气体中所有粒子的整个历史。这点从非常小的区域出发——该区域代表所有气体在盒子的一个特殊角落的所有初始态的集合。随着气体的扩散，我们运动的点进入了一个相当大的体积，这体积相应于气体以这种方式在盒子中稍微扩散开来。当气体向更远处扩散时，相空间的点继续进入越来越大的体积，新的体积以一个绝对巨大的因子使该点以前所在的体积完全相形见绌（图7.5）。在每一种情形下，一旦点进入更大的体积，（实际上）在原先更小的体积中就根本不再有机会找到它。最后它迷失在相空间中的最大的体积中——这相应于热平衡。这个体积实际上占领了整个相空间。人们可以完全放心，我们相空间的点在真正随机的徘徊中，在任何可以想象的时刻都不可能处在更小的体积中。只要达到热平衡，无论怎么弄，这个态都好好地待在那儿。这样，我们看到了简单地表达为相空间中适当区域体积的对数测度，其系统的熵随着时间无情增加[1]的趋势。

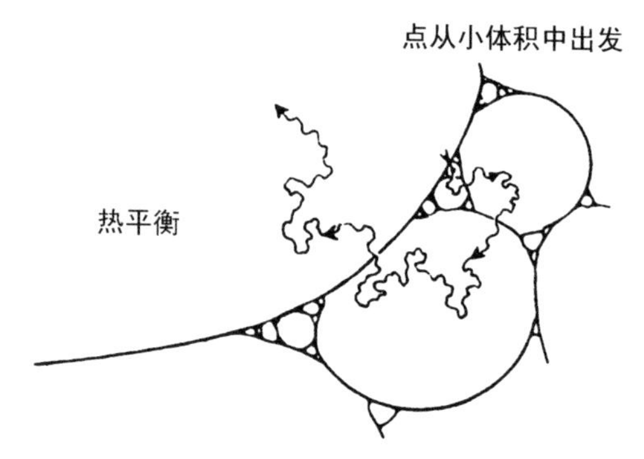

图7.5　热力学第二定律在作用：随着时间演化，相空间点进入越来越大体积的区域中。结果熵连续地增加

现在我们似乎为第二定律找到了一个解释！由于我们可以假定相空间的点不以任何特别设计的方式运动，如果它从相应于小的熵的很小的相空间体积出发，随着时间的流逝，它一定会以压倒一切的可能性不断进入越来越大的相空间体积，这相应于熵值的逐渐增加。

但是，在我们用这个论证推导出来的结果中似乎有点古怪的东西。我们似乎已经推导出时间反对称的结论。熵在时间的正方向增加，所以必须在相反的方向上减少。这个时间反对称从何而来？我们肯定没有引进过时间反对称的物理定律。时间反对称仅仅是从这一个事实而

1. 当然，绝不是说，我们相空间点将永不再回到更小的区域中去，如果我们等待足够长的时间，它将最终重新进入这些相对细小的体积。（这被称作庞加莱复现。）然而，在大多数情形，时间尺度是不可思议的长。例如，在气体重新进入盒子的1立方厘米的角落，大约需要$10^{10^{26}}$年，这远比宇宙的年龄长得多！我在下面的讨论中将不理睬这种可能性，因为它在实际上和我们讨论的问题无关。

来，就是该系统从一个非常特别的（亦即低熵的）态出发，系统一旦这样地被启动，我们就看到它在未来的方向演化并发现熵在增加。这种熵增加的确和我们自己实际宇宙中的系统行为相符。但是，我们同样可以在时间的相反方向上应用这一论断。我们又可以在某一时刻使系统处在一个低熵的状态，但是现在要问的是，什么是在此之前的最可能态的系列。

让我们试图以颠倒的方式来论证：和以前一样，从一个所有气体都待在一个角落的盒子里取其低熵态。现在相空间点处在我们以前出发的同一个微小的区域里。但是，现在让我们试着追踪它的往后方向的历史。如果我们想象，相空间中的点正如前面那样以非常紊乱的方式徘徊。随着向时间的相反方向的追踪，和前面一样地，它会很快地达到同样更大的相空间体积。这相当于气体在盒子中扩散了一些，但还没达到热平衡。体积越来越大，每一个新的体积都使原先的完全相形见绌。我们会发现，在更早的时刻它处于最大的体积中，这代表了热平衡。我们现在似乎得到推论，若在某一时刻，气体停在盒子的一个角落里，那么最可能的方式是，它是从热平衡出发才到达那里的，然后开始把自己集中在盒子的一端，最终把自己集中在盒子的一个很小的特定角落。熵在这整个过程中必须减少：它从最高的平衡值开始，然后逐渐减少，直到达到对应于气体被局限在盒子角落时的最低值！

当然，这一点也不像在我们宇宙里实际上所发生的！熵不以这种方式减少，它反而增加。如果知道在某一个特定的时刻气体挤在盒子的某一角落，那么在这之前更多得多的可能是气体被后来很快移开的一块隔板紧密地限制。或者气体以凝聚态或液态被定在该处并很快地加热成为气态。对于所有这些可能性，原先的态的熵甚至更低。第二定律的确在起支配作用，熵总在增加——也就是它实际上在时间的相反方向上减少。现在，我们看到我们的论证给出了完全错误的答案！它告诉我们使气体跑到盒子的角落去的最可能的方式是从热平衡开始，然后随着熵的逐渐减少，气体会集中到角落上去；而事实上，在实际世界中，这是极不可能发生的。在我们的世界中，气体是从一种更少可能（也即更低熵）的状态出发，挤在一个角落里的气体的熵不断增加到后来所具有的值。

我们的论证虽然不能应用于过去的方向，似乎在未来的方向上可以。对于未来的方向，我们可以正确地预料到，只要气体从角落上出发，未来最可能发生的是将要达到热平衡，而不是突然出现分隔，或气体忽然凝固或变成流体。这么奇异的可能性正是表明，我们的相空间论证中似乎已正确地排除在未来方向熵降低的行为。但是过去的方向，这样奇异的可能性的确像是要发生似的——它们对我们而言一点也不奇异。当我们试图在相反的时间方向应用相空间论证时，我们会得到完全错误的答案！

很清楚，这给我们原先的论证投下了疑问的阴影。我们没有推导出第二定律。事实上，该论证显示的只是，对于一个给定的低熵的状态（譬如讲气体被限制在一个角落里，那么在不存在任何约束此系统的外在因素时，则可望熵从该给定的状态在时间的两个方向上增加（图7.6）。这个论证在时间的过去方向上无效正是因为存在这种因素。过去的确有某种东西在约束这个系统。某种东西强迫熵在过去取低的值。熵在将来增加的这种趋势不足为奇。在某种意义上讲，高熵的态

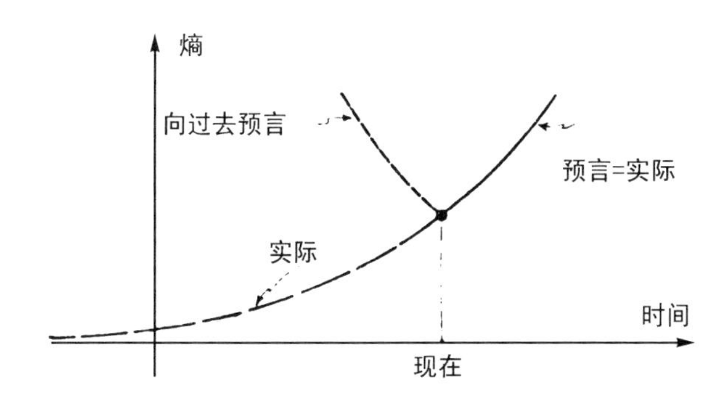

图7.6 如果我们在时间的颠倒方向上应用画在图7.5的论证，我们就“向过去预言”熵从它现在的值也向过去的方向增加，这和观察严重冲突

就是自然的“态”，这点就不必多加解释了，但在过去的低熵态是令人困惑的。是什么约束使得我们世界的过去的熵变得这么低？具有令人不可思议的低熵状态在我们居住的实在宇宙中普遍存在，虽然我们对这一点早已司空见惯，并通常不认为有什么大惊小怪，但它的确是一个令人惊异的事实。我们自己本身便是具有极小熵值的结构！从上述的论证可以看出，给定一个低熵态，我们不应该为后来的熵增加感到惊讶。应该惊讶的是，当我们考察它的过去时，熵变得越来越不可想象的低！

宇宙中低熵的起源

我们将要理解在我们居住着的现实世界中“惊人的”低熵从何而来。让我们从自身开始。如果我们能理解我们自身的低熵从何而来，则我们就应能看到被隔板限制住的气体、桌子上的水杯、炒锅上的鸡蛋或悬在一杯咖啡上的糖块的低熵从何而来。一个人或一群人（或者一只母鸡！）直接或间接地为每一种情形负责。我们自身的一部分低熵实际上有很大的程度被用以建立这其他的低熵态。也许牵涉一些附加的因素，例如使用真空泵把气体注入到隔板后面去。如果这台泵不是人工驱动的，则必须用某种“化石燃料”（例如石油）燃烧以提供必要的低熵能量使之运转。也许这台泵是电动的，则在一定的程度上要依赖于贮藏在核电站的铀燃料的低熵能量。以后我还会讲到其他低熵的源，但是现在我们先考虑自己身上的低熵。

我们自身的低熵究竟从何而来呢？我们身体的组织是由我们吃的食物和我们呼吸的氧气来的。人们经常听到这样的说法，即我们从食物和氧气的摄入中得到能量。但是只要想得更清晰一些就会发现这不是完全正确的。的确，我们消耗的食物和吸收到身体中来的氧气的化合为我们提供了能量。但是，大多数情况下，该能量又重新以热的形式离开我们的身体。由于能量是守恒的，在我们整个成年的生活中，身体实际上的能量含量或多或少是维持着一个常量，我们身体一点也没有必要再添加能量。我们不需要比我们已具有的更多的能量。事实上，当我们的体重增加时我们的确添加了能量，但通常这是多余的！还有，当我们从儿童长大，体格变健壮时，能量含量增加了相当多；这不是我在这里所关心的。问题在于我们如何使自己在正常（主要成年的）生活中存活。我们不必为此增加自身的能量含量。

然而，我们确需要取代以热的形式连续损失的能量。事实上，我们越是“有精力”，则实际上以这种方式损失的能量越多。所以这能量都必须有所取代。热量是能量的最无序的形式，也就是说，它是能量的最高熵的形式。我们吸收低熵形式的能量（食物和氧气）并以高熵形式（热、二氧化碳、排泄物）排泄出去。我们没必要从我们的环境获取能量，因为能量是守恒的。但是，我们是在连续地对抗热力学第二定律。熵不守恒，它无时无刻地增加着。我们必须使自身的熵降低才能存活。为此我们从食物和大气氧气中吸收低熵的化合物，让它们在我们身体内化合，以高熵的形式释放能量，否则我们的能量就会增加。用这种方式，我们可维持我们身体内的熵不增加，并能保持（并甚至增加）我们的内部组织。（见 *Schrödinger 1967*。）

从什么地方来提供这些低熵呢？如果我们吃的食物刚好是肉（或蘑菇），那它正如我们一样要依赖于更外部的低熵源去提供和维持其低熵结构。这只不过把我们外部的低熵源的问题推到其他的地方。这样，让我们假定我们（或动物或蘑菇）消化植物。我们因为绿色植物的巧妙——不管是直接的或是间接的——而必须极其感谢它：因它吸收大气中的二氧化碳，把氧气从碳中分离开来，而利用碳来建造它们自身的结构。这一光合作用的过程导致大量的熵降低。我们自己实际上在身体内把氧和碳重新简单地结合，用这种办法利用低熵的这种分离。绿色植物为什么能实现熵降的魔术呢？它们是利用阳光来实现的。阳光给地球带来了相当低熵形式的能量，即是可见光光子的能量。地球，包括它上面的居住者，不能保留此能量，而是（过了一阵）就把它全部重新辐射回到太空去。然而重新辐射的能量具有高熵的形式并被称为“辐射热”——它表明是红外光子。和普遍的印象正相反，地球（和居住者）并不从太阳获得能量！地球所进行的只不过是取来低熵形式的能量，然后以高熵的形式全部把它吐回到太空去（图7.7）。太阳对我们所做的是给我们提供了巨大的低熵源。我们（通过植物的巧妙功能）利用了这些低熵，最终抽取某一极小的部分将其转换成惊人的、错综复杂的、有组织的结构，这就是我们自身。

图7.7 我们如此利用这事实：太阳是黑暗太空中的一个热点

让我们以整体的观点考虑太阳和地球，能量和熵发生了什么变化？太阳以可见光光子的形式辐射能量。其中有一些被地球所吸收，它们的能量以红外光子的形式被重新辐射。现在，在可见光和红外光之间的关键差别在于前者有一个高频，所以单独光子比后者有更高的能量。（回忆一下在292页给出的普朗克公式$E=h\nu$。它告诉我们，光子的频率越高则能量越大。）由于每一可见光子比每一红外光子具有更高的能量，为了使进入地球的和离开地球的能量相平衡，只能有比离开地球的红外光子的数目更少的可见光子到达地球。地球吐回到太空去的能量被分散到比从太阳接收到的能量的多得多的自由度去。由于把能量再送回太空时牵涉到多了这么多的自由度，相空间的体积变得大得多，所以熵值就被极大地增加。绿色植物吸收低熵形式的能量（相对少量的可见光子）而重新把它以高熵形式（相对多量的红外光子）辐射，为我们提供了所需要的分解的氧和碳，以这种方法把低熵喂给我们。

所有这一切之所以可能的原因是，太阳为天空中的一个热点！天空处于温度不平衡的状态；它的一个小区域亦即太阳占据的地方，比其他地方的温度高得多。这个事实为我们提供了所需要的强大的低熵源。地球从这一个热点得到低熵形式（少量光子）的能量，然后以高熵的形式（许多光子）重新辐射到冷的区域去。

太阳为什么是这样的一个热点呢？如何才能得到这个温度的不平衡，并因此为我们提供低熵态呢？答案是它从原先均匀分布的气体（主要是氢气）的引力收缩形成的。在其形成的早期阶段，当它收缩时，太阳被加热上去。在到它的温度和压力达到一定点之前，也即除了引力收缩外，它还找到另一种叫作热核反应的能源，它会继续收缩并变得更热。热核反应使氢核聚变成氦核，并同时释放能量。如果没有热核反应，太阳会变得比目前的更热得多和小得多，直到最终消逝。热核反应使太阳不再继续收缩以免过热，从而使它稳定在适合于我们的温度上，能在更长久的时间里持续发光，否则的话早已熄灭。

意识到这一点是很重要的。虽然热核反应在决定从太阳辐射来的能量的性质和多少方面无疑极具意义，但是引力才是关键之所在。（事实上，热核反应的潜力对太阳的低熵值的确有很大的贡献，但是聚变的熵引起了微妙的问题，更充分的讨论，只使论证更为复杂，而不影响最终的结论。）[3] 没有引力，甚至太阳根本就不会存在！没有热核反应太阳仍然发光——虽然不以适合我们的方式——但是没有引力就根本没有发光的太阳，的确需要引力来聚合物质，并提供所需要的温度和压力。若无引力，代替太阳之处我们只会有一团冷而弥散的气体，在天空中不会有热点！

我未讨论到地球内“化石燃料”中的低熵来源，但是其考虑基本上是一样的。根据传统理论，地球上所有的油（和天然气）是来自于史前植物的生命，又是植物被当作低熵的来源。这些史前植物从太阳得到它们的低熵——所以我们应该再次转向把弥散气体变成太阳的引力作用。托马斯·戈尔德提出了地球上石油起源的离经叛道的理论。他不同意传统的观点，认为地球上存在比史前植物产生的更丰富得多的碳氢化合物。高尔德认为，油和天然气是在地球形成时被包含在地球内的，并一直连续地渗透出来直到下层的矿穴[4]。根据高尔德的理论，油在地球形成之前，即使在外空仍然也是由阳光合成的。这又是起源于引力形成的太阳。

用于核电站的铀235同位素的低熵核能量又如何呢？这的确不是原先从太阳（虽然在某阶段它也可能通过太阳），而是从某些其他的恒星来的。这些恒星在几十亿年前的一次超新星爆发中爆炸！这些物质实际上是从许多这类爆炸的恒星中聚集起来的。爆发把这些物质从恒星中吐到太空去，其中一些最终（通过太阳的作用）被聚集在一块，并把重元素提供给地球，包括它所有的铀235。每一个核子以及其低熵能量的储藏是来自于发生在某次超新星爆发的激烈的核过程中。这种爆发是发生于恒星的引力坍缩[5]的余波。当恒星的质量过大，以至于热压力不能支持其自身时就会坍缩。一个小的核——可能以所谓的中子星的形式（后面还要更详细地讨论）在坍缩和紧随着的爆发之后残存下来。恒星原先是从弥散的气体云收缩而来，包括我们的铀235的许多原始物质又都被抛回到太空中去。残留下的中子星从引力收缩中得到了巨大的熵。引力再次成为最主要原因——这一次它把弥散的气体凝聚成（过程最终是激烈的）一个中子星。

我们似乎得出这样的结论，第二定律中最令人困惑的方面即所有在我们四周发现的明显的低熵，应归结于这样的一个事实，即通过弥散气体引力收缩成恒星的过程中可得到大量的熵。所有这些弥散气体从何而来？这些气体从弥散状态开始的这一事实为我们提供了大量的低熵储藏。我们正在消耗这种低熵的储藏，并将在未来的漫长岁月里继续如此。正是这些气体引力结团的潜力给我们带来了第二定律。此外，不仅仅是引力结团产生的第二定律，而且还有比下面简单陈述更精密和细致得多的某种东西："世界是从非常低的熵开始的。"我们还可以用其他不同的方式得到"低"的熵，也就是说在早期的宇宙中有巨大的"显明有序"，但是这和在实际上呈现给我们的"有序"完全不同。（想象早期宇宙也许是正规的十二面体——这或许会投合柏拉图的心意——或者是其他某种不像会发生的几何形状。这的确是"显明有序的"，但并非我们预期在实际的早期宇宙中所发现的那种形状！）我们必须理解所有这些弥散气体从何而来——为此，我们必须转向宇宙论的研究。

宇宙论和大爆炸

我们如果使用最强大的望远镜——不管是光学的还是射电的，就会发现宇宙在非常大的尺度下显得相当均匀；但是更惊人的事实是，它正在膨胀。我们观测得越远，则遥远星系（以及甚至更远的类星体）就显得越快速地从我们这里离开。似乎宇宙本身是从一个巨大的爆炸事件中产生——这一个事件称为大爆炸，它发生在大约100亿年以前[1]。所

1. 现在关于这个数值仍有激烈的争议，从60亿到150亿年。这些数值比原先埃德温·哈勃在1930年左右最初观察显示宇宙在膨胀之时以为正确的10亿年大了相当多。

谓的黑体背景辐射对于宇宙的均匀性以及大爆炸的实际存在提供了印象深刻的支持。它就是一种光的杂乱运动，而且是分辨不出来源的热辐射——其绝对温度大约为2.7度（2.7开），也就是−270.3摄氏度和−454.5华氏度。这似乎是非常冷的温度——也的确如此——但是它乃是大爆炸本身的那一瞬间的残留！因为从大爆炸的时刻以来，宇宙膨胀了这么巨大的因子，原始火球以一绝对巨大的因子发散开来。大爆炸的温度远远超过现在所能发生的温度，但是由于膨胀，该温度被冷却到今天微波背景所具有的微小的数值。1948年，美籍苏联物理学家和天文学家乔治·伽莫夫用现今标准的大爆炸图像作基础，预言了这个背景的存在。在1965年，彭齐亚斯和威尔逊首次（意外地）观测到它。

我应该阐释经常给人们带来困惑的一个问题。如果宇宙中所有的远处星系都离开我们而去，是不是意味着我们自身在宇宙中占据着某种非常特别的中心位置呢？不，不是这样！不管我们位于宇宙中的何处，都会看到远处星系的同样的退缩。该膨胀在大尺度上是均匀的，没有一个位置比其他的更优越。通常可以用被吹胀的气球来描绘这种情景（图7.8）。假定在气球上存在代表不同星系的斑点，取气球本身的二维表面代表整个三维类空的宇宙。可以清楚地看到，所有气球

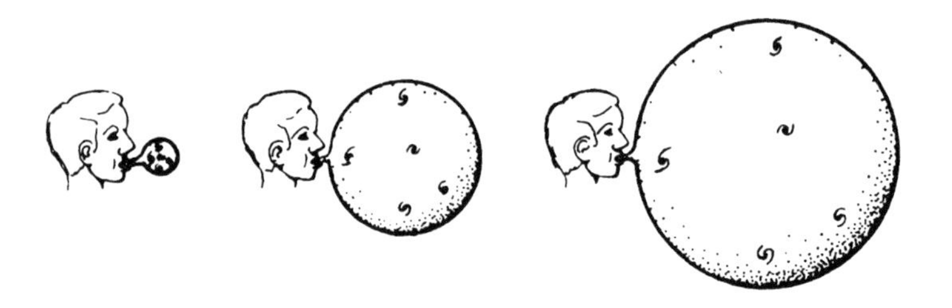

图7.8　宇宙的膨胀可以比喻成被吹胀的气球表面，所有的星系都相互退离

上其他的点都从气球上的每一点退走。在这个方面，气球上没有一点比其他点更优越。类似地，从宇宙中的任何一个星系的有利地点来看，所有其他的星系在任何方向都同等地从它那里退走。

三种标准的所谓弗里德曼–罗伯逊–瓦尔克（FRW）宇宙模型之一，即空间封闭的正曲率的FRW模型，膨胀气球提供了非常好的图解。在另外两种（零或负曲率的）FRW模型中，宇宙以同样方式膨胀，但是这回空间不像用气球表面上标出的有限宇宙，我们拥有包含了无限数目星系的无限的宇宙。

这两种无限模型中的较简单的一种是空间几何为欧几里得的那种，也就是具有零曲率的。用一个通常的平面代表整个空间的宇宙，画在上面的点代表星系。当宇宙随着时间演化，这些星系以一种均匀的方式相互离开。让我们按照时空来考虑。我们对每一“时刻”都有一个相应的而且不同的欧几里得平面，把这些平面想象成一个重叠在另一个上面。这样，我们一下子就有了整个时空的图像（图7.9）。现在星系可用曲线——也就是星系历史的世界线——来代表，它们在未来的方向上相互离开。没有任何星系的世界线是优越的。

对于星系的另一种FRW模型，也就是负曲率的模型，空间几何为非欧几里得的罗巴切夫斯基几何，这种几何已在第5章中描述过并用图5.2（204页）的埃舍尔图来解释。在时空描述中，我们在每一“时刻”都需要一个罗巴切夫斯基空间，我们并把这些一个重叠一个以构成整个时空的图（图7.10）[6]。星系的世界线又是在未来方向相互离开的世界线，没有什么星系是特别选择的。

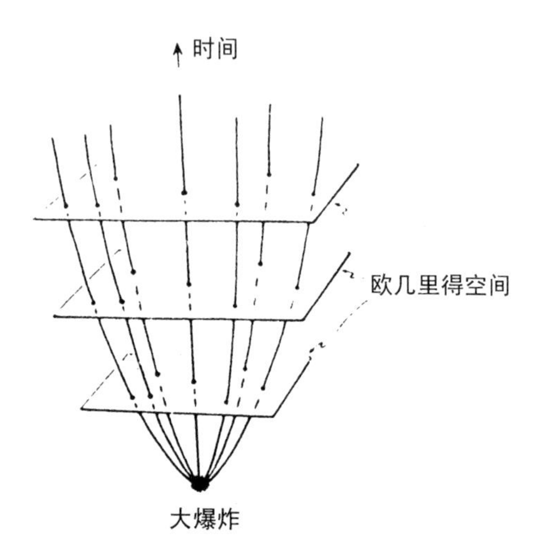

图7.9 具有欧几里得空间截面的膨胀宇宙的时空图（画出了空间的两维）

当然，在我们所有的这些描述中，空间的三个维中有一个被压缩掉了（正如我在第5章所做的，参阅250页），其目的在于给出比万不得已必需的完全的四维时空图更易摹想的三维时空图。甚至到了这种地步，如果不抛弃另一空间的维去摹想正曲率的时空仍然非常困难！让我们就这么做，用一个（一维）圆周来代表正曲率的闭合的类空宇宙，而不用作为气球表面的（二维）球面。当宇宙膨胀时，这些圆圈的尺度变大。我们可把这些圆周（每一圆周代表一个“时刻”）一个一个地叠起来，结果得到一种弯曲的锥［图7.11（a）］。现在，从爱因斯坦的广义相对论方程得出，这种正曲率的闭合的宇宙不能永远地继续膨胀下去。在它达到最大尺度的阶段后，就会坍缩回去，最后会在一种倒转的大爆炸中达到零尺度［图7.11（b）］。有时把这种时间倒转的大爆炸称作大挤压。负曲率和零曲率（无限的）宇宙的FRW模型不会以这种方式坍缩。它们不会导致大挤压，而是继续无限地膨胀下去。

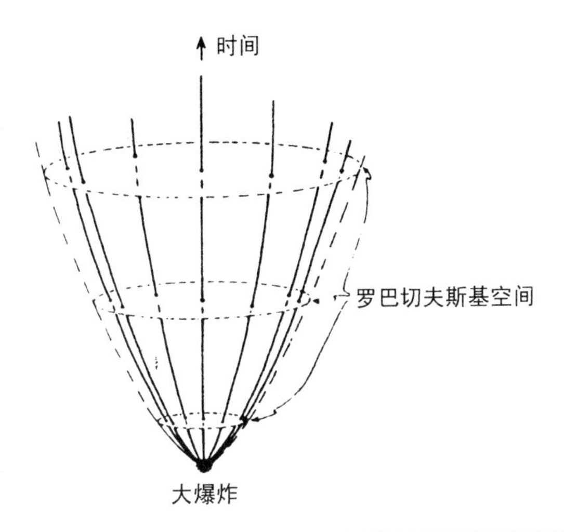

图7.10　具有罗巴切夫斯基空间截面的膨胀宇宙的时空图（画出了空间的两维）

至少在所谓宇宙常数为零的标准的广义相对论中，这是对的。具有适当的非零的宇宙常数，空间无限的宇宙有可能会坍缩成大挤压，或者有限的正曲率的模型会无限地膨胀下去：非零宇宙常数的存在会使这些讨论变得稍微复杂一些，但是对于我们的目的不会有任何重大的影响，为了简单起见，我把宇宙常数取为零[1]。在写此书之际，从观测上知道宇宙常数是非常小的，其数据与它的零是一致的。（为了对宇宙模型有更多了解，可参考*Rindler 1977*。）

不幸的是，我们的数据还没好到足以清楚指出，我们的宇宙应是哪一种模型（也不能确定是否存在有重大的整体效应的很小的宇宙常数）。表面上看来，数据似乎表明宇宙是类空地负曲率的（在大尺度

1. 爱因斯坦于1917年发表了宇宙常数，但在1931年他又撤回，并认为这早年的提议是他的“最大错误”！

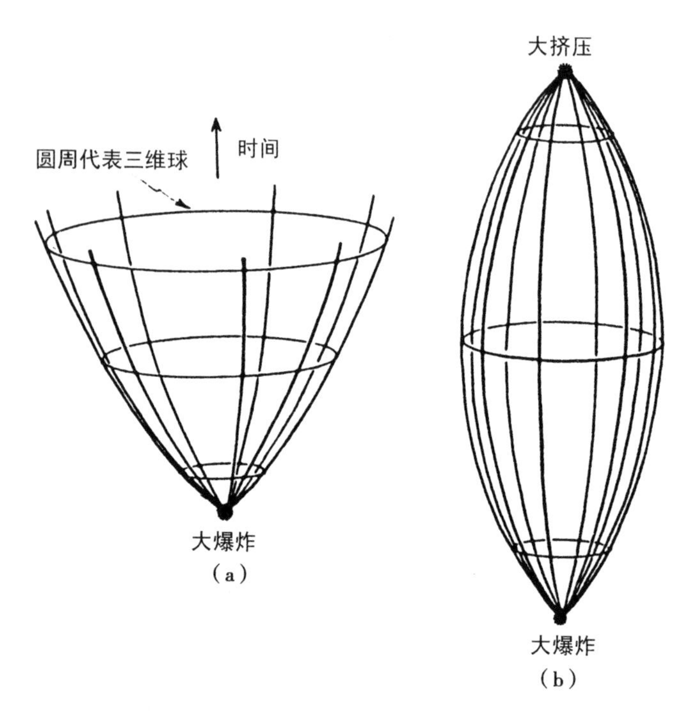

图7.11 (a)具有球形空间截面(只有空间的一维被画出来)的膨胀宇宙的时空图
(b)这个宇宙最终会坍缩成最后的大挤压

上为罗巴切夫斯基几何),而且它会继续永远地膨胀下去:这主要是基于似乎以可见形式呈现的实际物质总量的观测。然而,也可能有大量的不可见物质散布在整个太空中。宇宙在这种情形下可以是正曲率的,并可能最终坍缩到大挤压去——虽然只会在大约10^{10}年,也就是比宇宙已经存在的这么长的时间更长得多的时间尺度下发生。要使这种坍缩发生,必须存在大约为用望远镜可直接辨别的物质的30倍的被假想地称为“暗物质”的,充满太空的不可见物质。的确有好些间接证据表明大量暗物质的存在，但是否足够“去封闭宇宙”（或使空间平坦）——并且坍缩——还在未定之天。

太初火球

让我们回到寻求热力学第二定律起源的问题上来。我们已经把它追踪到恒星由其凝聚而成的弥散气体的存在。这气体是什么？又是从何而来的呢？它主要是氢，但仍有大约23%（按质量计算）的氦和少量其他物质。根据标准理论，这气体是由创造宇宙的爆炸——大爆炸吐出来的结果。然而，很重要的一点是，这不是我们通常熟悉的爆炸。在那里，物质从某一个中心点喷射到一个预先存在的空间中去。而在这里，空间本身由此爆炸创生出来，并从来不存在任何中心点！这种情形也许在正曲率模型中最容易摹想了。重新考虑图7.11或者图7.8中的吹胀的气球。并不存在任何大爆炸产生的物质可注入的“预先存在的空虚空间”。空间本身也就是“气球表面”是由爆炸产生的。我们必须意识到，为了摹想的方便，在正曲率模型的图像中利用了一个“包容空间”——也即气球所在的欧几里得空间——这个包容空间并没有任何物理实在性。在气球的内部和外部的空间只是用来帮助我们摹想气球的表面。只有气球表面本身才代表了宇宙的物理空间。现在我们看到了，并不存在一个让大爆炸产生的物质从该处发散出来的中心。刚好在气球中心的点不是宇宙的部分，而仅仅是用来帮助我们去摹想这一模型。大爆炸喷出的物质均匀地发散到整个宇宙的空间！

其他两种标准模型的情形也是一样的（虽然要摹想它们更困难一

些）。物质从未集中于空间中的任何单独的一点。它从一开始就充满了空间的全部！

这个图像是称为标准模型的热大爆炸理论的基础。按照这种理论，宇宙在其产生后的一瞬间处于极热的，称作太初火球的状态。关于这个火球的性质和成分以及当这火球（整个宇宙）膨胀并冷却时，这些成分如何变化都进行了细致的计算。对于描述宇宙的和我们现在如此不同的状态所进行计算的可靠性真是令人印象深刻！然而，只要我们不过问在创生后10^{-4}秒以前发生什么的话，作为计算基础的物理学是无可争议的！从那个时刻也就是创生后的1/10000秒后，直到后来的3分钟，宇宙的行为已被非常仔细地算出（参阅*Weinberg 1977*）——而且奇异的是，我们从现在处于非常不同状态的宇宙的实验知识推导而来并很好建立的物理理论，对于这种计算是完全足够的[7]。这些计算的最后结论是，许多光子（也就是光）、电子和质子（氢的两种成分）、一些α粒子（氦的核），还有少量重氢核（一种氢的同位素）和其他种类核的踪迹，也许还有大量的诸如中微子等的，几乎其存在不能被觉察得到的“不可见”粒子，都以一种均匀的方式散布在整个宇宙。其物质的成分（主要是质子和电子）会结合在一起，产生了恒星（主要是氢）在大爆炸后大约10^8年由之形成的气体。

然而，不会立即形成恒星。在气体的进一步膨胀和冷却之后，为了局部的引力效应能开始战胜全局膨胀，某些区域的气体的相对集中是必需的。我们在这里进入了尚未解决且富有争议的星系实际上是如何形成的，以及星系可能形成的必需的初始无规性应是什么样子的问题。我不想对这些问题进行争论。我们只要接受，在初始气体云中应该存在某种无规性，引起了引力结团的某种正确方式，从而形成了包括几千亿个恒星的星系。

我们已经找到弥散气体从何而来。它是从大爆炸本身的那个火球而来。正是该气体被极其均匀地分布于整个太空的事实带来了第二定律，在引力结团使熵增加的过程成为可能之后，我们就晓得了这定律的细节。实际宇宙中的物质是怎样均匀地分布呢？我们注意到恒星聚集在一起形成星系；而星系聚集在一起形成星系团；星系团组成所谓的超星系团，甚至还有某些证据，这些超星系团聚集成更大的称为超星系团集合体的集团。然而，重要的是要注意到，所有这些无规性以及结团和整个宇宙结构的令人印象深刻的均匀性相比较都是“微小的”。能够往回观测的时间越早，则宇宙被测量的部分就越大，宇宙就显得越一致。黑体背景辐射为此提供了最令人印象深刻的证据。它特别告诉我们，当宇宙年龄仅仅为100万年时，在现在已扩展开到大约10^{23}千米的范围内——这是一个从我们这里开始能包含大约10^{10}个星系的距离——宇宙和它的所有的物质内容都均匀到1/100000（参阅*Davies et al. 1987*）。尽管宇宙的起源是非常激烈的，它在早期的确是非常一致的。

这样，正是这个太初火球把这气体在整个太空发散得如此均匀。我们的探索也就是从此处开始。

大爆炸能解释第二定律吗

我们的探索到达尾声了吗？是否仅仅由宇宙是从大爆炸开始的

情景，就能解释在宇宙中熵的初始值是如此之低，并因此导致热力学第二定律的令人困惑的事实？稍微想一下就会发现这个观念中有一些矛盾。它不能是真正的答案。回想一下太初火球是一种热的状态——处于膨胀的热平衡的热气体。还有术语“平衡”是指具有最大熵的状态。（这就是我们在提到一盒气体的最大熵状态时说到的。）然而，第二定律要求，我们宇宙的熵在其初始态处于某种极小，而不是极大！

何处出了毛病？一个“标准的”答案应该大体上如下：

> 是的，火球在刚开始时实际上是处于热平衡，但是那个时刻的宇宙非常微小。火球所代表的是那一微小尺度的宇宙所能允许的最大熵的状态，但是这种允许的熵和在今天宇宙尺度下能允许的熵相比较是微不足道的。随着宇宙膨胀，可允许的最大熵随着宇宙尺度增加，但是宇宙中的实际的熵远远落在允许的最大值后面。由于实际的熵总是拼命去追赶允许的最大值，所以产生了第二定律。

然而，稍微考虑一下便知道，这不应该是正确的解释。如果真是如此，在一个最终坍缩到大挤压的空间闭合的宇宙模型中，该论证在时间的颠倒方向上最终又能适用。适合于膨胀宇宙极早期并给予了我们低熵的同一限制应该又能适用于收缩宇宙的最后阶段。“时间开端”处的熵限制给了我们第二定律。根据第二定律，宇宙的熵随时间增加。如果把同一低熵的限制应用于时间的终结处，则我们应该在那里发现和热力学第二定律的严重冲突！

当然，我们实在的宇宙也许永远不会以这种方式坍缩。我们也许生活在零曲率（欧几里得情形）或负曲率（罗巴切夫斯基情形）的宇宙中。我们也许生活在一个（正曲率）坍缩的宇宙中，但是坍缩将在这么遥远的时刻发生，现在我们觉察不到对第二定律的任何违反——尽管从这种观点看，宇宙的总熵会倒转并减小到微小的值，从而按我们今天的理解，第二定律会被严重地违反。

实际上，我们有非常好的理由怀疑，在一个坍缩的宇宙会有这种熵的反转。其中最有力的原因必须和称为黑洞的神秘物体相关。在一个黑洞中有一个坍缩宇宙的微宇宙；这样，如果在坍缩中熵的确要倒转，那么在一个黑洞附近必须能观察到第二定律的严重违反。然而，所有理由都使人相信第二定律强有力地支配着黑洞。黑洞理论为我们的熵的讨论提供了生动的内容，所以我们有必要稍微仔细地考虑这些奇怪的物体。

黑洞

让我们首先考虑理论所预言的关于我们太阳的最终命运。太阳已经存在了大约50亿年。它再过50或60亿年就会在尺度上开始膨胀，它会无情地肿大，直到表面大致达到地球的轨道。那时它就变成为称作红巨星的一种恒星类型。在天空中的其他地方能看到许多红巨星，两个最著名的是在金牛座的毕宿五和猎户座的参宿四。在其表面膨胀的全过程中，在它的核心会有一个异常紧密的物质浓缩体，在逐渐地变大。这个紧密的核心具有白矮星的性质（图7.12）。

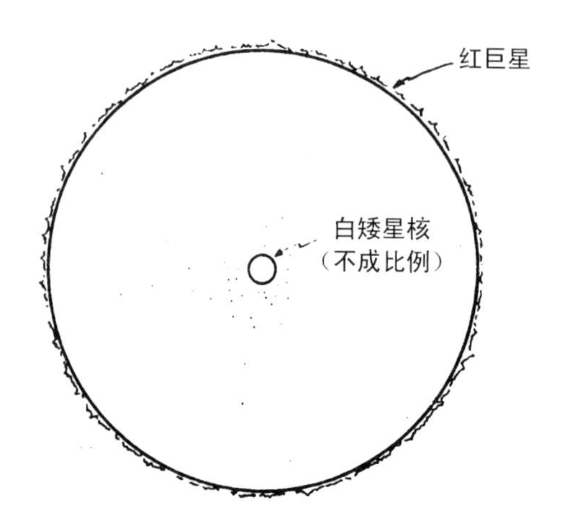

图7.12　一个红巨星及其白矮星核心

白矮星自身实际上是物质集中到极高密度的恒星。它的密度相当于一个乒乓球的体积充满了几百吨重的物质！在天空中可以观察到相当数目的这类恒星：也许在我们银河系发现的恒星中有百分之十几为白矮星。最著名的白矮星是天狼星的伴星，其惊人的高密度在本世纪初给天文学家带来了巨大的观察上的困扰。然而，后来这同一颗恒星为（在1926年左右R.H.否勒开创的）物理理论提供了美妙的证实。根据这个理论，有些恒星的确可以具有这样巨大的密度，该恒星由“电子简并压力”支撑着。这表明当泡利量子力学的不相容原理（参阅第354页）应用于电子时，可以防止恒星遭受向内的引力坍缩。

任何红巨星的核心都有一个白矮星，这个核心会继续从恒星的主体收集物质。红巨星最终被这个寄生的核完全消耗，而大约有地球那样尺度的实际的白矮星成为仅有的幸存者。可以预料，我们的太阳作为红巨星的形式“仅仅”会存在几十亿年。然后，在它的最后的“可见”肉身——作为一个慢慢冷却地死去的白矮星的余烬[1]——太阳将再维持几十亿年，最后完全变阴暗了，成了看不见的**黑矮星**。

不是所有的恒星都具有太阳的命运。对于一些恒星，它们的结局会更为激烈。它们的命运为所谓的钱德拉塞卡极限所决定：这就是白矮星所能具有的最大的质量值。根据1929年苏布拉马尼扬·钱德拉塞卡的计算，如果恒星的质量大于太阳质量的1.5倍的话，白矮星不能存在。（他是一位年轻的印度研究生候选人，在他从印度到英国的航船上作出这个计算的。）这个计算在1930年左右由苏联的列夫·朗道独立地重复过。现在改善了的钱德拉塞卡极限值大约为

$$1.4M_\odot,$$

这里$M_\odot$代表太阳质量，亦即$M_\odot$等于一个**太阳质量**。

请注意钱德拉塞卡极限比太阳质量大不了多少。而我们知道许多通常的恒星的质量比这个质量大得多。例如，质量为$2M_\odot$的恒星的最终命运是什么呢？根据已有的理论，这些恒星又会肿大变成红巨星，正和前面一样，它的白矮星核会慢慢地得到质量。然而，在某一临界阶段，核质量会达到钱德拉塞卡极限，而泡利不相容原理将不足以抵抗巨大引力所引起的压力[8]。在这一点前后，核心灾难式地向内坍缩并遭受到温度和压力的巨大增加。发生了激烈的核反应，从核中以中微子的形式释放出极大的能量。这些把恒星正在向内坍缩的外面区

1. 事实上，在它的最后阶段。白矮星作为一个红色的恒星而发出微弱的光——但是被称作“红矮星”的则是另外具有完全不同特性的恒星！

域加热上去，紧接着的是一巨大的爆炸。这个恒星就变成了超新星！

仍在坍缩的核发生了什么呢？理论告知我们，它甚至达到比白矮星惊人的密度还要巨大得多的密度。这核可以作为一个中子星而稳定下来（参阅408页），现在是中子简并压力——也即泡利原理应用于中子——支持着它。它的密度是如此之大，以至于乒乓球大小的体积含有的中子星物质和小行星赫米斯（或者是火星的卫星火卫二）一样多。这是原子核中的密度（一个中子星像是一个巨大的原子核，半径大约为几十千米，然而以恒星的标准来看极其微小！）但是，现在有了新的极限（称为朗道－奥本海默－沃尔科夫极限），它和昌德拉塞卡极限很类似。其现代（修正）值非常粗略地为

$$2.5M_{\odot},$$

若质量超过这一数值，中子星就维持不住。

如果原先恒星的质量足够大，甚至超过这一极限，其坍缩的核会发生什么呢？譬如讲，许多已知恒星的质量的范围是从$10M_{\odot}$到$100M_{\odot}$。看来不断地把这么多质量抛出，使剩余下的核的质量低于中子星极限是非常不可能的。与此正相反，预料的结果是会产生黑洞。

什么是黑洞？它是空间或者时空的一个区域，在那里引力场变得如此之强大，甚至连光都不能逃逸。我们记得，相对论原理的一个含义是光速为一极限速度：没有物体或信号能超过局部的光速（参阅251页，272页）。所以，如果光都不能从黑洞逃逸，没有任何东西

可能逃逸。

读者或许听说过逃逸速度。这是为了从某一大质量物体逃逸的一个物体必须具有的速度。假设该物体是在地球上，则从地球逃逸的速度为每小时40000千米，也就是大约为每小时25000英里。从地面向任何方向抛出的具有超过此速度值的石头都会完会逃离地球（假定我们忽略空气阻力的效应）。如果以低于此值的速度抛出，则它会落回到地球来。（这样，“任何投掷体必须回归”的命题是不对的；只有它的抛出速度低于逃逸速度时才会返回！）对于木星，逃逸速度为每小时22万千米，也就是大约每小时14万英里；对于太阳为每小时220万千米，或大约为每小时140万英里。假定我们现在想象太阳的质量集中于一个只有现在半径的1/4的球体里，则需要的逃逸速度就要加倍；如果太阳还要更加紧密，比如讲半径减小到1/100，则速度要增大到10倍。我们可以想象对于足够大质量的和足够集中的物体其逃逸速度甚至会超过光速！这种事发生时，我们就有了一个黑洞[9]。

我在图7.13中画出了一个物体坍缩而形成黑洞的时空图（我在这里假定，物体在坍缩的过程中近似地维持着球对称。而且我在这里压缩了空间的一个维度）。我也把光锥画出，正如我们在第5章（参阅268页）讨论广义相对论时所知道的，它们表明物体运动或信号的绝对限制。我们注意到，光锥向中心倾斜，并且越是靠近中心就越倾斜。

存在一个称作史瓦兹席尔德半径的临界距离，在这距离下光锥的极限在图中变成垂直的。在这距离下光（它必须沿着光锥）只能在坍缩物体上徘徊，光所具有的所有的向外的速度只刚好足以抵抗引力的巨大吸引。在史瓦兹席尔德半径处，这些徘徊的光（也即光线的整个历史）在时空中的轨迹构成的三维面称为黑洞的（绝对）事件视界。任何在视界之内的东西都不能逃离或者甚至都不能和外面的世界通信。这可从光锥的倾斜以及所有运动和讯号被限制在这些光锥之内（或之上）的基本事实看到。由几个太阳质量的恒星坍缩形成的黑洞，其视界的半径为几千米。预料在星系中心存在质量大得多的黑洞。我们银河系的中心很可能包含有一个大约100万太阳质量的黑洞，其视界的半径为几百万千米。

坍缩形成黑洞的实际物质将完全在视界之内完结，而且那时它不能和外界通信。我们简要地考虑一下该物体的可能命运。此刻，我们所关心的仅仅是由它的坍缩产生的时空几何——一种具有极其古怪含义的时空几何。

我们想象一个勇敢（或愚勇）的太空人B，他决心旅行到一个大黑洞中去。而他的胆怯（或谨慎）的同伴A安全地留在事件视界之外。让我们假定A以视线尽可能长久地追踪B的行踪。那么A将看到什么呢？从图7.13可以肯定，A永远见不到B在视界之内的历史（亦即B的世界线）的部分，而A将最终见到B在视界之外的历史部分——虽然在B穿越水平的前一瞬间，由A看起来必须等待越来越长的时间。假定B在自己的钟为12点时穿过视界。A实际上永远见不到这一事件。但在钟表读数为11:30、11:45、11:52、11:56、11:58、11:59、11:59$\frac{1}{2}$、11:59$\frac{3}{4}$、11:59$\frac{7}{8}$等时刻，A都能连续地看到（从A的观点看，这大约是发生在相同间隔的时间里）。原则上，对于A而言，B总能被看到，并且显得永远在视界上徘徊，而且B的表在接近这致命的12点钟时显得越来越慢，并永远不能达到这一时刻。实际上，B的影像会非常快地变得朦胧以至无法辨别。这是因为，从B刚好在视界外的世界线的小片段来的光，必须发散在A所经历的余下的时间内。换言之，B在A的视线内消失——这一点也适合于原先的整个坍缩物体。A所能看到的全部的确只能是一个“黑洞”！

关于可怜的B的境况又如何呢？他的经验又如何呢？必须首先指出，当B穿过视界之时，他不会有任何异样的感觉。他凝视着他的手表记录12点钟，他看到了一分钟一分钟规则地流逝。11：57、11：58、11：59、12：00、12：01、12：02、12：03。在12：00点附近似乎没有任何古怪的事发生。他可以回头看A，并发现在整个时间里A总被连续地看到。他可以看到A自己的表。对于B来讲，A的表以一种正常的规则的方式运行。除非B已经计算出他应该穿越这视界，否则他无法知道这一事件[10]。视界极端阴险。B一旦穿越进去，就再也逃脱不出来。他的局部宇宙最终会在他周围坍缩，他注定很快就要遭受到自己的“大挤压”。

这也许不是纯粹私人的事务。在某种意义上，形成黑洞的坍缩物体的全部物质首先和他分担“同样”的挤压。事实上，如果在黑洞之外的宇宙是空间闭合的，这样外界的物质也会最终卷入到包罗一切的大挤压中去。那么可以预料，这种挤压和B的“个人”挤压相同[1]。

---

1. 我在这些陈述中采用了两个假设。第一是宇宙坍缩比黑洞可能最终消失——这是计入我们将在后面（参阅436页）考虑的、它的（极慢的）霍金辐射引起的“蒸发”——更早实现，第二是（非常可能是对的）称为“宇宙监督”的假设（277页）。

尽管B的命运令人不快，但我们认为，一直到这点为止，他所经历到的局部物理学不会和我们已知并理解的物理学有任何抵触之处。尤其是，我们预料他不会觉得热力学第二定律被违反，更不用说完全反演的熵增加行为了。第二定律在黑洞之内，正如同在其他地方一样成立。B附近的熵仍然增加，直到他的最后挤压的时刻为止。

为了理解在（“个人的”或“包罗万象的”）“大挤压”处的熵值确实极高，而在大爆炸处熵低得多，我们还需要进一步研究黑洞的时空几何。但在此之前，读者也应先浏览一下图7.14，该图画出了称作白

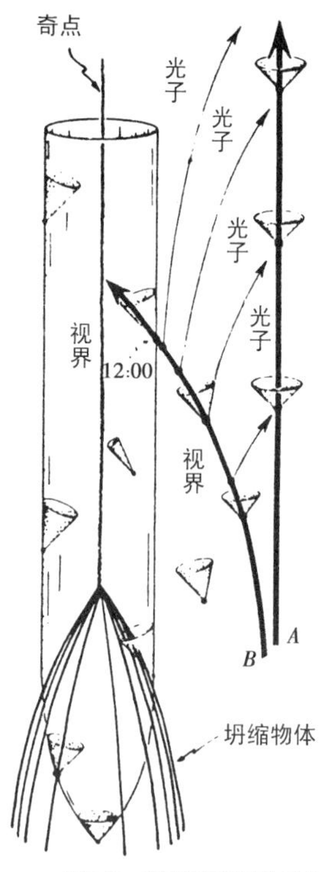

图7.13　描绘黑洞坍缩的时空图。在图中标作“视界”的为史瓦兹席尔德半径

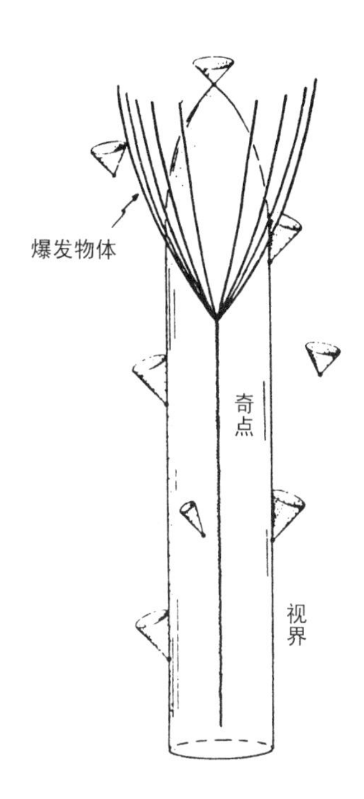

图7.14　一种假想的时空形态：一个白洞，最终爆发成物质（图7.13的时空的时间反演）

洞的黑洞的假想时间反演。自然界中也许不存在白洞。但是，它们的理论可能性对于我们具有相当重要的意义。

时空奇点的结构

我们从第5章263页知道，时空曲率如何以潮汐效应的方式呈现出来。一些在某大物体引力场中自由下落的粒子组成的一个球面在一个方向上被拉伸（沿着朝向引力物体的直线）和在与这垂直的方向上被压挤。这种潮汐效应随着和引力物体的接近而增大（图7.15），其强度变化和离开此物体距离的立方成反比。太空人B在向黑洞内部下落之时便会感到这一增强的潮汐效应。对于一个几倍太阳质量的黑洞，潮汐效应是巨大的——以至于该太空人在靠近黑洞时根本就不能存活，更不用说他穿越黑洞视界了。对于更大的黑洞，视界处的潮汐效应实际上更小。许多天文学家都相信，在银河系中心可能存在一个大约1000000太阳质量的黑洞。当太空人穿越这黑洞视界时，其潮汐效应应该是相当小，虽然也许足以使他稍微感到不舒服。然而，只在太空人穿越之后的很短时间里，这种潮汐效应才继续维持很小。事实上，只要几秒钟的时间它就迅速地达到无限大！不仅这位可怜的太空人的身体会被这一增强的潮汐效应撕开，而且组成他的分子所包含的原子、原子的核，以及最后甚至所有亚原子粒子很快地也难逃厄运！“压榨”正以如此方式施展其终极的淫威。

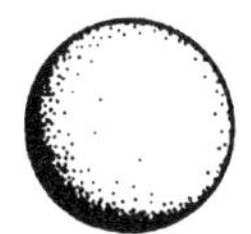
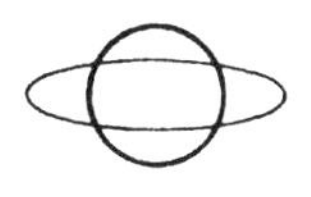
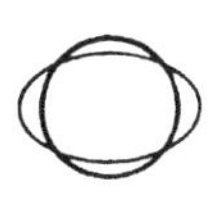

图7.15　随着物体靠近一个球形的引力物体，其潮汐效应按照与物体中心距离成立方反比律的关系增强

不仅是所有物体以这种方式被毁灭，甚至时空本身都面临着它的终点！这种最终灾难称作时空奇点。读者一定会问，我们何以知道这种灾难一定会发生，在何种情况下物体和时空注定要遭此厄运。在任何形成黑洞的情形下，这些是从广义相对论的经典方程引出的结论。奥本海默和斯尼德（1939）原先的黑洞模型呈现了这种行为。然而，许多年来天体物理学家总是抱着幻想，认为奇性行为只是在该模型中假定的特殊对称性的孽障。在现实（非对称）的情况下，坍缩的物体也许会以某种复杂的形式旋开并重新逃到外头去，但是，在进行了更一般的数学论证后，这种希望就破灭了。这些论证的结果被称作奇点定理（参阅*Penrose 1965*，*Hawking and Penrose 1970*）。这些定理断言，在具有合理物质源的广义相对论的经典理论中，引力坍缩情形中的时空奇性是不可避免的。

利用时间方向的反演，我们又类似地发现相应的初始的时空奇性的不可避免性。奇点在任何（适当的）膨胀宇宙中代表大爆炸。此处奇点不代表所有物质和时空最终的毁灭，它代表时空以及物质的创生。在这两种奇点之间也许存在一个准确的时间对称：初始奇点，时空以及物质在该处创生；终极奇点，时空以及物质在该处消灭。在两者之间的确存在着一个重要的相似，但是在我们仔细考察之后，就会发现它们并非准确的时间反演。它们的几何差异对于我们的理解意义重大，因为它们包含热力学第二定律起源的关键！

让我们回到自我牺牲的太空人B的经验上来。他遭遇到了很快就要增强到无限大的潮汐力。由于他是在空虚的空间中旅行，所以经历了体积守恒和畸变效应，后者是我早先表达成**外尔**（见第5章264页，

270页）的时空曲率张量所提供的。时空曲率张量中代表整体的压缩，并称作**里奇**的余下的部分在空虚空间中为零。也可能在某一阶段，B在事实上遭遇到物质，但是甚至在发生这种情形时（毕竟他自身是由物质所构成的），我们仍然普遍地发现**外尔**的测度比**里奇**大得多。我们预料，接近于最终奇点时的曲率完全是由外尔张量所主宰。一般地讲，此张量趋近于无穷大：

外尔$\to\infty$，

（虽然它会以振荡的形态出现）。这是时空奇点[11]的一般情形。这种行为和高熵的奇点有关联。

然而，大爆炸处的情况与此完全不同。我们早先考虑过的高度对称的弗里德曼–罗伯逊–瓦尔克时空提供了大爆炸的标准模型。**外尔**张量提供的畸变的潮汐效应在这里完全不存在。取而代之的是作用在检验粒子的球面上的对称的向内的加速度（图5.26）。这是**里奇**张量而不是**外尔**张量的效应。在任何FRW模型中，张量方程：

外尔$=0$

总是对的。当我们越来越接近这一初始奇点时，我们发现是**里奇**而不是**外尔**变成无穷大。这就为我们提供了低熵的奇点。

如果我们在一个准确的坍缩的FRW模型中考察大挤压奇点，我们就会发现在挤压处，**外尔**$=0$，而**里奇**趋于无穷大。然而，这是一种非常特殊的情形，我们不会在完全现实的模型中预料到这种现象。在现实模型中必须计入引力成团的效应。随着时间的演化，原先以弥散气体的形式存在的物质将结团成恒星的星系。大量恒星将会由于引力收缩而渐序变成：白矮星、中子星和黑洞，以及在星系的中心可能会有的某些巨大的黑洞。这种成团——尤其是在黑洞的情形下——代表了熵的巨大增加（图7.16）。这初看起来使人困惑不解，成团的态代表高熵，而均匀的态代表低熵。我们记得，在一盒气体的情形，成团（譬如所有气体都处于盒子的一个角落）的态具有低熵，而热平衡均匀的态的熵更高。但是考虑到引力，则这一切都被颠倒过来，这是由于引力场的普遍的吸引性质引起的。随着时间的推移，成团现象变得越来越极端，最终凝聚成许多黑洞。它们的奇点联合成极其复杂的终极的大挤压奇点。终极奇点绝不像坍缩的FRW模型中受**外尔**=0限制的理想大挤压。在所有的时间里，随着越来越多的结团发生，存在

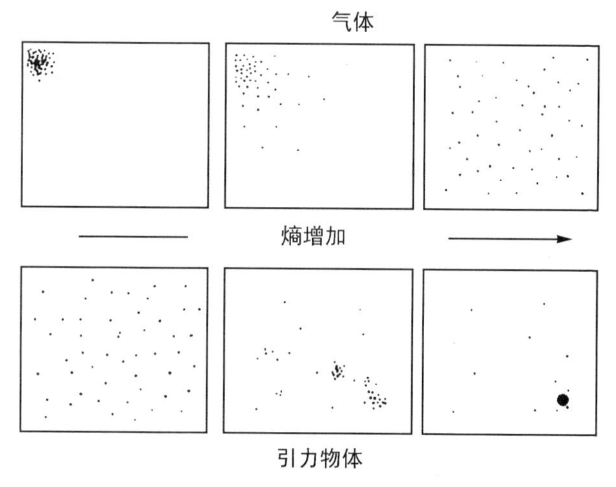

图7.16　对于通常气体，熵增加倾向于使分布更均匀。对于引力物体的系统却是相反的。引力结团引起高熵——最极端的情形是坍缩成一个黑洞

外尔张量变得越来越大的倾向[12]。一般来讲，在所有的终极奇点处**外尔**→∞。图7.17画出了一个代表闭合宇宙和一般描述相一致的整个历史的时空图。

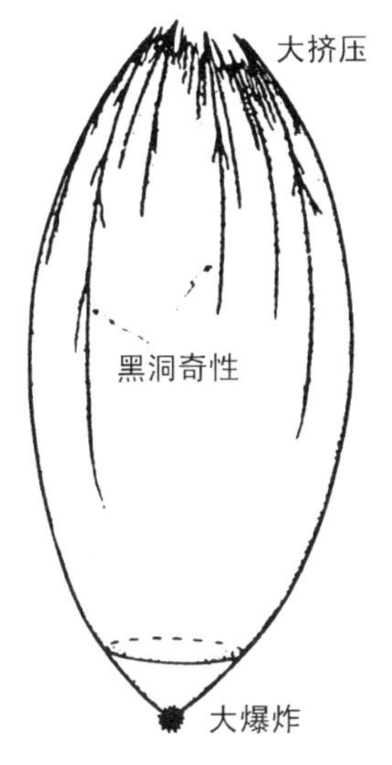

图7.17　一个闭合宇宙的整个历史。这一宇宙是从均匀的低熵的**外尔**=0的大爆炸开始，终结于一个高熵的大挤压。大挤压代表许多黑洞的凝聚，并且此时**外尔**→∞

现在，我们看到一个坍缩的宇宙为何不必具有低熵。大爆炸处的熵的“最低值”为我们提供了第二定律——因此，这不仅仅是大爆炸时刻宇宙“小尺度”的推论！如果我们把上面得到的大挤压图像作时间反演，我们应得到一个具有极其巨大的熵的“大爆炸”，因而不存在第二定律！由于某种原因，宇宙在一种非常特殊（低熵）的态下创生出来，加上的限制有点像在FRW模型中的**外尔**=0。如果没有这种性质的限制，“更可能”的情况是，初始和终结奇性都具有高熵的**外尔**→∞的类型（图7.18）。在这种“可能”宇宙中的确不会有热力学第二定律！

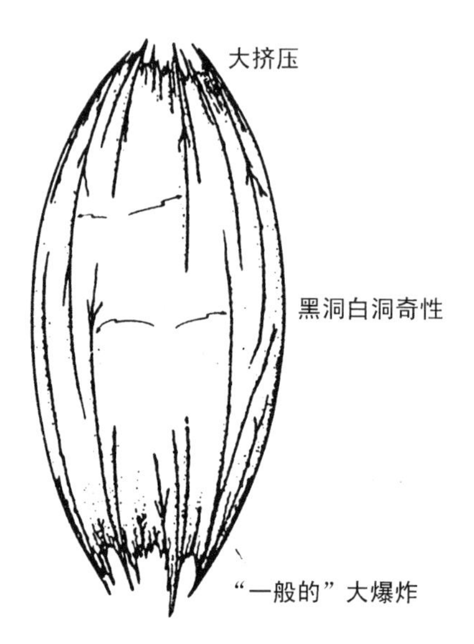

图7.18　如果除去**外尔**＝0的限制，则我们也有高熵的大爆炸，在这里**外尔**→∞。这样的宇宙会布满白洞，并不存在热力学第二定律，这一切都和常识严重冲突

大爆炸是何等特殊

让我们试图理解在大爆炸处**外尔**＝0的条件下所受到的限制程度。为简单起见（正如上述的讨论），我们假定宇宙是闭合的。为了能得出某些清晰的数字，我们进一步假定在宇宙中质子和中子的总数目，也就是重子数B为：

$$B=10^{80}。$$

除了在观测上B必须至少有这么多以外，（并没有什么选取这一数目的特别理由；有一次爱丁顿断言，他准确地计算出B，其数值和上面的值很接近！似乎再也没有人相信这一特殊的计算，但是这一数值就一直停在10^{80}上。）如果B的数值取得比这更大（或许实际上$B=\infty$，），那么我们就会得到比现在即将得到的异乎寻常之数字更为惊人的结果！

想象一下整个宇宙的相空间（参阅228页）！这一相空间中的每一点代表宇宙启始不同的可能方式。我们可以想象造物主，它把一个针尖点在相空间中的某一点上（图7.19）。针尖的不同位置提供不同的宇宙。而造物主目标所需的精度决定于它所创造的宇宙的熵。由于相空间的巨大体积可让针尖去戳，所以产生一个高熵宇宙是相对“容易”一些。（我们记得熵和有关相空间的体积的对数成正比。）但是，为了使宇宙从低熵态起始——以保证存在热力学第二定律——造物主必须瞄准相空间中极其细微的体积。为了使结果和我们生活其中的宇宙相类似，这一区域应该是多小呢？要回答这个问题，首先必

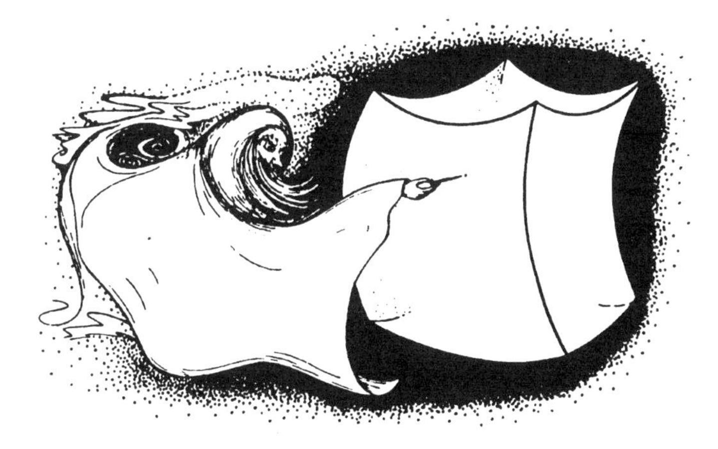

图7.19 为了产生一个和我们生活其中的相类似的宇宙，造物主必须瞄准可能宇宙的相空间中的不可思议的小体积——在所考虑的情形下大约为总体积的$1/10^{10^{123}}$。（针尖和所瞄准的点不是按比例画出的！）

须先提到一个非常出色的公式，由雅科布·柏肯斯坦（1972）和史蒂芬·霍金（1975）所发现计算黑洞的熵的公式。

考虑一个黑洞，并且假定其视界面积为A。柏肯斯坦-霍金黑洞熵公式则为：

$$S_{\mathrm{bh}}=\frac{A}{4}\left(\frac{kc^3}{G\hbar}\right),$$

此处k为玻耳兹曼常数，c为光速，G为牛顿引力常数，$\hbar$为普朗克常数除以2π。此公式的主要部分为$A/4$，括号内的部分只不过是包括了合适的物理常数。这样，黑洞的熵和它的表面积成正比。对于一个球对称的黑洞，此表面积和黑洞质量的平方成正比：

$$A=m^2\times 8\pi(G^2/c^4)。$$

把它和柏肯斯坦-霍金公式合并，我们就看到黑洞的熵和它的质量平方成比例：

$$S_{\mathrm{bh}}=m^2\times 2\pi(kG/\hbar c)。$$

这样，黑洞的单位质量的熵（S_{bh}/m）和它的质量成正比，所以黑洞越大，它就越大。因此，对于给定的质量，或由于爱因斯坦的公式$E=mc^2$而等效的能量，当物质坍缩成一个黑洞时获得最大的熵！而且，当两个黑洞相互并吞而产生一个单独黑洞时得到巨大的熵！诸如在星系中心发现的那些巨大的黑洞能提供极其了不起的熵值——远比在其他类型的物理情形下遇到的熵值大得多。

只需要很少的条件就可断言，当所有质量都集中到一个黑洞中时得到的熵最大。霍金的黑洞热力学分析指出，必须有一非零的温度和黑洞相关联。其中的一个含义便是，并非所有的质量能量都包含在黑洞之中。在最大熵状态下，最大熵是在一个黑洞和“辐射的热库”相平衡时才获得。对任何合理尺度的黑洞，这辐射温度实在非常小。例如，一个太阳质量的黑洞，其温度大约为10^{-7}开，这比迄今为止在任何实验室里所能测量到的最低温度还要低，比星际空间的2.7开温度低得多了。对于更大的黑洞，其霍金温度甚至还要更低！

只有在下面两种情形下霍金温度对于我们的讨论才有意义：(i)也许在我们宇宙中存在称为微黑洞的微小得多的黑洞；或(ii)宇宙不在霍金蒸发时间，也就是黑洞完全蒸发所需的时间之前坍缩。关于(i)，微黑洞只能在适当的混沌大爆炸时产生。实际中这类微黑洞不会大量存在，否则它们的效应应该已被观测到；而且，依我的观点，它们根本就不存在。关于(ii)，对于太阳质量的黑洞，霍金蒸发时间大约为目前宇宙年龄的10^{54}倍。对于更大的黑洞，其时间要长得多。这些效应似乎不会根本改变上述的论断。

为了对黑洞熵的巨大数值有一概念，我们可以考虑原先以为对宇宙熵有最大贡献的2.7开的黑体背景辐射。这种辐射所包含的巨大数量的熵慑服了天体物理学家，它远远超过人们在任何其他过程（例如在太阳中）所遭遇到的通常的熵值。背景的熵大约是每一个重子10^8（此处我选用“自然单位”，这样玻耳兹曼常数为1），（实际上，这表明每个重子在背景辐射中对应于10^8个光子。）所以，如果共有10^{80}个重子，则我们宇宙中的背景辐射应有总熵：

$$10^{88}。$$

如果没有黑洞，这一数值的确代表了宇宙的总熵，由于背景辐射中的熵淹没了所有其他通常过程的熵。例如太阳中的每个重子的熵的数量级为1。另一方面，按照黑洞的标准背景辐射的熵是微不足道的。柏肯斯坦-霍金公式告知我们，在太阳质量的黑洞中每一重子的熵大约在10^{20}自然单位左右。这样，要是宇宙全部由太阳质量黑洞所构成，则总数值会比上面给出的大许多，也就是：

$$10^{100}。$$

当然，宇宙不是这样构成的，但是这一数值开始告诉我们，当计入引力的无情效应时，背景辐射的熵是如何地“微小”。更现实一点，假定我们的星系不完全由黑洞组成，而主要由通常的恒星组成，在包含10^{11}个通常恒星的星系的核中假如有个1000000（亦即10^6）太阳质量的黑洞（这对我们自己的银河系是合理的）。计算结果指出，现在每个重子的熵实际上比前面巨大的数值还要大，也就是10^{21}。这样，以自然单位给出的总熵为：

$$10^{101}。$$

我们可以期待，在非常长的时间后，星系质量的主要部分会被并吞到它们中心的黑洞中去。发生此事之后，每一重子的熵变为10^{31}，其总熵具有极大的数值：

$$10^{111}。$$

然而，我们是在考虑一个闭合的宇宙，这样它将最终坍缩；所以，似乎整个宇宙形成一个黑洞。可以合理地利用柏肯斯坦-霍金公式估计最终大挤压的熵。这就给出了每一重子10^{43}的熵，而整个大挤压的无与伦比巨大的总熵为：

$$10^{123}。$$

这一个数值给出了造物主所能得到的相空间总体积的估计。熵应该表达成最大区域体积的对数。由于10^{123}是该体积的对数，所以其体积按自然单位应为10^{123}的指数，也就是：

$$V=10^{10^{123}}$$

（某些聪明的读者会觉得我应该用数值$e^{10^{123}}$，但是对于这么大的数，e和10在本质上是可互相取代的！）为了给我们提供一个和热力学第二定律以及我们现在所观察的相一致的宇宙，造物主必须瞄准的原先的相空间体积W应为多大呢？我们取下面的两个数值中的任一个根本关系不大：

$$W=10^{10^{101}}\text{或}W=10^{10^{88}},$$

它们分别为星系黑洞或者背景辐射给出的数据，或是在大爆炸处更小得多（事实上更为合适）的实在的数据。不管哪种数值V和W的比率接近于：

$$V/W=10^{10^{123}}。$$

（试试看，$10^{10^{123}}\div10^{10^{101}}=10^{10^{123}-10^{101}}=10^{10^{123}}$，非常接近。）

这就告诉我们造物主要瞄得多准：也就是要准确到$1/10^{10^{123}}$。这是一个异乎寻常的数值。人们甚至不能把这个数以通常十进位的办法完全写下来。它是1后面连续跟10^{123}个0！甚至如果把0写在整个宇宙中每一颗单独的中子和质子上——还可以加上所有其他的粒子——人们发觉还是远远不够写下所需要的这一个数值。使宇宙准确地运作所需要的精度，比制约从一个时刻到另一时刻事物行为的任何超等动力方程（牛顿、麦克斯韦、爱因斯坦的方程）我们已习惯的精度毫不逊色。

但是，为何大爆炸是如此精密地策划的，而大挤压（或黑洞中的奇点）却是预料中完全混沌的呢？这可按照在时空奇点处的时空曲率的**外尔**部分的行为来重述这个问题。我们发现在初始的而不是终结的奇点处存在约束：

外尔$=0$

（或某种和它非常类似的东西）。似乎正是这个限制造物主选择相空间内这个非常微小的区域。这限制适合于任何原始(而非终结)的时空奇点。我把它称作外尔曲率假设。这样,如果我们要理解第二定律从何而来,似乎就必须理解为何这样的一个时间反对称的假设必须成立[13]。

我们如何才能对第二定律的起因有更深入的理解呢?我们似乎被逼迫到死路上去。我们必须理解为何时空奇点具有它所具有的结构;但是时空奇点是我们物理理解达到极限的区域。有时人们把时空奇点存在所导致的死胡同和另一事件相提并论:那就是20世纪初物理学家研究原子稳定性(参阅289页)所遭遇到的困难。在每种情况下,早已确立的经典理论总是得出"无穷大的"答案,因而经典理论对于这样的使命无能为力。量子理论阻止了原子电磁坍缩的奇异行为,类似的,正是量子理论应在恒星的引力坍缩"无限的"经典时空奇点处得到一个有限的理论。但是这绝不是通常的量子理论。它必须是空间和时间结构本身的量子力学。这样的理论,若存在的话,应称为"量子引力"。量子引力还不存在并非因为物理学家不努力,或者没有专长和天才。许多第一流的科学头脑专心致志于建立这样的理论,可惜未成功。这是我们试图理解时间流逝的方向性时要最后面临的僵局。

读者一定会问,我们经历了什么样的旅途。在我们追求理解为何时间显得只向一个方向而不向另一方向流逝的过程中,我们已经旅行到时间的最终点,在该处空间概念本身都被瓦解了。我们从这一切得到了什么教益呢?我们发现理论还不足够于提供答案。但是,这对我们试图理解精神又有什么用场呢?尽管缺少足够的理论,我相信我们的航程的确给予我们重要的教导。现在我们应该回过头来。我们的归程将比出发更加冒险，但是依我看，没有其他合理的归途！

第 8 章
量子引力的寻求

为什么需要量子引力

我们在前一章所了解的有哪些是和大脑与精神相关的呢？虽然我们瞥见了某些作为我们认知“时间流逝”方向性质的、相互纠缠的基础物理原则，我们似乎迄今并未洞察到为何我们感觉时间流逝或甚至我们为何感觉得出时间。依我看来，这里需要激进得多的观念。虽然我有时强调的地方与众不同，迄今我的陈述并不特别激进。我们已经熟悉了热力学第二定律，我已试图说服读者，大自然以她所选择的特殊形式呈现在我们面前的这一个定律，其起因可以追溯到宇宙的大爆炸起源时无与伦比的几何限制：外尔曲率假设。有些宇宙学家宁愿以某种不同的方式来表达这个初始限制，然而这种对初始奇点的限制无论如何是必需的。我准备从这个假设抽取的推论将比此假设本身更激进。我宣称，量子理论的框架本身需要一个变革！

在对量子力学和广义相对论进行适当的统一，也就是在寻求量子引力时，这个变革会起作用。大多数物理学家相信，量子力学在和广义相对论统一时不需要变革。而且他们争辩道，在与我们大脑相关的尺度下任何量子引力的物理效应必然都是毫无意义的！他们会（非常合情理地）说，虽然这些物理效应在极其微小的尺度下的确重要，这尺度被称为普朗克长度[1]——等于10^{-35}米，比最小的亚原子、粒子的尺度小一万亿亿倍——但在非常大的“寻常”尺度，好比说只有10^{-12}米时，这些效应与所发生的现象没有直接关联，这种尺度下的现象是由对大脑活动很重要的化学或电作用支配着。的确，甚至经典的（也就是非量子的）引力对这些电和化学活动几乎没有影响。如果经典引力都没有效应，为什么对经典理论的微小的“量子修正”居然会产生任何重大的差异呢？况且，由于对量子理论引起的偏差从未被观察到，如下的推断就显得更不合理，即对标准量子理论的任何假想的微小偏差在精神现象中会起任何可以想象得到的作用！

我的论证与此非常不同。我并不这么关心量子力学对时空结构理论（爱因斯坦广义相对论）的效应；而是相反的，也就是爱因斯坦的时空理论在量子力学结构本身的可能的效应。我应强调指出，我现在所提出的是一种非传统的观点。正是在广义相对论对于量子力学的结构具有影响这一点上是非传统的！传统的物理学家总是非常不情愿去相信，量子力学的标准结构应在任何方面被擅改。虽然把量子理论的规则直接应用于爱因斯坦理论的确遭遇到了似乎不可克服的困难，该领域工作者的反应是企图用它作为修正爱因斯坦理论的理由，而不是修正量子理论[1]。我本人的观点几乎是完全相反的。我相信量子理论自身的问题具有基本的特征。我们记得量子力学中两个基本过程$\boldsymbol{U}$和$\boldsymbol{R}$之间的非一致性（$\boldsymbol{U}$服从完全决定性的薛定谔方程——称作幺正演化——而

1. 是这样的一个距离[10^{-35}米$=\sqrt{(\hbar Gc^{-3})}$]，在此尺度下。时空度规本身的“量子起伏”变得这么大，以至于通常光滑的时空连续性的观念不再有效。（量子起伏是海森伯不确定性原理的一个推论——参阅315页。）

R为随机的态矢量减缩，只要被认为进行了一次“观测”，则必须经历这样的一个过程）。依我看来，这种不协调性不能仅仅靠采取适当的量子力学“解释”予以解决（虽然普遍的观点似乎认为这样可以）。它只有在某种激进的新理论的框架中才能被解决，而这两种过程**U**和**R**被认为是对于包容更广的、更精确的单独过程的不同的（而且非常优越的）近似。所以，我的观点是，甚至这不可思议地精密的量子力学理论都必须改变，而其改变的性质的强烈暗示必须来自于爱因斯坦的广义相对论。我甚至还可进一步断言，在实际上正是所寻求的量子引力理论应该包含这一想象中结合**U**/**R**的步骤作为它的基本要素。

另一方面，按照传统的观点，量子引力任何直接的含义都具有更神秘的性质。我提到过，时空结构在不可思议的普朗克长度的极小尺度下会有基本改变。还有人相信（依我看来，这已被确证）量子引力和近年观测到的“基本粒子”的整个家族性质的最终确定在根本上是相关联的。例如，现在不存在任何解释粒子质量为何必须这么大的好理论——而“质量”是和引力概念密切相关的概念。（质量的确是唯一的引力的“源”。）此外，许多人预料（根据1955年瑞典物理学家奥斯卡 · 克莱因提出的观念）正确的量子引力理论应当可以消除折磨着传统量子场论的无限大（参阅371页）。物理学是一个整体，当我们最终得到真正的量子引力理论时，它肯定应包含我们对大自然普遍定律详细理解的根本部分。

然而，我们距离这样的理解还很遥远。并且所推想的量子引力理论一定和制约大脑行为的现象相距非常远。在解决上一章遭遇到的困难——时空奇点的问题时必需的量子引力（普遍承认的）作用和大脑活动之关联显得特别遥远。这是爱因斯坦经典理论在大爆炸、在黑洞中，以及大挤压所引起的奇点，如果我们的宇宙注定最终要坍缩的话。是的，这个作用似乎是遥远的。然而，我将论断，这里存在一个无从捉摸但却很重要的逻辑联结网络。让我们考察这个联结是什么样子的。

外尔曲率假设的背后是什么

正如我在前面提及的，甚至是传统的观点告诉我们，必须用量子引力来辅助广义相对论的经典理论来解决时空奇点之谜。这样，量子引力就在经典理论得出没有意义的“无穷大”的答案之处，为我们提供了某种条理一贯的物理。我肯定同意这种观点：这的确应是量子引力留下标志的显明之处。然而，理论家们似乎还没有充分地接受如下惊人的事实，即量子引力的标志公然是时间不对称！在大爆炸——也即过去的奇点处——量子引力应该告诉我们，一个像

外尔 $=0$

的条件必须在按照经典的时空几何概念来描述成为有意义的时刻成立。另一方面，在黑洞内部的奇点以及在（可能的）大挤压——未来的奇点——处却并没有这样的限制。我们预料，当靠近这种奇点时外尔张量变成无穷大：

外尔 $\to\infty$。

依我看来，这非常清楚地表明，我们所寻求的实际的理论应该是时间不对称的！

我们所寻求的量子引力必须为一个时间不对称的理论。

我必须警告读者，尽管从我所陈述的方式来看，这一结论显然是必然的，却没有当作智慧被接受！许多在这领域的工作者对此采取迟疑的态度。其原因似乎在于，没有一种清晰的方法使得传统的，被充分理解的（就目前进行的）量子化步骤能产生一个时间不对称[2]的量子理论，而这些步骤所应用的经典理论（标准的广义相对论或它的某种流行的修正形式）本身是时间对称的。相应地，这样的量子引力家一旦在考虑这些问题时——这是罕见的——就需要往他处寻求大爆炸处的低熵的"解释"。

也许，许多物理学家会争论道，一个像初始外尔曲率的零值的假设是被当作"边界条件"的选取而不是动力学定律，它并不在物理学所能解释的能力之内。他们在实际上是论断，一次"上帝的行动"把边界条件赋予了我们，我们不能企图去理解何以我们被赋予这一种而非那一种边界条件的问题。然而，正如我们已经看到的，这个加在"造物主针尖"的限制条件，其非凡与精确绝不亚于我们现在了解的牛顿、麦克斯韦、爱因斯坦、薛定谔、狄拉克及其他精密而优雅的动力学方程。虽然热力学第二定律似乎具有模糊和统计的特征，但是它是由具有无与伦比的精密的几何限制所产生的。有一种观点认为，人们无望理解作用于大爆炸处的"边界条件"的限制。而科学手段却在理解动力学方程上显得如此有价值。这对我来说似乎是不可理喻的。依照我的思维方式，虽然前者是科学迄今不能适当理解的部分，它正和后者一样同为科学的一部分。

科学史已为我们显示出，把物理的动力学方程（牛顿定律、麦克斯韦方程等）和这些所谓的边界条件——也即为了从这些方程的不适合的解的泥淖中挑出适合的一个解而附加的条件——分开是多么有价值的思想。动力学方程在历史上找到了简单的形式。粒子运动满足简单的定律，但是在宇宙中和我们共存的粒子的实际形态通常不很简单。有时这种形态初看起来简单——诸如行星运动的椭圆轨道，正如开普勒所肯定的那样——但是后来发现。它们的简单性是动力学定律的推论。更深刻的理解总是通过动力学定律才会得到，而如此简单的形态总是更复杂的形态的近似，譬如实际观测到的受扰动的（不完全椭圆的）行星运动。牛顿动力学方程对所有这些都能予以解释。初始条件用以"启动"问题中的系统，而动力学方程从那一时刻开始接手。我们能把动力学行为和宇宙实际内容的形态问题分开是物理科学一个最重要的成就。

我讲过，这种把动力学方程和边界条件的相分离，在历史上具有极大的重要性。进行这种分离的可能性，似乎总是由物理学中出现的特殊类型方程（微分方程）性质的结果。但是我不相信这种分离总是成立。我相信，当我们最后理解实际上制约我们宇宙行为的定律或原则，而不仅仅是我们逐步理解的不可思议的近似，也即构成迄今为止的**超等**理论之时——我们就会发现，这种在动力学方程和边界条件之间的差别将消失殆尽，而代之以仅仅是某种无比美妙的、协调的、广泛的方案。我在讲到这些时当然只是表达非常个人的观点。其他人也许不同意。但是，这正是在我探讨某种量子引力的未知理论的含义时，在我脑袋中模糊地出现的观点。（这个观点还将影响最后一章一些更富于猜测性的思考。）

我们怎样才能探讨一个未知理论的含义呢？事情也许并不如它们初看起来那么毫无希望。关键在于一致性！首先，我要求读者接受我们想象的理论——我把它称之为CQG“正确的量子引力”！——会给外尔曲率假设（WCH）提供一个解释。这表明初始的奇点必须在它的立即的未来受**外尔**=0的限制。这个限制应为CQG定律的推论。它必须适用于任何“初始奇点”，而不仅仅适合于我们称之为“大爆炸”的特殊奇点。我并不是讲，在我们的实际宇宙中除了大爆炸外需要有任何其他初始奇点。其关键在于，如果还有，则任何这样的奇点必须受到WCH限制。原则上来说，一个初始奇点是粒子可以从那里出来的地方。这和黑洞奇点的行为刚好相反。黑洞奇点是终极奇点——粒子可能落到里面去。

一种可能和大爆炸不同的初始奇点类型是白洞里的奇点。正如我们在第7章讲到的，白洞是黑洞的时间反演。但是我们知道黑洞里的奇点满足**外尔**→∞。这样对于白洞，我们也必须有**外尔**→∞。但是，现在的奇点为一初始奇点，对于初始奇点WCH要求**外尔**=0，这样WCH排除了在我们宇宙中白洞发生的可能性！（幸运的是，这不仅仅是基于热力学的要求——因为白洞会严重地违背热力学第二定律——它也和观察不一致！每隔一阵，总有不同的天体物理学家假想白洞的存在用以解释某个现象，但是这样做总是引起比要解决的问题更多的问题。）请注意，我不把大爆炸本身称作“白洞”。一个白洞具有定域的，不满足**外尔**=0的初始奇点。但是包容一切的大爆炸，假定它的确被WCH限制，能够满足**外尔**=0，因而是允许存在的。

还存在另一种“初始奇性”的可能性：亦即黑洞爆炸的那一点。

譬如讲，黑洞在10^{64}年长的霍金蒸发后消失（参阅436页，还有后面的458页）！关于这个假想（似乎被论证得头头是道的）现象的准确性质有许多猜测。我想，这似乎和WCH不矛盾。这样的一个（定域的）爆发实际上可以是瞬息的并且对称的，我认为和外尔=0的假设没有冲突。无论如何，如果不存在微黑洞（参阅436页），很可能是直到宇宙存在了比现在年龄T长10^{54}倍以后才第一次发生这类爆发！为了估计$10^{54}\times T$究竟多长，想象把T压缩到能被测量的最短的时间——任何不稳定粒子的最微小的衰变时间——则我们现存宇宙的年龄还比在这个尺度上的$10^{54}\times T$小1万亿倍以上！

有些人采用和我不同的看法。他们论证道[3]，CQG不应为时间不对称的。它在实际上允许两类奇点结构，一种需要**外尔**=0，而另一类允许**外尔**$\to\infty$。我们宇宙中的刚好是第一类奇点，而我们对时间方向的感觉（由于继而引起的第二定律），把这个奇点放置在我们称之为“过去”而不是“将来”之处。然而，我觉得就这样论证是充分的。它没有解释为何既没有别的**外尔**$\to\infty$类型的初始奇点（也没有别的**外尔**=0类型的其他奇点）。依照这种观点，为什么宇宙中并没有缀满着白洞？由于宇宙被假定缀满了黑洞，我们需要解释为何不存在白洞[1]？

关于这一点，人们有时祈求所谓的人存原理（参阅*Barrow and Tipler 1986*）。根据这种论证，我们所观察到的，所居住的特殊宇宙是从所有可能的宇宙中由以下事实挑选出来的，这就是我们（或至少某

---

1. 有人会（正确地）争论道，观测的结果不足以清楚支持我主张的宇宙中存在黑洞而不存在白洞的观点。但我的论证基本上是理论性的。黑洞而不是白洞和热力学第二定律相协调！（当然，人们可以直截了当地假设第二定律以及白洞的不存在；但我们试图更深入探究第二定律的起源。）

种有知觉的动物）需要存在那里实际地对其观察！（我将在第10章再讨论人存原理。）利用这种论证，人们断言，智力生命只能居住在非常特别类型的大爆炸宇宙中，所以诸如WCH应为这个原则的推论。然而，这种论证不可能得到接近于大爆炸的“特殊性”所需的，在第7章得到的数值$10^{10^{123}}$（参阅437页）。通过非常粗略的计算得出，整个太阳系和它所有的居住者可简单地用粒子随机碰撞而更“便宜”得多地产生，也就是说，其“不可能性”（以相空间体积来测量）比$1/10^{10^{60}}$大得多。这就是人存原理能为我们所做的一切。我们仍然极缺所需要的数值。况且，正如前面刚讨论的观点，人存原理不能为不存在白洞提供解释。

态矢量减缩的时间不对称

我们似乎的确得到结论，CQG必须是一种时间不对称的理论，而WCH（或某种类似物）为这个理论的一个推论。从两个时间对称的部分：量子理论和广义相对论，怎么得到一个时间不对称的理论呢？存在一些可达此目的合情合理的技术可能性，但没有一种可能性被充分地探索过（参阅*Ashtekar et al. 1989*）。然而，我希望考察另一途径。我曾经指出，量子理论是“时间对称的”，但是这实在是只适合于该理论的$\boldsymbol{U}$部分（薛定谔方程等）。我在第7章开头讨论物理定律的时间对称性时，故意不理会$\boldsymbol{R}$部分（波函数坍缩）。似乎有一种流行的观点认为，$\boldsymbol{R}$部分也应为时间对称的。产生这种观点的部分原因也许是在把$\boldsymbol{R}$当作和$\boldsymbol{U}$相独立的实际步骤这一点上迟疑不决，这样子$\boldsymbol{U}$的时间对称应意味着$\boldsymbol{R}$也具有时间对称。我想论断道这是不对的：$\boldsymbol{R}$是时间不对称的——至少在我们如果完全把$\boldsymbol{R}$当作物理学家在计算量子力学的概率时所采取的步骤时是这样的。

首先让我提醒读者应用于量子力学中的称为态矢量减缩（$\boldsymbol{R}$）的步骤（回顾图6.23）。我在图8.1中示意地画出了态矢量演化的奇怪方式。大部分时候，其演化是依照幺正演化$\boldsymbol{U}$（薛定谔方程）。但在不同的时刻，当认定进行了“观察”（或“测量”）时，就要采取步骤$\boldsymbol{R}$，这时态矢量$|\Psi\rangle$跃迁到另一个态矢量，例如$|\chi\rangle$，这儿的$|\chi\rangle$是所进行的特别观测O的性质决定的、正交的、两个或更多个不同的可能性$|\chi\rangle$，$|\varphi\rangle$，$|\theta\rangle\cdots$中的一个。现在，从$|\Psi\rangle$跃迁到$|\chi\rangle$的概率由$|\Psi\rangle$长度平方$|\Psi\rangle^2$在$|\Psi\rangle$的希尔伯特空间的$|\chi\rangle$方向投影时减少了的量决定。（在数学上，它和$|\chi\rangle$在$|\Psi\rangle$方向投影时$|\chi|^2$所减小了的量一样。）这一步骤是时间不对称的。因为紧接着进行观察O以后，由O所决定的不同选择如$|\chi\rangle$，$|\varphi\rangle$，$|\theta\rangle\cdots$给定集合，态矢量为其中之一，而在O以前的那一时刻，态矢量为$|\Psi\rangle$，它不必为这些给定的选择之一。然而，这一非对称只是表面的，它可由对态矢量演化采用不同的观点而得到补救。让我们考虑量子力学的时间反演的演化。这个古怪的描述可用图8.2来说明。现在我们的态在O之前而不是之后的瞬息为$|\chi\rangle$，我们在时间往回的方向上直到前一观察O'那个时刻止应用幺正演化。我们假定往回演化的态变成$|\chi'\rangle$（在紧接着观察O'之后的将来）。在正常向前演化的图8.1的描述中，刚在O'的未来我们具有

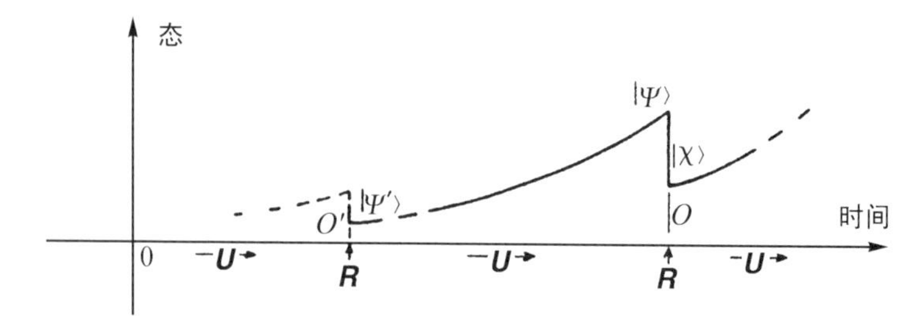

图8.1　态矢量的时间演化：光滑的幺正演化$\boldsymbol{U}$（服从薛定谔方程）为不连续的态矢量减缩$\boldsymbol{R}$所打断

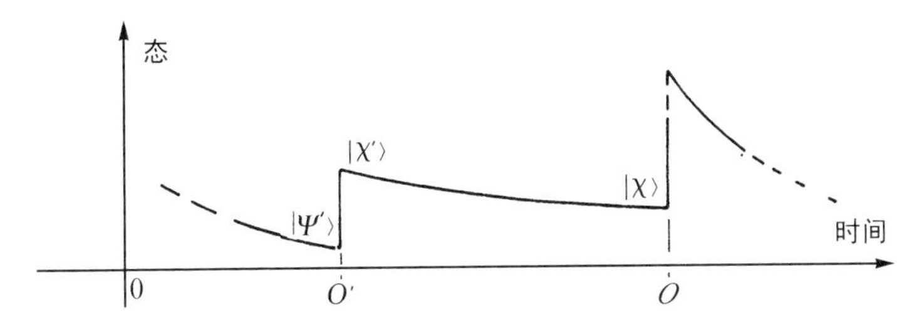

图8.2　态矢量演化的更怪异的图像。此处使用时间反演的描述，联结在O处和O'处观测所计算的概率和图8.1中一样，但该计算值的含义又是什么呢？

其他的某个态$|\Psi'\rangle$（在正常描述中，观察O'的结果$|\Psi'\rangle$向前在O处演化成$|\Psi\rangle$）。现在，在我们反演的描述中，态$|\Psi'\rangle$还起一个作用：它代表在O'之前的那一时刻系统的态。态矢量$|\Psi'\rangle$是实际在O'处观测到的态，这样按照我们反演化的观点，$|\Psi'\rangle$变成在时间反演意义上在O'处观测到的"结果"的态。联结O'处观察和O处观察的结果的量子概率P'的计算由态$I\chi'\rangle$在方向$|\Psi'\rangle$上投影时$|\chi'|^2$减小的量给出（这和$|\Psi'\rangle$投影到$|\chi'\rangle$上时$|\Psi|^2$的减小是一样的）。事实上，这正是我们以前得到的同一个数值，它是$\boldsymbol{U}$运算的基本性质[4]。

这样，甚至在考虑除了通常的幺正演化$\boldsymbol{U}$以外的由态矢量减缩$\boldsymbol{R}$描述的不连续过程后，我们似乎确认了量子理论是时间对称的。然而，情况并非如此。用任一种方式计算，量子概率$\boldsymbol{P}$所描述的是当给定O'处的结果（亦即$|\Psi'\rangle$）时在O处找到结果（亦即$|\chi\rangle$）的概率。这不必与当O处给定结果时在O'找到结果的概率相同。后者[5]正是我们时间反演的量子力学应该得到的。令人奇怪的是，这么多的物理学家都暗中假定这两个概率是一样的。（我自己也因为这个假定感到内疚，参阅*Penrose 1979b*，P584。）然而，这两个概率很可能极其不同。事实上，量子力学只是正确地给出了前者！

让我们在非常简单的特殊情况下考察这一问题。假设我们有一个灯泡L和一个光电管（亦即光子探测器）P。在L和P之间安装有一面半镀银镜子M，它对LP连线倾斜某一角度，譬如45°（图8.3）。假定灯泡以某种随机的方式不时偶尔发射出光子。因为灯泡的构造（人们可用抛物反射镜）使得这些光子总是非常精确地瞄准着P。只要光电管接受到一个光子就记录下这个事件。我们还假定有百分之百的可靠性。还可假设，只要光子发射出，这个事实就在L也以百分之百的可靠性被记录下来。（在这些理想的要求中，没有任何和量子力学原则相冲突之处，虽然使这些达到这等效率也许是困难的。）

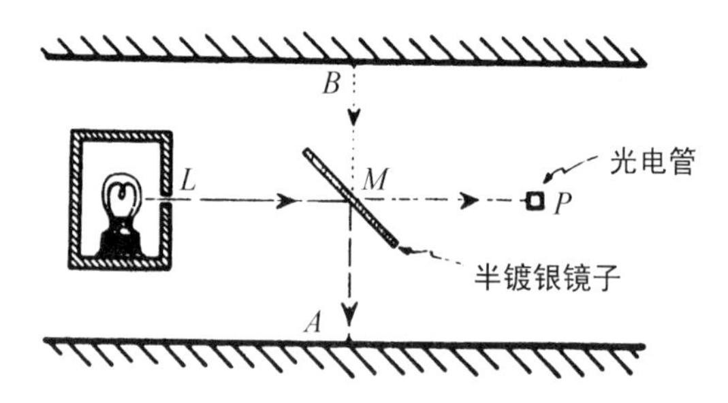

图8.3 一个简单的量子实验中，**R**的时间不可反演。在光源发射一个光子时，光电管检测到一个光子的概率刚好是一半；但是假定光电管检测到一个光子时，光源发射出一个光子的概率肯定不会是一半

半镀银的镜子M刚好把打到它上面的光子的一半反射，并让另一半穿透过去。更准确地讲，我们必须按照量子力学来思考。光子波函数发射到镜子上，并被分成两半。反射波的幅度为$1/\sqrt{2}$，而透射波的幅度也为$1/\sqrt{2}$。在认定“观察”被进行之前，必须认为两部分（在正常的向前时间描述中）“共存”。在进行观察的那一瞬间，这些共存的选择将自己分解成实际的选择——一种或另一种选择各自具有由这些幅度平方得到的概率，即$(1/\sqrt{2})^2=1/2$。当进行观察时，

光子被反射或透射的概率的确都是一半。

让我们看看如何把这些应用于我们实际的实验中去。假定光子发射时L都记录下来。光子波函数在镜子处分解，它到达P的幅度为$1/\sqrt{2}$，这样光电管记录到或没有记录到的概率各为一半。光子波函数的另一半到达实验室墙壁的A点（图8.3），其幅度又是$1/\sqrt{2}$。如果P没有记录到，那么必须认为光子打到墙上的A点去。假定我们放一个光电管在A点上，只要P没有记录到，它就记录到——假定L的确记录了光子的发射——只要P记录到，它就没有记录到。在这种意义上讲，没有必要在A处放置光电管。我们可以推断，只要看L和P就可以知道A处的光电管要做什么。

必须清楚如何进行量子力学的计算。我们提如下的问题：

“假定L记录到，P记录到的概率为多少？”

其答案是，我们注意到光子通过LMP路径的幅度为$1/\sqrt{2}$，通过LMA路径的幅度为$1/\sqrt{2}$。在取平方后我们求得它到达P和A的概率各为$\frac{1}{2}$。所以，我们这问题的量子力学答案为“一半。”这的确是我们实验中得到的答案。

我们可以同样地利用怪异的“时间反演”步骤来得到同一答案。假设我们注意到P有了记录。我们考虑光子的一个时间向后的波函数，在这里假定光子最终到达P。我们沿时间相反方向追踪光子，则光子退回去直到它到达镜子M。波函数在这一点分叉，它的$1/\sqrt{2}$幅度到达电灯泡L，而它的$1/\sqrt{2}$幅度受到M的反射达到实验室墙的另一点上，亦即图8.3上的B点。我们在取平方后又得到两种可能性各一半的概率。但是我们必须仔细地留心，这些概率所回答的是什么问题。它们是这两个问题，“假定L记录到，P记录到的概率是多少？”和前面一样，这更怪异的问题是：“假定光子从墙壁的B点射出，P点记录到的概率是多少？”

在某一种意义上，我们可以认为两种答案在实验上都是“正确的”，虽然第二个（从墙上发射）是一种推断，而不是一系列实际的实验结果！然而，这些问题中没有任何一种是我们原先问过时间反演问题。那就是：

“假定P记录到，则L记录到的概率为多少”。

我们注意到，对这个问题正确的实验答案根本不是“一半”，而是“一。”如果光电管的确记录到，则光子肯定是从灯泡而不是实验室墙壁出来！在我们时间反演问题的例子下，量子力学计算给了我们完全错误的答案！

这一事实的含义在于量子力学$\boldsymbol{R}$部分的规则不能适用于这种时间反演的问题中，在一个已知将来态的基础上，如果我们希望计算过去态的概率，并试图采用简单地取量子力学幅度平方模的标准的$\boldsymbol{R}$步骤，则会得到完全错误的答案。这个步骤只有在过去的态的基础上来计算未来态的概率时才可行——它在这里极其有效！基于这些，我认为它很清楚地表明了步骤$\boldsymbol{R}$不能是时间对称的（并且，顺便提及，所以它也不能从时间对称的步骤$\boldsymbol{U}$中推导出来)。

许多人也许会认为这种与时间对称的矛盾是由于热力学第二定律暗中隐藏在论证之中，引入了由幅度求平方步骤所未描述的附加的时间非对称性。的确，任何能够实行$\boldsymbol{R}$步骤的物理测量仪器必须牵涉到“热力学的不可逆性”——这样，只要进行测量熵就增加。我认为第二定律很可能以一种非常根本的方式牵扯到测量过程中。而且，使诸如上述(理想化的)量子力学实验，包括全部有关的测量记录整个操作进行时间反演，似乎没有多少物理意义。我不关心一个实验的实际时间反演时人们能进展多远，我只关心这个由取幅度平方模得到正确概率的了不起的量子力学步骤之适用性。这种简单的步骤不需要任何其他关于系统的知识就能应用在未来方向上，这真是令人惊叹。这的确是理论的一部分，人们不能影响这些概率，量子理论概率是完全随机的！然而，如果人们试图把这些步骤在过去的方向应用(亦即进行回溯而不是预见)，则就完全错了。不管用多少借口来解释为何幅度平方步骤不能正确地应用于过去方向，但事实总是事实，它不适用。在未来的方向上根本不需要这些借口！正如在实际应用中那样，步骤$\boldsymbol{R}$就不是时间对称的！

霍金盒子：和外尔曲率假设的一个关联

也许是这样的，不过读者无疑会想它们和WCH或CQG有什么相干呢？是的，第二定律，正如现在那样有效，很可能是步骤$\boldsymbol{R}$的一个部分。但是，时空奇点或量子引力对这些连续地“时时刻刻”发生的态矢量减缩能有任何觉察得到的作用吗？为了表述这一问题，我想描述一个奇异的“理想实验”，这原先是史蒂芬·霍金提出的，虽然他原先的意图并不包括我在这里的目的。

想象一个极其巨大的密封盒子。其墙壁是完全反射的，并且把一切影响都阻挡住。没有物质，包括任何电磁信号、中微子或其他任何东西能穿过它。任何从外面或里面撞到上面的东西都被反射回去。甚至引力效应也被禁止通过。不存在任何可用于建造这种墙的物质。没人能在实际上进行我就要描述的“实验”。（正如我们将要看到的，也没有人愿意去实现！）但这不是关键。在一个理想实验中人们努力从虚拟的实验中纯粹用头脑进行考虑以揭示一般的原理。技术困难只要对所考虑的一般原则没有影响，则可不予理会。（回忆一下第6章中关于薛定谔猫的讨论。）在我们的情形下，为此实验目的建造墙的困难被认为纯粹是“技术性的”，可以不予理睬。

盒子内装有大量的某种物质。何种物质并非关键。我们只关心它的总质量M，它应是非常大的，以及容纳它的盒子之巨大体积V。我们利用这个造价非常昂贵的盒子以及其无趣的内容做什么呢？这实验是可以想象到的最枯燥的实验。我们将永远不去碰它！

我们所关心的问题是该盒子内容的最终命运。根据热力学第二定律，它的熵要增加到最大值，这时物质达到了“热平衡”。如果此后相对简短地偏离热平衡的“起伏”暂时不出现的话，则不会有什么太多的事要发生。我们假定在这种情形下，M足够大并且V具有相当的值（非常大，但不是过大），使得达到“热平衡”时，部分物质坍缩成一个黑洞，只有一点物质和辐射在环绕着它——构成了一个（非常冷的)所谓的“热库”，黑洞就浸在这一个热库中。为了确定起见，我们可以选取M为太阳系的质量，V为银河系的尺度！则“热库”的温度仅比绝对零度大约高10^{-7}度。

为了更清楚地理解这种平衡和这些起伏的性质，我们回忆一下在第5章和第7章提到的相空间的概念。它和熵的定义关系紧密。图8.4简单地画出了霍金盒子内容的整个相空间$\mathbb{P}$。我们记得，相空间是一个巨大维数的空间，它上面的每一点代表我们考虑的系统全部可能的态——这里系统是盒子的内容。这样，$\mathbb{P}$的每一点记录了盒子中所有粒子的位置和动量以及有关盒子的时空几何所有必需的信息。图8.4中右边的($\mathbb{P}$的)子区域$\mathbb{B}$代表全部所有盒子里有一黑洞的态(包括所有多于一个黑洞的情形)，而左边的区域$\mathbb{A}$代表所有没有黑洞的态。我们设想子区域$\mathbb{A}$和$\mathbb{B}$应按照熵的精确定义所要求的那种“粗粒化”被进一步分割成更小的区域(参阅图7.3，395页)，但是这里我们不关心其细节。在这一阶段我们所需要注意的是，这些区域中最大的一个代表了和一个黑洞共存的热平衡，这是$\mathbb{B}$的主要部分，而$\mathbb{A}$的主要部分(小一些)是代表没有黑洞的，呈现热平衡的区域。

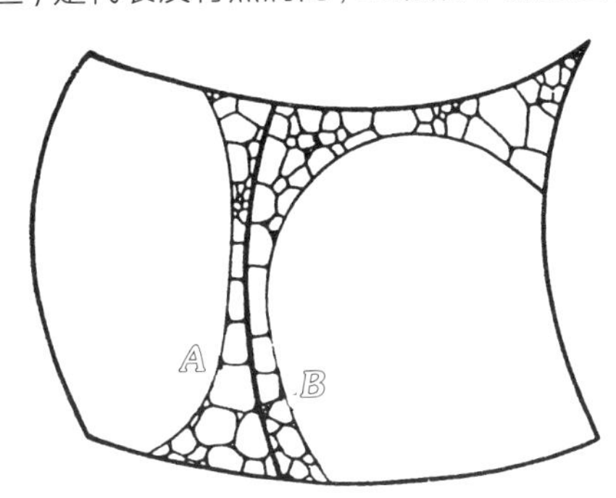

图8.4　霍金盒子的相空间$\mathbb{P}$。区域$\mathbb{A}$相应于盒子中没有黑洞的情形，而区域$\mathbb{B}$相应于盒子中有一个(或多个)黑洞的情形

我们记得，在任何相空间中存在一个箭头（矢量）的场，它代表着物理系统的时间演化（参阅第5章229页以及图5.11）。这样，为了看下一时刻会发生什么，我就简单地跟随着$\mathbb{P}$中的箭头（图8.5）。有些箭头会从区域$\mathbb{A}$穿到区域$\mathbb{B}$去。这种情形发生于物质因引力坍缩而形成黑洞之时。这些箭头是否会从区域$\mathbb{B}$穿回到区域$\mathbb{A}$去呢？是的，这是可能的，正如早先提到过的（参阅第435页，448页），只有当我们考虑了霍金蒸发的现象后才可能。根据严格的广义相对论的经典理论，黑洞只能吞没东西。霍金（1975）在考虑了量子力学的效应后，能够在量子水平上向我们展示出，无论如何黑洞必须依照霍金辐射过程发射出东西来。（这是由于“虚粒子产生”的量子过程而引起的。粒子和反粒子从真空中不断连续地产生出来，通常在其产生后立即相互湮没，不留下任何痕迹。但存在一个黑洞时，在还没来得及湮没时，它就“吞没”了这对粒子中的一个，而它的配偶就会从黑洞逃走。此逃走的粒子构成了霍金辐射。）通常情形下，霍金辐射的确是非常小的。但在热平衡状态时，黑洞在霍金辐射中丧失的能量大小刚好和吞下其他碰巧在黑洞所在处“热库”附近徘徊的“热粒子”所

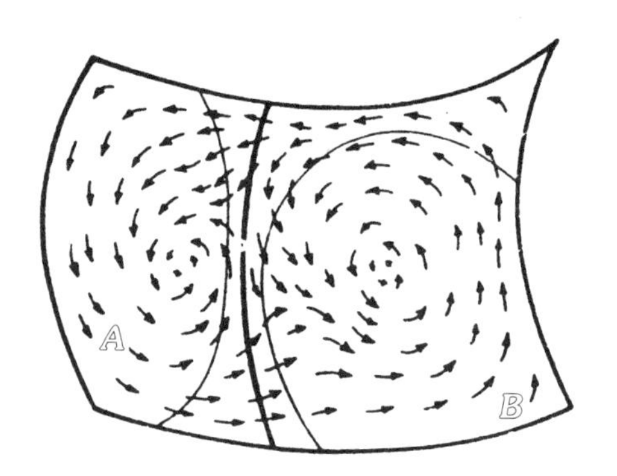

图8.5 霍金盒子内容“哈密顿流”（与图5.11相比较）。从$\mathbb{A}$向$\mathbb{B}$穿过的流线代表黑洞的坍缩；而从$\mathbb{B}$到$\mathbb{A}$的流线表明黑洞因霍金蒸发而消失

获得的能量相平衡。由于“起伏”黑洞或许会非常偶然地辐射得太多或吞下得太少而失去能量。在损失能量时，它损失质量（由于爱因斯坦公式 $E=mc^2$），并根据制约霍金辐射的规则，它变得更热一些。当起伏足够大时，非常非常偶然地，黑洞甚至可能进入剧烈变动的状态，它变得越来越热，失去越来越多的能量，变得越来越小，直到最终在一个（假定的）激烈的爆炸中完全消失！这情形的发生（假定在盒子中没有其他的黑洞），就对应于在我们的相空间 $\mathbb{P}$ 中从区域 $\mathbb{B}$ 过渡到 $\mathbb{A}$，所以确实存在从 $\mathbb{B}$ 到 $\mathbb{A}$ 的箭头！

在这里我应当评论一下“起伏”是什么含义。回顾一下我们在上一章考虑过的粗粒化的区域。属于一个区域的相空间的点被（客观上）认为相互之间是“不可区分的”。因为随着时间的推进，我们随着箭头进入越来越大的区域，所以熵就增加。最终，相空间的点停留在最大的区域中，也即相应于热平衡（最大熵）。然而，这只到某种程度为止是对的。如果人们等待足够长的时间，相空间的点会最终地跑到一个更小的区域里，而熵会相应地减少。在通常情况下它不会长久（相对而言）待在那种状态，而熵又会很快地上升，它在相空间内又进入更大的区域中。这就是伴随着熵暂时降低的起伏。熵通常不会下落太多。但是一个大的起伏会非常非常偶然地发生，而熵会降低得很多——也许会在某一较长的时间间隔中保持低值。

为了经由霍金辐射过程从区域 $\mathbb{B}$ 到区域 $\mathbb{A}$，这种东西是我们所需要的。因为箭头于 $\mathbb{B}$ 和 $\mathbb{A}$ 之间要穿越很小的区域，所以需要非常大的起伏。类似地，当相空间点在 $\mathbb{A}$ 的主要区域时（代表没有黑洞的热平衡），要花很长的时间才能产生引力坍缩，从而该点运动到 $\mathbb{B}$ 去。这里大的起伏又是需要的。（热辐射不容易遭受到引力坍缩！）

究竟从$\mathbb{A}$到$\mathbb{B}$的箭头和从$\mathbb{B}$到$\mathbb{A}$的箭头哪种更多，或者是一样多呢？这对我们来说是个重要的问题。换种方式来提问，在自然中由热粒子的引力坍缩形成黑洞，和由霍金辐射来排除黑洞，哪种过程更“容易”些？或者是同等“困难”？严格地讲，我们并非关心箭头的“多寡”，而是相空间体积的流率。把相空间想象成充满了某种（高维的！）不可压缩的流体。箭头代表流体的流动。回忆在第5章描述过的刘维尔定理。刘维尔定理断言，相空间体积被流线维持着，也就是说，相空间流体的确是不可压缩的！刘维尔定理似乎告诉我们，从$\mathbb{A}$到$\mathbb{B}$和从$\mathbb{B}$到$\mathbb{A}$的流量必须相等。因为相空间“流体”是不可压缩的，不能在任何一边累积起来。这样看来，从热辐射产生黑洞正如消灭它一样地“困难”！

这的确是霍金自己的结论，虽然他是基于某种不同的考虑而得到这个观点。霍金的主要论点是，所有牵涉到此问题中的基本物理都是时间对称的（广义相对论、热力学、量子力学的标准的幺正过程），所以如果我们把钟往后倒转，我们就应得到和向前走一样的答案。这归结于很简单地把在$\mathbb{P}$中的所有箭头方向反转。从这个论证的确得出，从$\mathbb{A}$到$\mathbb{B}$和从$\mathbb{B}$到$\mathbb{A}$应有同样多的箭头，只要区域$\mathbb{B}$的时间反演仍为区域$\mathbb{B}$（而且同样，$\mathbb{A}$的时间反演还是$\mathbb{A}$）。这条件归结为霍金一个鲜明的设想，黑洞与其时间反演，即白洞在物理学上其实是一模一样的！他的推论是，应用时间对称物理，热平衡态必须也是时间对称的。我不想在这里对这种奇异可能性详细讨论。霍金的思想是，在一定程度上量子力学的霍金辐射可被看作经典的物质被黑洞“吞没”的时间反演。虽然他的建议极为天才，但遇到了严重的理论困难，我不相信这能行得通。

这一建议和我这里提出的观念无论如何不能相协调，我论证过，由于**外尔曲率假设**，黑洞必须存在而白洞是被禁止的！WCH把**时间不对称**引进讨论，而霍金没有考虑到这一点。必须指出，由于黑洞及其时空奇性的确是关于霍金盒子中发生事件非常重要的一部分，这里一定需要牵涉到制约这些奇点行为的未知物理。霍金认为未知物理必须是**时间对称的**量子引力理论，而我断言它必须是时间不对称的CQG！我声称，CQG的主要含义之一应是WCH（由此导出热力学第二定律的众所周知形式），所以我们要弄清WCH对我们这个问题的含义。

让我们看看纳入WCH会如何影响讨论P中“不可压缩流体”的流动。黑洞奇点在时空中的效应是吸收并消灭所有撞到上面的物质。对我们现在的目的而言更重要的是，**它消灭信息**！这一效应在$\mathbb{P}$中是某些流线合并到一起（图8.6）。两种原先不同的态，只要把将它们区别开来的信息消灭后就会变成同一个态。但流线在$\mathbb{P}$中合并到一起，我们就实质上违反了刘维尔定理。我们的“流体”不再是不可压缩的，而是在区域B内被**连续地湮没**！

我们现在似乎陷入了麻烦。如果“流体”在区域$\mathbb{B}$中连续被消灭，那么从$\mathbb{A}$到$\mathbb{B}$的流线就会比从$\mathbb{B}$到$\mathbb{A}$的更多——这样产生黑洞比消灭黑洞更为“容易”！现在若不是“流体”从区域$\mathbb{A}$流出比流入的更多，则这的确是有意义的。区域$\mathbb{A}$没有黑洞，白洞可能性已被WCH排除

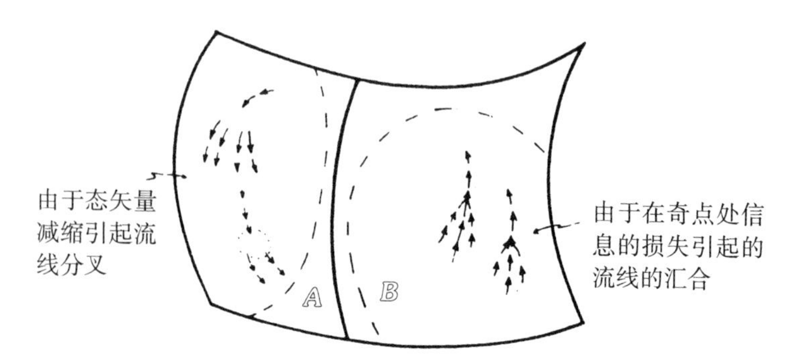

图8.6 在区域𝔹中，由于黑洞奇点处的信息丧失，流线应该合并到一起。这是否被量子过程***R***（尤其是区域𝔸中）流线的产生所平衡呢？

掉——所以刘维尔定理在区域𝔸应该能完美成立！然而，现在我们似乎需要某种在区域𝔸"产生流体"的手段以补充在区域𝔹的损失。哪些机制可以增加流线的数量呢？我们所需要的是同一个态有时能多于一个结果（亦即流线的分叉）。在将来物理系统的演化上，这类不确定性具有量子理论的"味道"——***R***部分。***R***在某一意义上能否是WCH的"硬币的另一面"呢？WCH引起了流线在𝔹内的合并，量子力学步骤***R***使流线分叉。我要宣称，正是量子力学客观的态减缩（***R***）引起流线分叉，并由此准确地补偿了因WCH引起的流线合并（图8.6）！

为了使这样的分叉发生，我们必须让***R***时间不对称，正如我们已经在上述的灯泡、光电管和半镀银镜子实验中看到。在灯泡发射出一个光子后，最终有两个（等概率的）选择：或是该光子打到光电管上并被它记录，或打到墙上的*A*处而光电管没有记录到。该实验的相空间中，我们有一根代表光子发射的流线，它分叉成两条：一条描述光电管被点燃的情形，而另一条是没有点燃的情形。这是真正的分叉，因为只允许一个输入，而却有两个可能的输出。人们也许必须考虑的另一输入是光子从墙上的B处发射出来，这时就有了两个输入和两个输出。但是，这另一选择由于它和热力学第二定律，也就是在向过去方向演化追溯时被最后表达成WCH的观点，不相协调而被排除掉。

我必须反复说明，我所表达的观点的确不是“传统的”——尽管我一点也不清楚，一位“传统的”物理学家为解决此问题有何高见。（我怀疑他们之中很少人认真地考虑过这些问题！）我当然听到过许多不同的观点。例如，时时总有一些物理学家提议，霍金辐射永远不会使一个黑洞完全消失，而某一很小的“金块”将永存下来。（所以，按照这种观点，从$\mathbb{B}$到$\mathbb{A}$没有流线！）这对我的论证影响很小（而实际上还会加强它）。人们还可假设相空间$\mathbb{P}$体积实质为无限大来逃避我的结论，但是这和有关黑洞熵某些基本思想相左，也和一个封闭（量子）系统之中相空间的性质相左。而我听到的其他在技术上逃避我结论的方法就更不能令人满意了。有一个反对观点显得稍微认真些，即在实际建造霍金盒子时需要太大的理想条件，在假定它可被造出时违背了某些原则。我本人对此并不肯定，但倾向于相信，所需的理想条件的确是可以容忍的！

最后，我承认我掩饰了一个要点。在开始讨论时，假定我们有一经典的相空间——而刘维尔定理适合于经典物理。但是霍金辐射的量子现象必须予以考虑。（量子理论对于$\mathbb{P}$的有限维数以及有限体积是必需的）。正如我们在第6章看到，相空间的量子版本为希尔伯特空间，所以在整个讨论中我们应当使用希尔伯特空间，而不是相空间。在希尔伯特空间中也存在类似的刘维尔定理。这是由时间演化$\boldsymbol{U}$

的“幺正”性质引起的。我的整个论证也许能按照希尔伯特空间，而不是经典相空间来表述，但是很难了解，如何用这种方法来讨论牵涉到黑洞时时空几何的经典现象。我自己的观点是，既非希尔伯特空间也非经典相空间适用于正确的理论。人们必须利用某种迄今尚未发现的处于两者之间的数学空间。根据此观点，我的论证只能认为是处于启发性的水平上，它仅仅是建议性的，而非结论性的。尽管这样，它为WCH和$\boldsymbol{R}$根本上相互连接，并因此为$\boldsymbol{R}$必须是量子引力效应的想法提供有力的实例。

重述我的结论：我提出量子力学的态矢量减缩的确是WCH的另一面。根据这一观点，我们所寻求的“正确量子引力理论”（CQG）两个重要含义为WCH和$\boldsymbol{R}$。WCH的效应为相空间中流线的合并，而$\boldsymbol{R}$的效应刚好是补偿流线的散开。两个过程都和热力学定律紧密相关。

注意，流线的合并完全发生在区域$\mathbb{B}$中，而流线的散开可在$\mathbb{A}$或者$\mathbb{B}$中发生。我们记得$\mathbb{A}$代表黑洞的不存在，所以态矢量减缩的确在黑洞不存在时可以发生。很清楚，为了$\boldsymbol{R}$起作用（正如在我们刚才考虑的光子实验中），不必要在实验室中有一个黑洞。我们在这里只关心在可能发生的事情中一般整体的平衡。按照我所表达的观点，只不过是说，在某一阶段形成黑洞（并因此消灭信息）的可能性必须被量子理论中不决定性所平衡！

态矢量何时减缩

假设在前面论证的基础上，接受态矢量的减缩也许最终为引力现象。$\boldsymbol{R}$和引力的关系能解释得更显明吗？在这观点的基础上，一个态矢量的坍缩实际上应在何时发生呢？

我应首先指出，甚至在量子引力理论的“更传统的”方法中，在合并广义相对论原理和量子理论规则时，存在某种严重的技术困难。这些规则（首先在薛定谔方程的表达式中，动量被重新解释为对位置取微分的方法步骤，参阅369页）根本不能顺应于弯曲时空几何的观点。我本人的观点是只要引进“相当”大的时空曲率，则量子线性叠加的规则就失效。在此处不同态的可能选择的复幅度叠加，正是被实际，也就是实在发生的，可能选择的概率权重所取代。

所谓“相当大的”曲率是何含义呢？我是指引入的曲率测度达到水平大约为一个引力子[6]或更大的尺度。（回忆一下，根据量子理论的规则，电磁场被量子化成单独的称为“光子”的单位。当场被分解成为它单独的频率，频率v的部分只能以整数个光子出现，每一光子具有hv的能量。类似的规则应可适用于引力场。）根据量子理论，一个引力子应是被允许的最小曲率的单位。其想法是，只要到达这个水平，依据$\boldsymbol{U}$过程的线性叠加的通常规则在应用到引力子时就被修正，而某种时间不对称的“非线性不稳定性”就出现。在这一阶段，其中一种选择就脱颖而出，该系统就“跌跌撞撞”地落到这种选择之上，而不再以复数线性叠加不同选择的形式永远存在下去。也许选择的结果是由机遇造成，也许在这后面还有更深刻的东西。但是现在，现实已成为这种或那种选择。$\boldsymbol{R}$步骤就这么得以完成。

请注意，根据这个思想，步骤$\boldsymbol{R}$以一种完全客观的方式自动发生，和任何人为的干涉无关。其想法是，“单引力子”水平必须安宁地处于原子、分子等通常量子理论的线性规则**U**成立的“量子水平”以及我们日常经验的“经典水平”之间。单引力子水平的“尺度”多大呢？应强调的是，这实在不应当是物理上的大小的问题；它更应是质量和能量分布的问题。我们看到只要不牵涉到太多的能量，量子干涉的效应可在大距离上发生。（回忆在322页描述的光子自干涉以及367页克劳泽和阿斯佩的EPR实验。）质量的量子引力的特征尺度为所谓的普朗克质量（大约估计）：

$$m_p = 10^{-5}\text{克}。$$

这似乎比人们希望的大很多，由于质量比这小很多的物体，诸如灰尘，以经典方式行为就能直接感受到。（质量m_p比虱子的质量小些。）然而，我认为单引力子的标准不可以就这么生硬地使用。我试图弄得更显明一些，但就在我写作的现在，关于如何准确使用单引力子的标准，还有许多模糊之处。

首先，让我们考虑一个观察粒子非常直接的方式，也就是利用威尔逊云室。此处有一个小室充满了刚好处于就要凝聚成液滴的蒸汽。当一个快速运动的带电粒子，譬如刚从位于小室外的放射性原子衰变而产生的，进入这个小室时，在它通过蒸汽的路途中，会使近处的某些原子电离（也就是，由于失去电子而带电）。这种离化了的原子成为蒸汽凝聚成小液滴的中心。我们以这种方法得到实验者可直接观察的小液滴的轨迹（图8.7）。

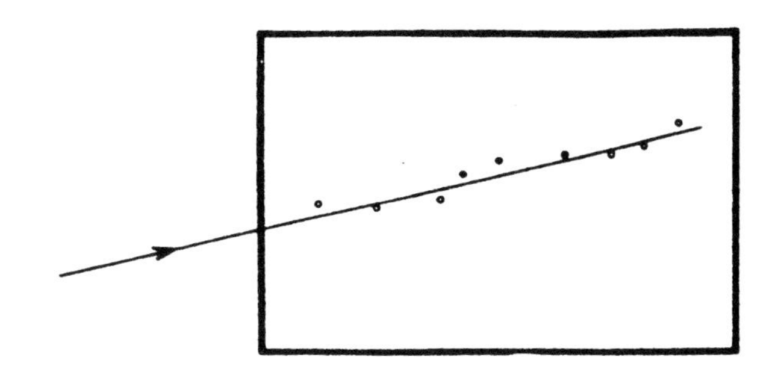

图8.7 一个带电粒子进入威尔逊云室并引起一串液滴的凝聚

现在，如何利用量子力学对此作描述呢？在我们放射性原子衰变的时刻，它发射出一个粒子。但是，该粒子可往许多不同的方向飞离。在这一方向有一幅度，在那一方向又有一幅度，在其他每一方向都有一幅度，所有这些都在量子线性叠加上同时发生。这些叠加的不同选择的总体组成了从衰变原子出发的球面波：被发射出的粒子的波函数。当每一可能的粒子轨道进入云室，它就和一串电离的原子相关联，每一个原子成为蒸汽凝聚的中心。所有这些不同可能的离化原子串也须在量子线性叠加中共存，所以我们现在有大量不同的凝聚水滴串的线性叠加。在某一个阶段，当按照步骤$\boldsymbol{R}$取复幅度加权的平方模后，这个复数的量子线性叠加变成了实在的不同选择的实概率加权集合。这些选择只有一个在经验的物理世界中实现，而这一个特殊选择即被实验者所观测到。我于是根据这一种观点提议，只要不同选择的引力场差别达到一个引力子标准，这一个阶段就发生。

这在什么时候发生呢？根据非常粗略的计算[7]，如果只有一个完全均匀的球滴，则当水滴长大到大约$1/100\,m_p$也就是1克的$1/10^7$时，即达到了单引力子的阶段。在此计算中存有许多不确定性（包括某些原则上的困难），而且为保险起见，值取得稍大一些，但其结果并非完全不合理。人们期望以后将会得到更精密的结果，并能处理整串液滴而不仅仅是一粒液滴。当人们考虑水滴是由大量的小原子组成而非整体均匀的，这事实也许会导致某些重大的差别。另一方面，“单引力子”标准本身在数学上必须变得更加精密。

我已在上面的情况考虑了在一个量子过程（放射性原子衰变）中的实际观察。量子效应被放大到这种程度，此时不同的量子选择产生不同的、直接可观察的不同选择。我的看法是，即使当这种显明的放大不存在时，***R***还可客观地发生。假定一个粒子不进入云室，而是直接进入到一个装满气体（或流体）的大盒子，气体（或流体）密度使得它肯定要么和粒子碰撞，要么扰乱大量的气体原子。让我们仅仅考虑粒子的两种不同选择，将其当成原先复数线性叠加的部分；或者它根本不进入该盒子，或者它会沿着特定的路径进入，且掠飞过并弹开一些气体原子。在第二种情形下，气体原子会以巨大的速度跑开，如果该粒子没有进入，气体原子就不会这样地行为。它会继续碰撞并掠飞过其余的原子。这两个原子中的每一个都以一种前所未有的方式飞走，并很快地引起气体原子的连锁运动。如果原先粒子没有进入盒子，这一切都不会发生（图8.8）。在第二种情形下，不用很长时间，气体中的每一个原子实际上都被这个运动所扰动。

现在让我们想想应该如何用量子力学来描述。最初，在复线性叠加中只需要考虑原先粒子的不同位置——将其当作粒子的波函数部分。但是在很短的时间后，所有气体原子都被涉及，考虑该粒子可能采取的两个途径的复线性叠加，一个途径进入盒子，而另一个途径不

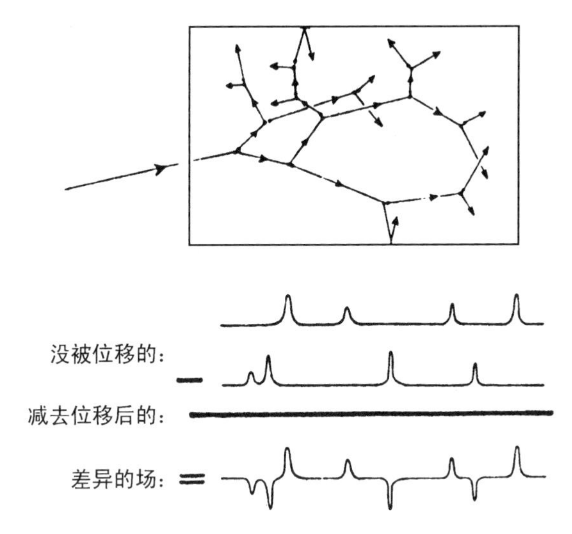

粒子的引力场(极其示意性的)

图8.8 如果一个粒子进入到某种气体的大盒子中,则实际上气体的每一个原子很快就都会受到扰动。粒子进入和粒子没进入的量子线性叠加会牵涉到描写气体粒子的这两种形态引力场的不同时空几何线性叠加。这两种几何的差别什么时候达到单引力子的标准呢?

进入盒子。标准的量子力学坚持,我们要把这种叠加推广到气体中的所有原子:我们必须把两种状态叠加,一种状态下的所有原子都从另一种状态下的位置移动开。现在考虑所有原子总体的引力场的差别。尽管气体的整体分布在叠加的两种状态下实际上是一样的(而且整体引力场也如此),如果我们把一个场减去另一个场,便得到一个(高度振荡的)差场。在现在我所关心的意义上,该差别也许是“重要的”——也就是说这个差场很容易超过单引力子水平。只要达到这水平,态矢量减缩就会发生:在系统的实际状态中,或者是粒子进入,或者没有进入盒子。复线性叠加被归结为统计的加权的不同选择,其中只有一种真正发生。

在前例中，我把云室当作提供量子力学观察的一种方法。依我看来，其他类型的观察（照相底片、火花室等）似乎也可利用“单引力子判据”来处理，正如我在上述的气体盒子情况所用的方法。为了解这一步骤的细节还有许多事要做。

到此为止，这只是一个观念种子，我相信它是对梦寐以求的新理论而言的[8]。我坚信，任何完全满意的方案必须牵涉到时空的某种激进的新观念，也许是某种本质上非定域的描述[9]。这个信念最吸引人的理由来自于EPR类型的实验（参阅358页，367页）。这种实验中，在屋子一个角落的观察（这里指光电管记录）会在另一角落引起态矢量的瞬息减缩。建立一个和相对论精神一致又完全客观的态矢量减缩理论是一个深远的挑战。因为在相对论中，“同时性”不是一个恰当的概念，它依赖于某些观察者的运动。我的意见是，眼下的物理实在的图像，尤其在和时间本性的关系中，将要受到巨大的，也许甚至迄今为止比相对论和量子力学所引起的都要大的冲击。

我们应回到原先的问题上来。所有这一切如何与制约我们大脑行为的物理相关联呢？它和我们的思维以及情感有何关系呢？为了回答这类问题，就必须首先考察我们大脑的实际构造。我在后面将要回到我认为是基本问题上来。当我们有意识地思维或感觉时，会牵涉到何种新的物理行为？

第 9 章
真实头脑和模型头脑

头脑实际上是什么样子的

在我们的脑袋中有一个控制我们动作并使我们了解周围世界的非常了不起的结构。正如阿伦 · 图灵有一次说过[1]，它和一碗凉粥再相像不过了！非常难以想象，具有如此平淡无奇外观的东西怎么能创造这么多的奇迹。然而，更周密的考察揭示，头脑的结构极其错综复杂（图9.1）。盘旋在顶上的（最像粥样的）巨大部分称为大脑。它很清楚地从中间分成左边和右边两个大脑半球。它的前面和后面不那么

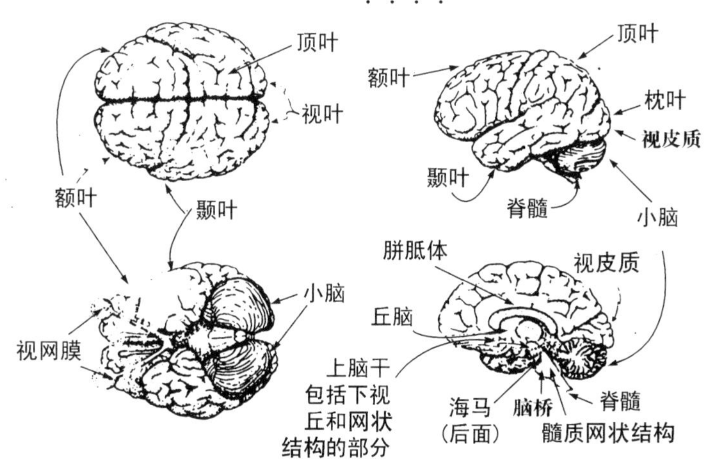

图9.1 人脑:上、边、下、剖视图

清楚地分成了额叶和三片其他的叶：顶叶、颞叶和视叶。再下去，头脑后面小很多而有点像球形——或像两团羊毛球——的部分是小脑。里面深处藏在大脑下面有些奇怪而显得很复杂的不同结构：脑桥和髓质（包括我们以后要关心的网状结构），它们由脑干、丘脑、下视丘、海马、胼胝体和其他许多命名奇怪的古怪构造组成。

人类感到最为骄傲的即是大脑，不仅因为它是人脑中最大的部分，而且作为整体而言，人的大脑在比例上比其他任何动物的都大。（人的小脑也比大多数其他动物的大）。大脑和小脑具有比较薄的灰色物质外表面，以及具有白色物质的更大的内部区域。人们把这些灰色物质的区域分别称为大脑皮质和小脑皮质。灰色物质正是实行不同种类计算任务的地方，而白色物质是由很长的神经纤维所组成，负责从头脑中一个部分传递信号到另一部分。

大脑皮质不同的部位和非常特别的功能相关联。视皮质处于视叶内，在大脑的正后方，它与图像的接收和解释有关。至少对人类而言，大自然会选择这个区域来解释从头部正前方的眼睛传来的信号是很奇怪的！但是，大自然还有比这更古怪的行为。正如大脑的右半球几乎完全关联身体左边，而大脑的左半球关联身体的右半部分。这样，实质上所有的神经在进入或离开大脑时都要从一边穿到另一边。对于视皮质的情形，右边并不和左眼相关，而是和两只眼睛的左边视野相关。类似地，左边的视皮质和两只眼睛的右边视野相关。这表明，从每只眼睛视网膜的右边来的信号必须进入右边的视皮质（记住视网膜上的影像是颠倒的），而从每只眼睛的视网膜左边来的信号必须进入左边的视皮质（图9.2）。这样在右边的视皮质中形成了一个左边视野的一个界限清楚的映射，而在左边视皮质中形成了右边视野的另一个映射。

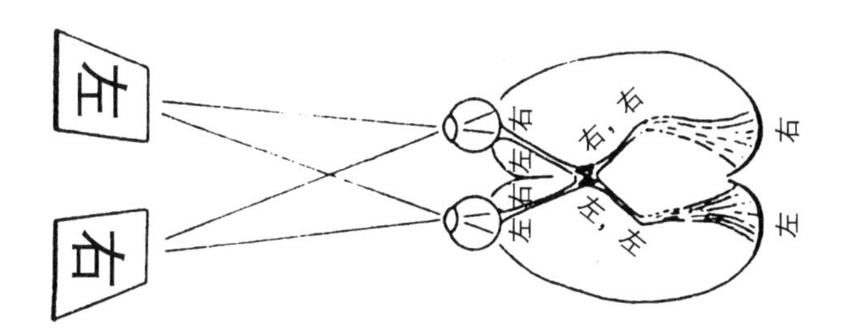

图9.2　两只眼睛的左边视野被映射到右边的视皮质上去，而右边视野被映射到左边的视皮质上去。（下视图；注意视网膜中的像是颠倒的。）

从耳朵来的信号又是以这种古怪方式穿越到大脑的相反一边。右边的听觉皮质（为右边颞颥叶的一部分）主要是处理在左边接收到的声音，而左边的听觉皮质处理从右边来的声音。嗅觉似乎是这个一般规则的例外情形。位于大脑前面的右边嗅觉皮质（位于额叶内——对感觉区域而言，这很特殊）主要是应付来自右鼻孔的气味，而左边的是处理左鼻孔的气味。

触觉和称之为触觉皮质的顶叶区域相关。这个区域刚好处于额叶和顶叶分开的地方。在身体表面和触觉皮质的区域之间有一种非常特别的对应。有时按照所谓的"触觉侏儒"的图示法来表示这一种对应，也就是图9.3中沿着触觉皮质躺着的变形人体。右边触觉皮质处理左边的身体，而左边的处理右边的身体。在额叶和顶叶的交界处正前方，有一个称为运动皮质的额叶对应区域。这和激发身体不同部位的动作有关，在身体不同的肌肉和运动皮质的不同区域之间又有一个非常特别的对应。我们用一个"运动侏儒"来描绘这一种对应，正如图9.4所

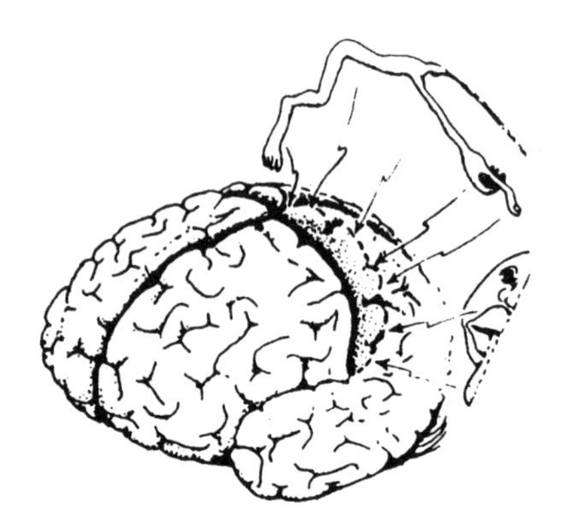

图9.3 “触觉侏儒”图解额叶和顶叶分界后面的大脑部分，它和身体不同部位的触觉有最直接的相关

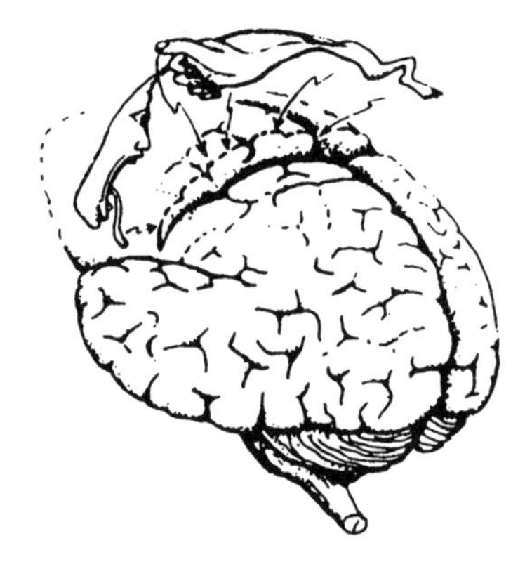

图9.4 “运动侏儒”图解额叶和顶叶分界前面的大脑部分，它最直接激发身体不同部位的动作

表示的那样。右边的运动皮质控制身体的左边，而左边的运动皮质控制右边。

刚才提到的大脑皮质的区域（视觉的、听觉的、嗅觉的、触觉的和运动的）被称作原发的，这是由于它们和大脑的输入和输出有最直接的关联。和这些原发区域邻近的是大脑皮质次级区，它处理更微妙更复杂的抽象感觉（图9.5）。从视觉、听觉和触觉皮质接收到的感觉信息在相关的次级区加工，而次级运动区和预想的动作相关，这些动作由原发运动皮质翻译成实际肌肉运动更特定的指令。（由于嗅觉皮质的行为不同，我们又对其所知甚少，所以先不予考虑。）大脑皮质的其余区域称作三级区（或联合皮质）。头脑最抽象最复杂的活动大多在这些三级区进行。在一定程度上，头脑正是在这些区域，连同它们的周围，使不同感觉区域来的信息以非常复杂的方式相互交叉并接受分析，留下记忆，建立外界的图像，构想并评价一般计划以及理解或表达言语。

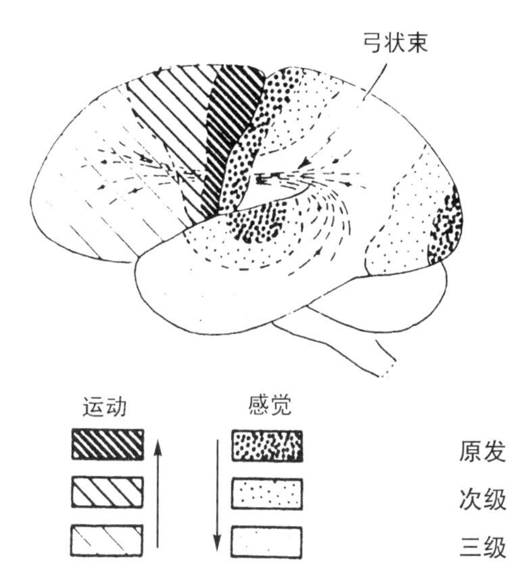

图9.5　大脑作用的大致划分。外部的感觉数据进入原发的感觉区域，在次级和三级感觉区逐步加工到越来越复杂的程度，转移到三级运动区，最后改善成为在原发运动区的特殊的动作指令

言语是特别有趣的，这是由于它通常被认为是人类智慧所特有的能力。很古怪的是（至少在绝大多数用右手的人和大部分用左手的

人），言语中心主要就在头脑的左边。主要的区域是布洛卡氏区，这是处于额叶的后下部，还有另一区称作韦尼克氏区，它处于颞颥叶的后上部（图9.6）。布洛卡氏区是用来形成句子，而韦尼克氏区是理解语言；损害布洛卡氏区会减少讲话能力，但不影响理解；而损害韦尼克氏区，则讲话仍然流利而没有什么内容。称作弓状纤维束的神经束把这两个区域连接起来。当它受到损坏时，理解力没有受到伤害而且言语仍然流利，但是不能把所理解到的讲出来。

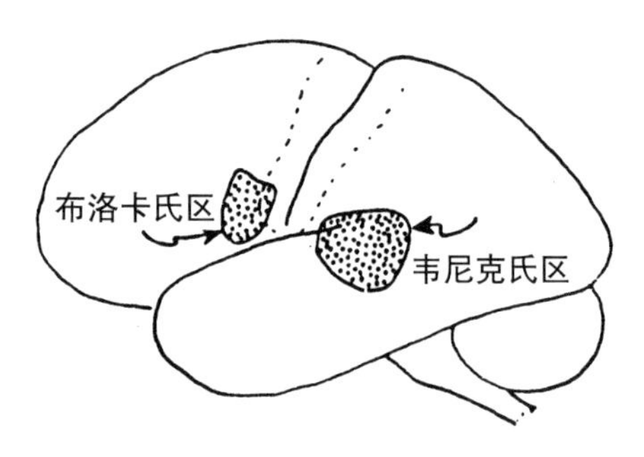

图9.6　通常只在左边：韦尼克氏区和理解语言有关，而布洛卡氏区和表达言语有关

我们现在对大脑的作用有了一个非常粗略的图像。头脑的输入来自于视觉、听觉、味觉和其他的信号，这些信号首先要在大脑的原发部分，主要是后叶片（顶叶、颞叶和枕叶）记录下来。头脑的输出表现于激发身体的动作，主要由大脑额叶的原发部分完成。在它们之间进行了某些加工过程。一般来讲，大脑活动是从后叶的原发部分开始，当分析输入数据时，就进入到次级；然后当这些数据被完全理解时，就进入了后叶的三级部分（也就是语言在韦尼克氏区被理解）。弓状纤维束，也就是上面提及的神经纤维束，但现在是在头脑的两边，把这处理过的信息带到额叶，在额叶的三级区形成一般行动的计划（例

如，在布洛卡氏区形成语言）。这些一般的行动计划在次级运动区被翻译成关于身体运作更明确的概念，并且头脑的活动最后转到原发运动皮质，在那里信号最终被发送到身体不同组的肌肉去（而且经常一下子送到好几组肌肉去）。

呈现在我们面前的似乎是一台超等计算仪器的图像。强人工智能支持者（参阅第1章等）会坚持道，我们在这里有了一台算式电脑的极致范例，实质上就等于是图灵机。该电脑有输入（如同图灵机左边的输入磁带）和输出（如同机器右边的输出磁带），以及在中间实行各种复杂的计算。当然，头脑还能独立进行特殊感觉输入以外的活动。这在人们思维、计算或对过去的回忆沉思时发生。对于强人工智能的支持者而言，这些头脑的活动只不过是进一步的算式活动。只要这种内部活动达到足够复杂的程度，则他们就可以设想引起了“知觉”的现象。

然而，我们不应该太快接受现成的解释。上面所表述大脑活动的一般图像只不过是非常粗糙的图像。首先，甚至连视觉接受也不像我在上面表述得那么一清二楚。人们发现，皮质中有几个不同的（虽然是更小的）区域进行视野的映射，这显然是带有其他不同的目的。（我们视觉的知觉似乎和它们不同。）似乎还有其他辅助的感觉和运动区域分散在大脑皮质（例如，后叶中不同的点可引起眼睛的运动）。

我在上面的描述中，甚至没有提到头脑中大脑以外其他部分的作用。例如，小脑的作用是什么？显然它是负责身体的准确定位和控制，身体动作的时机、平衡和精巧。想象舞蹈家熟练的艺术，职业网球运动员轻松的准确性，赛车手闪电般的控制以及音乐家或画家手的自如动作；再想象羚羊优美的跳跃和猫的躲藏。没有小脑就不可能有这样的准确性，所有动作都会变得笨拙。事情似乎是这样的，当一个人在学习新技巧（例如学走路或学开车）时，刚开始对于每一个动作都要仔细想好，大脑起着控制作用；但是一旦掌握了技巧而成为“第二天性”，小脑就取代了它。而且，人们对这种经验都很熟悉，如果一个人在想已经掌握的技巧中的一个动作，则他的容易控制会暂时失去。在想动作时似乎涉及重新引进大脑的控制，虽然在此以后获得动作的灵活性，但现时熟练和精确的小脑作用却损失了。这种描述无疑过于简单，不过使我们对小脑的作用有些大概的了解[1]。

在我早先描述大脑作用时，没有提到头脑的其他部分是误导的。例如，海马在记录长期（永久）记忆时有着不可或缺的作用。实际的记忆被储存在大脑皮质的某处（也许同时在许多处）。头脑可以用其他方式保持短期的印象；它可保留印象若干分钟甚至几个小时（也许把它们“记在心里”）。但是为了使这种印象在不再受注意时还能被回忆起，就必须以永恒的方式存在那儿，正是这个原因海马非常重要。（损害海马会导致可怕的后果，一旦新的记忆不再引起病人的注意，即不再保留。）胼胝体是左右两个大脑半球相互通信的地方。（我们在后面将会看到把胼胝体切除后的严重后果。）下视丘是快乐、愤怒、害怕、沮丧和渴望的情感所在处，而且它传递情感在精神和身体方面的发泄。在下视丘和大脑不同部分之间存在连续流通的信号。丘脑的作用是重要的加工中心和转换站，它把从外面世界来的许多神经

---

1. 奇怪的是，大脑的“交叉行为”不适于小脑。这样，小脑的右半主要是控制身体的右边，而左半控制身体的左边。

输入传到大脑皮质。网状结构负责头脑整体或不同部位一般状态的警戒或知觉。还有许多神经线路连接这些以及许多其他极其重要的区域。

上面的叙述只提供了头脑一些重要部分的样品。在结束这一节之前，我应该对于头脑的整体组织再讲一些，它的不同部分被分类成三个区域，从脊柱开始往上，按顺序是后脑（或菱脑）、中脑和前脑。人们可以在早期发育的胚胎中找到这三个区域，在脊柱的上端按照这个顺序成为三个肿胀出现。最顶点的那个即是正在发育的前脑，发芽成两个球状的肿胀，一边一个，后来它们变成大脑的两半球。完全发育好的前脑包括头脑许多重要部分，不仅是大脑，还有胼胝体、丘脑、上视丘、海马以及许多其他部分。小脑是后脑的一部分。网状结构在中脑和后脑各有一部分。在进化发展的意义上，前脑是“最新的”，而后脑是“最古老的”。

我这个简要的速写虽然在多方面是不足够的，希望仍能给读者一点人脑像什么样子和一般情形下它做什么的印象。迄今，我几乎还未触及意识的中心问题。让我们在下面讨论这个问题。

意识栖息在何处

有关头脑的状态和意识现象的关系，人们表达了许多不同的观点。对于具有这么明显重要性的现象只有极少的共识。然而，下面这一点是很清楚的，即头脑的所有部分不是同等地牵涉到意识的呈现。例如上面所暗示的，小脑似乎比大脑更可被视为一台“自动机”。仿佛小脑控制的动作几乎是不必思考就自动进行的。人们能够有意识地决定从一处走到另一处，但他不会时时想到为控制运动所必须详细计划的肌肉动作。对无意识的反射行为亦是如此，譬如把自己的手从热火炉上移开的动作，可能根本不是由头脑而是由脊柱上部分传递的。人们至少从这些很容易推理出，意识现象和大脑的作用比和小脑或脊髓的作用更有关系。

另一方面，十分不清楚的是，大脑是否总能发觉自己的活动呢？例如我在上面所描述的，人们在正常行走时，并不意识到自己肌肉和四肢的细节活动。这种活动的控制主要来自于小脑（头脑的其他部分和脊髓予以帮助），大脑的首位运动区域似乎也参与控制。此外，原发感觉区也是一样：例如，人们可能不知道走路的时候在脚底的压力变化，但是触皮质的相应区域仍然继续受到刺激。

杰出的美国-加拿大神经外科医生怀尔德·彭费尔德（大部分人脑运动和感觉区内的精细映射是他在20世纪40—50年代做出的）论断说，一个人的知觉不只和大脑活动相关联。基于对许多有意识的病人进行脑手术的经验，他提出，主要由丘脑和中脑组成被他称为上脑干的区域（参阅*Penfield and Jasper 1947*），在相当意义上应被视为是“意识所在处”，尽管他在心里曾经基本认同网状结构作为“意识所在处”。彭菲尔德断言，上脑干和大脑处于联络状态，只要脑干的这个区域和大脑皮质的适当区域（也就是和任何具体感觉、思维、记忆相关的特别区域）处于直接联络的状态，或者那时候动作被有意识地发觉或唤起，则“意识知觉”或“有意识的意志行为”就会产生。他指出，例如，当他刺激病人引起右臂动作的运动皮质的区域（而且右臂的确会动作），这不会使病人想要运动其右臂。（的确，病人甚至可能伸出其左臂去阻止右臂的动作，正如在彼得·塞勒斯著名的奇爱博士的电影描写中那样！）彭菲尔德指出，动作的欲望也许和丘脑的关系比和大脑皮质的关系更大。他的观点认为意识是上脑干活动的呈现，但是除此以外必须还要有东西被意识。这样，不仅是脑干，而且此时正和上脑干联络的大脑皮质的某些部位都被涉及，它们的活动代表了意识的主体（感觉印象或记忆）或客体（意志行为）。

其他神经生理学家还指出，特别是网状结构可能被认为是意识的“所在处”，如果这样的处所的确存在的话。网状结构毕竟是负责头脑一般的警觉状态（*Moruzzi and Magoun 1949*）。如果它受到损害，其后果就是变成无意识。只要头脑处于清醒的意识状态，那网状结构便是活跃的；如果头脑不处于这种状态，网状结构就不活跃。在网状结构的活动和人们通常认为“意识的”状态之间的确有种清楚的关联。然而，情况由于以下事实变得复杂起来。在梦境里，在当时人们确实晓得自己在做梦的这个意义上讲是“知觉的”。然而，这时在正常情况下网状结构的活跃部分仿佛不处于活跃状态。要把意识这样的荣耀地位归于网状结构的人还要忧虑一件事，用进化的术语讲，它是头脑中非常古老的部分。如果成为有意识的全部所需只是一个活跃的网状结构，那么青蛙、蜥蜴甚至鳕鱼都是有意识的！

我个人认为上面这论断不是很有说服力。我们有何证据说蜥蜴和鳕鱼不具备某种低程度的意识呢？我们有什么权利像一些人那样宣称，人类是我们行星上仅有的被赐予“知觉”的实际能力的居民呢？在地球生物中，难道我们是唯一可能“有意识”的吗？我表示怀疑。虽然青蛙和蜥蜴，特别是鳕鱼，在我凝视着它们时，它们并没使我十分确信“那里有某一个生灵”也在看着我。但是当我看到狗或猫，尤其是动物园的猩猩和猴子在看着我时，我有很深的“意识存在”的印象。我不要求它们像我这样感觉，甚至也不要求它们感觉有多少深度。我不坚持它们在任何强烈意义上是“自我知觉的”（尽管我猜想自我知觉的某一因素能够存在[1]）。我所坚持的是，它们有时候至少有感觉！至于做梦的状态，我自己愿意接受的是，存在某种形式的知觉，但是它被认定为低水平的。如果部分网状结构以某种方式单独负责知觉，那么它们必须是活跃的，即使在做梦状态时其活跃的程度很低。

另一种观点（*O'Keefe 1985*）仿佛认为，海马的行为和意识状态的关系更大。正如我早先评论的，海马对于长久记忆的记录十分重要。有理由可以认为，永久记忆记录和意识相关联。如果真如此，则海马在意识知觉的现象中的确起了主要的作用。

还有人坚持大脑皮质本身负责知觉。由于大脑是人的骄傲（虽然海豚的大脑也一样大！）而且和智力关系最密切相关的心理活动似乎是由大脑执行，那么这里肯定是人的灵魂栖息之所！这正是有些人，譬如强人工智能者观点的结论。如果“知觉”只是算法之复杂性的一个特征，或者说算式的“深度”或“微妙程度”，那么按照强人工智能的观点，由大脑皮质进行的复杂算法使该区域具有显示意识能力的呼声最高。

很多哲学家和心理学家似乎认为，人类意识是和人类语言密切相

---

1. 一些令人信服的证据表明，至少黑猩猩能够自我知觉，在允许黑猩猩摆弄镜子的实验显示了这一点，参阅*Oakley 1985*，第4章和第5章。

关。因而，正是多亏了我们的语言能力，人类才能得到微妙的思考能力。它正是人性的标志以及我们灵魂的表现。按照这种观点，正是语言把我们和其他动物区别开来，并提供我们剥夺它们自由以及肆意捕杀它们的借口。正是语言允许我们用哲理推究并描述我们所感觉的，这样我们可以使别人信服，我们知悉我们的客观世界和自我。正是从这一种观点出发，我们的语言被当作我们具有意识的关键因素。

现在，我们必须想起我们的语言中心（对绝大多数的人）正好在我们头脑的左边（布洛卡氏和韦尼克氏区）。刚刚表述的观点仿佛意味着，意识只和左边而不和右边大脑皮质相关联！的确，这似乎是很多神经生理学家的看法（特别是约翰·埃克勒斯，1973年），虽然对于我这个门外汉来说，这观点确实非常古怪，我将会解释其理由。

头脑分裂实验

我将提到和这些相关的许多奇异的观察，在这些试验中病人（或动物）的胼胝体完全被割除，使得大脑皮质的两个半球不能互相联络。在人的情况下[2]，切除胼胝体是作为治疗手术来进行的，人们发现这是对受癫痫症之苦特别严重的病人有效的处方。罗杰·斯佩里和他的助手在对这些病人动手术后进行了许多心理学试验。他们是这样进行的，左边和右边的视界受到完全分开的刺激，这样左半球只接受放在右边的视觉信息，而右半球只接受到左边的。如果用铅笔的画片在右边闪动，同时用杯子的画片在左边闪动，则病人会说“那是一枝铅笔”，因为只有铅笔而不是杯子被显然有语言能力的那一半头脑所感知。然而，左手会选一只盘子，而不是一张纸，去和杯子作适当的相配。左手在右半球的控制之下，右半球虽然不能讲话，却能实现某些相当复杂的人类特有的动作。的确有人建议过，认为几何思维（尤其是三维的）还有音乐通常主要是在右半球内进行的，这样就和左边的言语和分析能力相平衡。右边头脑能理解普通的名词或基本句子，并能进行非常简单的算术。

这些头脑分裂实验中最令人吃惊的是，头脑两边仿佛像两个独立的个人那样行为。每一半可分别与实验者联络。由于右半球缺乏口语的能力，它比左半球的联络更为困难，并处于更原始的程度。病人大脑的一半可和另一半以简单的方式联络，例如看着由另一半控制的手臂运动，或者听到指令的声音（像是盘子的碰撞声）。但是，即使是两边之间这么原始的联络也可由仔细控制实验室条件而消除。模糊的情绪仍可由一边传到另一边，然而这可能是由于那些没分开的部位（譬如下视丘）仍然与两边处于联络状态。

人们忍不住会问这样的问题：在我们同一身体里是否居住有两个分别意识的个体呢？这个问题曾是许多争议的主题。有人会坚持说肯定“是”的，而其他人宣称两边都不能成为单独存在的。有人会争论道，对于两边能够有共同的情绪这个事实，可证明只含有一个单体。然而，另一种观点认为，只有左边半球代表了有意识的个体，而右边为一台自动机。认为语言是意识主要部分的人相信这一点。确实，只有左半球能令人信服地对口头问话“你有意识吗？”答复“是的！”而对右半球，正如一条狗、一只猫或一只黑猩猩，会困难得甚至不能解释组成这个问题的词，也不能够正确地口头回答。

然而，这个问题不能就这么轻易地放过。唐纳德·威尔逊和他的合作者（*Wilson et al. 1977*；*Gazzaniga，LeDoux and Wilson 1977*）在一个更新近而引人注意的实验中考察一位代号"P.S."的病人。在分裂手术后，只有左半球能讲话，但是两个半球都能理解语言；右半球后来也学会讲话；两个半球很明显地都是有意识的。而且，由于它们有不同的爱好和需求，所以显得有各自的意识。例如，左半球描述说它希望成为制图员，而右半球希望成为赛车手！

我本人根本不相信普遍的断言，认为平常人类语言于思维和意识是必需的。（我将在下一章指出我的一些理由。）所以，我和那些大致相信头脑分裂病人的两半各具有独立意识的人立场相同。P.S. 的例子强烈地暗示，至少在这一种特殊情形下，两半的确都是有意识的。依我的意见，在这一方面P.S. 和其他人的真正差别是他的右边意识能实际使其他人相信它的存在！

如果我们接受P.S. 的确具有两个独立的精神，则就面临着令人惊异的情景。假定，每一分裂头脑的病人在手术之前只具有单独的意识；但在此之后就有了两个意识！这原先单独的意识被某种方式分叉了。我们还记得在第1章32页假想的旅行家，他把自己交给一台远距运送机，忽然醒过来时发现所谓"实在的"自我已到达金星。在那里，他的意识的分叉仿佛会导出佯谬。因为我们会问："他的意识流'实际上'是沿着什么途径？"如果你是这旅行家，哪一个被归结成"你"？远距运送机可当成科学幻想而不再予以考虑，但是在P.S. 的情形下，我们的处境非常相似，而这是实在发生的！哪个P.S. 的意识是手术前的P.S. ？无疑许多哲学家会将此问题斥为无稽。这是由于没有决定这个争论的操作方法。每一个半球都在分享施行手术前的意识之记忆，并且无疑两者都会宣称是原来的那个人。这虽令人惊异，但本身并非佯谬。尽管如此，还有一些令人困惑的问题未被解决。

如果两个意识后来又被合并在一起，则困惑就更恶化了。现代技术要把胼胝体单独切断的神经接在一起仿佛是天方夜谭。但是人们可以摹想，在开初时改用一种比实际切除神经纤维更温和的办法。也许这些纤维可被暂时冷冻，或用某种药麻痹。我不知道这类实验是否做过，但是我认为在不太久的将来会变成可行的。可以设想，在胼胝体重新激发后，结果只会有一个意识。想象这一个意识就是你本人！对于你在过去某一时刻曾经有过两个显著不同的各自的“自我”将作何感想呢？

盲视

头脑分裂实验似乎至少指出，“意识”的“栖息处”不必是唯一的。但是还有其他实验暗示，大脑皮质的某些部分比其他部位与意识有更密切的关联。其中一种和盲视现象有关。视皮质某个区域的损害会引起相应视野的盲视。如果一个对象放在那个区域的视野，那个对象就不会被感知。相当于那个视觉区域发生了盲视，然而，一些古怪的发现指出（参阅*Weiskrantz 1987*），事情并非这么简单。一位名叫“D.B.”的病人有些视皮质必须被除去，这使他在视野特定区域内看不见任何东西。然而，当把某物放在这个区域并要D.B.去猜是什么东西时（通常像一个十字形或圆形标志或是以某一角度倾斜的线段），他几乎可百分之一百地猜中！这个“猜测”的准确度甚至使D.B.本人都感到惊讶！他仍然坚持说，自己不能感知放在该区域的任何东西。[1]

由视网膜接受到的影像还在视皮质以外的某些头脑区域加工，一个较不清楚的区域是下部颞叶。D.B. 应该是基于在下部颞叶得到的信息作“猜测”。在刺激这些区域时不能直接有意识地知觉任何东西，但是信息在哪儿，只有从D.B“猜测”的正确性中得以显现。实际上在经过一些训练后，D.B. 能够得到这些区域有限量的实际知觉。

所有这些似乎表明，大脑皮质的某些地方（例如视“皮质”）比其他地方和意识知觉更有关联。但是，其他一些区域经过训练后，显然能进入直接知觉的范畴。

视皮质的信息加工

在如何处理接收到的信息方面，人们对视皮质比头脑中的任何其他部分都理解得更好；人们为了说明这个作用曾提出了不同的模型[3]。事实上，有些视觉信息的处理在到达视皮质之前就在视网膜本身进行。（视网膜实际上被当成头脑的一部分！）一些最先暗示视皮质如何处理信息的实验中有一个为大卫·哈贝尔和托斯滕·韦塞尔赢得1981年的诺贝尔奖。他们能在实验中显示猫的视皮质某些细胞对视野中具有特定斜率的线产生反应。而其他附近的细胞对不同斜率的线产生反应。什么东西具有这个角度通常没有关系。它可以是从亮处到暗处的或从暗处到亮处的边界线，或仅仅是亮的背景中一条黑线。进行考察的特

1. 称作“盲视否认”的情况是某一种对盲视的补充。一个事实上全盲的，但坚持他完全能看东西的病人似乎具有推断周围环境的视觉意识！（见*Churchland 1984*，P143。）

图9.7　你能看到一个放置在另一个三角形上面的，并被一个圆环嵌住的白三角形吗？虽然白三角形的边界没有完全画出来，但是头脑中有些细胞对这些看不见的，却可感知的直线有反应

殊细胞已经把“斜率”这一特征抽象化了。而其他细胞对特定的颜色或对每只眼睛接收到的差别产生感应并由此感知所得到的深度。随着距离原发接受区越来越远，我们发现细胞对我们所看见的东西越来越细微部分敏感。例如，当我们看图9.7时就会发觉一个完全的三角形图像；而在图上并没有画出形成三角形的线，它是由推断而来的。人们实际上发现视皮质（所谓第二位视皮质）中的细胞能记录这些推断出的直线位置！

在20世纪70年代初叶，文献记载宣称[4]，发现猴子视觉皮质有一个细胞，只有当一个脸的像被记录在视网膜时才反应。在这种信息的基础上，人们提出了“祖母细胞假设”。根据这种假设，头脑中存在某种细胞，它只有当头脑主人的祖母进入房间才反应！的确，最近有人发现某种细胞只对特殊的词有反应。也许这正进一步支持祖母细胞假设！

关于头脑中进行的处理过程，肯定有极多尚待研究的地方。对这些高等头脑中心如何实行其功能所知甚少。现在让我们放下这个问题，而转去注意头脑中实际产生这些奇异功能的细胞。

神经信号如何运行

头脑（以及脊柱和视网膜）所有的处理过程都是由称作神经元的多功能体细胞完成的[5]。让我们看看神经元是什么样子。我在图9.8中画出了一个神经元的图。它有一个苞状的主体，或有点像星形，通常比较像萝卜，这主体称为胞体，其中包含有细胞核。一根很长的神经纤维从胞体的一端延伸出来。相对于一个单独的微细胞而言，神经纤维有时的确非常长（以人类而言通常达几厘米），它称作轴突。细胞的输出信号就是沿着轴突这根“导线”传送。从轴突可发芽出许多小的分支，它要分支好几回。在这些形成的神经纤维终端可找到所谓的小突触结。胞体的另一端通常向四面八方往外分支，这就是树状的树突。输入资料正是沿着树突进入胞体。（在树突之间偶然也会出现突触结，叫作树状树突的突触。由于它们导致的复杂性是次要的，我将在讨论中省略。）

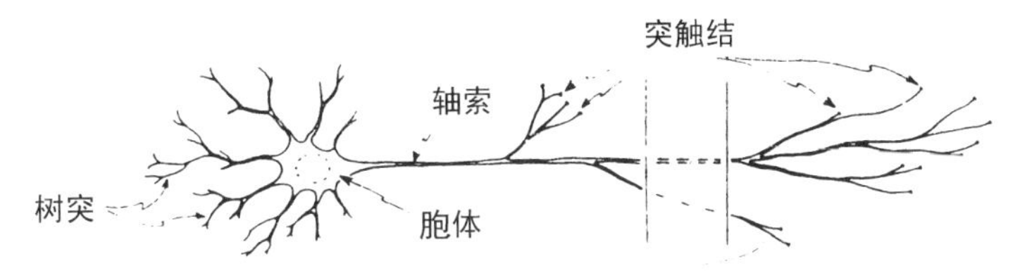

图9.8　一个神经元（通常比所标的要相对地长非常多）。不同类型的神经元在外表细节上的变化非常巨大

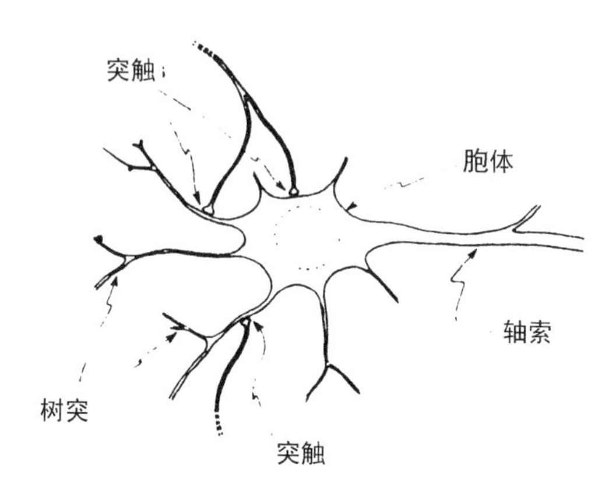

图9.9　突触：一个神经元和另一个神经元之间的结

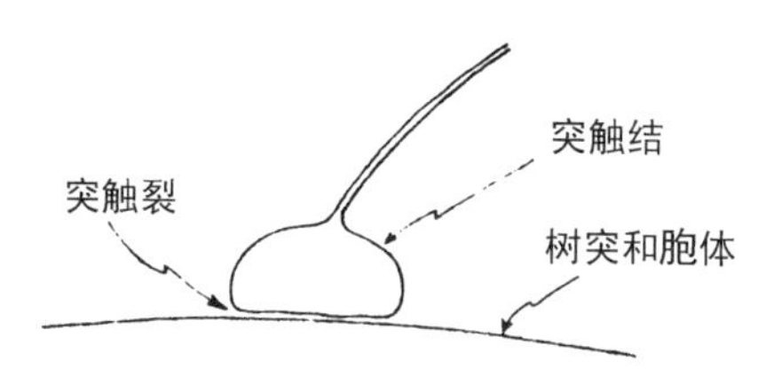

图9.10　突触的放大细节。神经传递物的化学物质流穿越过一个狭窄的缝隙

作为一个自足的单元，神经元用细胞膜把胞体、轴突、突触结、树突和所有一切都包围起来。为了使信号从一个神经元传到另一个，它们必须设法“越过之间的障碍”。这是在叫作突触的交结处完成。一个神经元的突触结附到另一神经元的某一点上，不是在它的胞体本身就是在它的一个树突上（图9.9）。实际上，在突触结和它所附上的胞体或树突之间有一非常窄称为突触裂的缝隙（图9.10）。信号从一个神经元传达到另一个时必须穿越过它。

当信号沿着神经纤维传递并穿过突触裂时采取什么形式呢？是

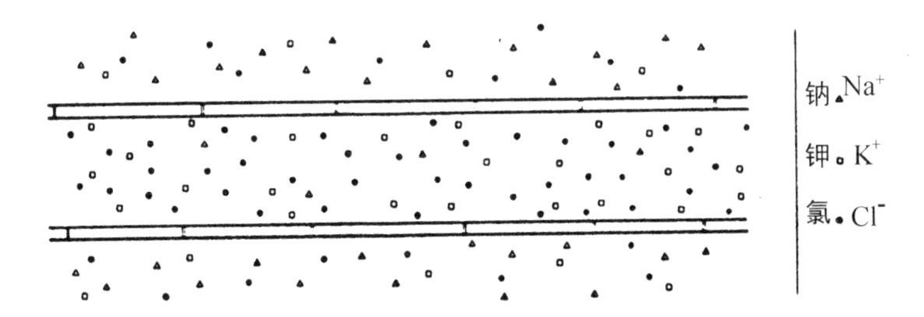

图9.11　神经纤维的图解。在静态下内部的氯离子量超过钠和钾离子的量，所以带负电；而外部刚好相反，所以带正电。内外的钠/钾平衡也不一样，在里面钾多一些，而外头的钠多一些

什么引起下一个神经元去发射信号呢？从我这个局外人看来，大自然实际采取的步骤真是非同寻常——简直使人着迷！人们也许会认为信号只不过像沿着导线的电流，但是它比这要复杂得多。

一根神经纤维基本上是一个圆柱管，装有普通盐（氯化钠）和氯化钾（主要是后者）的混合溶液，这样在管子里有钠、钾和氯离子（图9.11）。在外面也有离子，但是其成分比例不同，外部的钠离子比钾离子多。神经处于静态时，管子内带负电荷（也就是氯离子比钠离子加钾离子的总和还多——我们记得钠离子和钾离子是带正电的，而氯离子是带负电的），而在外部是带正电荷（也就是钠和钾比氯多）。构成圆柱表面的细胞膜有点"漏洞"，所以离子有移动穿越过它并中和电荷差的倾向。为了补充以及维持里面过量负电荷，一个"新陈代

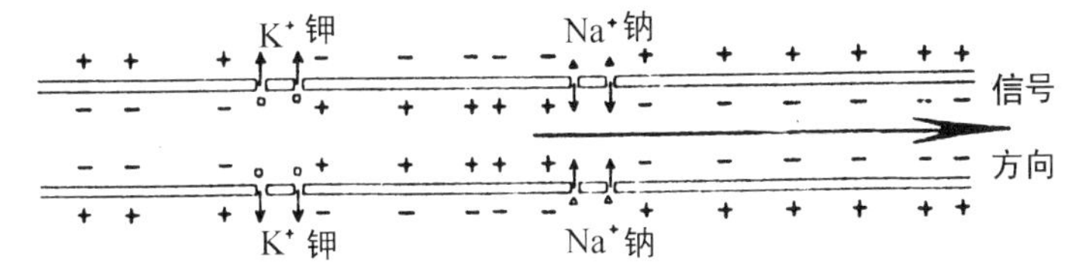

图9.12　一个神经信号是沿着纤维运动的相反带电区域。在它的前头，钠门打开让钠往里流；在它的后头，钾门打开让钾往外流。新陈代谢泵的作用是恢复原状

谢泵”缓慢地把钠离子通过周围的膜向外输送回去。这作用同时可维持内部钾比钠的数量更多，还有另一个新陈代谢泵（稍微小一些）把钾从外头输送到里面去，所以对内部的钾过量有贡献（虽然它的作用和保持电荷不平衡相反）。

一个信号是沿着神经纤维移动的一个区域，其中具有相反的电荷不平衡（也就是现在内部是正的，外部是负的）（图9.12）。想象有人位于神经纤维上这种反向带电区域之前方。当这个区域靠近时，它的电场在细胞膜上打开了称为钠门的小“门”；这允许钠离子从外面往里面流回去（由电力和因浓度差引起的压力，亦即“渗透压”的结合效应）。结果使内部带正电而外部带负电。这些发生过后，构成信号的反转电荷区域即到达我们的位置。它现在促使另外一个小“门”（钾门）打开，这“门”允许钾离子从里面往外面流回去，这样开始恢复内部超量的负电荷。信号现在就通过了！最后，随着信号再次远离而去，泵缓慢而坚决的行为再次把钠离子赶到外面去，而把钾离子赶到里面去。这就恢复了神经纤维的静态，并为下一个信号做好准备。

值得注意的是，信号就是由一个沿着纤维移动的相反带电区域所构成。实际的物质（也就是离子）移动得非常小，只是在细胞膜两边穿进穿出！

这种古怪奇异的机制显然极其有效。不管是脊椎动物还是无脊椎动物都普遍利用它。但是脊椎动物有个更完善的设施，也就是神经纤维由称为髓鞘质的白色脂肪物质绝缘层所包围。（正是髓鞘质层使头脑的“白色物质”呈现其颜色。）这种绝缘使神经信号能不衰减并以高达每秒120米的相当的速度（在“转换站”之间）行进。

当一个信号到达一个突触结时，它会发射出称为神经传导物的化学物质。这种物质从它的一些树突或胞体本身的某一点通过突触裂移动到另外的神经元去。有些神经元具有一种突触结，它会发射出神经传导化学物质，趋向于促进下一个神经元躯体去“激发”，也就是开始一个沿着它的轴突传出去的新信号。这种突触称作兴奋突触。另外有一种倾向于阻碍下一个神经元激发称作抑制突触。在任何时刻要把活跃的兴奋突触这效应全部加起来，并减去活跃的抑制突触的效应，如果净值达到某一临界值，则下一个神经元就会被激发。（兴奋突触引起下一个神经元里外之间预期的正电位差，而抑制突触引起预期的负电位差。这些电位差适当地加在一起。当附在轴突处的电位差达到临界水准时神经元就被激发，使得钾跑出来的速度不至于快到能恢复平衡。）

电脑模型

神经传导的一个重要特点是其（大部分）信号完全是“全有或全无”的现象。信号强度不变化：它要么有要么没有。这使得神经系统的行为具有类似数字电脑的特点。事实上，大量互相联结的神经元其行为与具有导线和逻辑门（下面还要讲到）的数字电脑内部作用有很多相似处。在原则上用电脑模拟特定神经元系统的行为并不困难。有一个问题就自然产生了：这是不是意味着，不管头脑的线路细节是什么样子，总是可以用电脑的功能来模拟？

为了使这个比较更清楚，我应该讲清楚究竟什么是逻辑门。在一台电脑中，我们也有所谓“全有或全无”的情形。导线不是有电流脉冲，就是没有电流脉冲。在有电流脉冲时强度总是相同的。由于每件事都被非常准确地计时，没有脉冲亦是个明确的信号，并会被电脑“注意到”。实际上，在我们使用术语“逻辑门”时，我们隐含用脉冲有和无分别来表示“真”或“伪”。这真伪与实际的真理和谬误毫无关系；只不过借以了解通常用的术语而已。让我们还把“真”（脉冲存在）写为数字“1”，“假”（没有脉冲）写为“0”，而且正如在第4章那样，可以用“&”当作“并且”（这个“陈述”表示两者都是“真”的，也就是两个论断都为1时，其答案为1），“∨”表示“或者”（这“表明”两者之一或两者都为“真”时答案为1，也就是唯有两个论断都为0时答案为0），“⇒”表示“意味着”（也就是$A \Rightarrow B$表示“如果A是真的，那么B是真的”，这和“如果B是伪的，那么A是伪的”等价），“⇔”表示“当且仅当”（两者皆“真”或两者皆“假”），以及“~”表示“非”（如果A为伪则B为真，如果A为真则B为伪）。人们可把这些不同的逻辑运算列成所谓“真值表”：

$$A \& B: \begin{pmatrix} 0 & 0 \\ 0 & 1 \end{pmatrix} \qquad A \vee B: \begin{pmatrix} 0 & 1 \\ 1 & 1 \end{pmatrix}$$

$$A \Rightarrow B: \begin{pmatrix} 1 & 1 \\ 0 & 1 \end{pmatrix} \qquad A \Leftrightarrow B: \begin{pmatrix} 1 & 0 \\ 0 & 1 \end{pmatrix}$$

在每种情形下A标记行数（也就是$A=0$表示第一行，$A=1$表示第二行），类似地B标记列数。例如$A=0$，$B=1$表示每一个表右上方的值，而在第三表上$A \Rightarrow B$得到1。（作为实际逻辑的口头实例：断言“如果我在睡觉，那么我就快乐"，在特殊情形下，即如果我刚好醒着而且快乐，仍然可以是真的，因为两种思想不矛盾。）最后，"非"逻辑门的效应简单地是：

$\sim 0 = 1$ 和 $\sim 1 = 0$。

这些是逻辑门的基本类型。还有一些其他类型，但是所有那些都可由刚才提到的类型组合而成[6]。

现在，我们可否在原则上用神经元的联结建造一台电脑呢？我将指出，甚至从我们前面刚讨论过的神经元激发的非常原始的考虑而言，这的确是可能的。让我们看看如何在原则上用神经元的联结建造逻辑门。我们需要一些数字编码的新方法，因为信号不存在时不能触发任何东西。让我们（完全随意地）用双脉冲表示1（或"真"），而单脉冲表示0（或"假"），并且采取一个简单的方案，就是激发神经元的临界值总是刚好两个同时发生的兴奋脉冲。很容易建立一个"与"门（也就是"&"）。正如图9.13所示，我们可取两根输入神经纤维作为输出神经元上的仅有一对突触结的终端。（如果两者都是双脉冲，则第一次脉冲和第二次脉冲都达到所需要的2倍脉冲的临界值，如果有一根

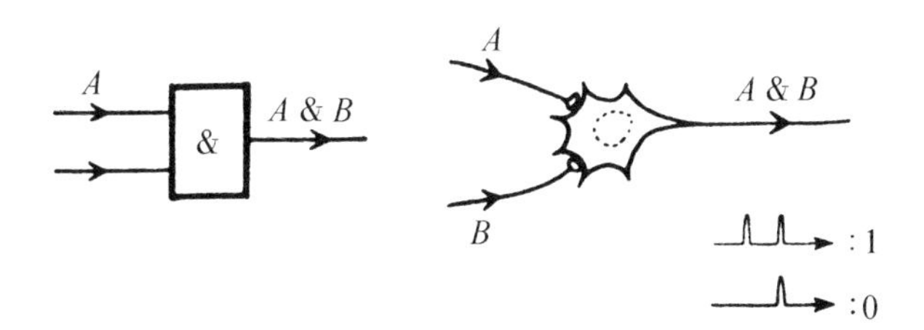

图9.13　一个"与"门。在右边的"神经元模型"中，只有当输入达到单脉冲强度的2倍时，神经元才被激发

只有一次脉冲，则两根中只有一根达到临界值。我假定脉冲被非常仔细地计时，而且是双脉冲的情形，为了确定起见，用这双脉冲中的第一次计时。）建造一个“非”门（也就是“~”）要更复杂一些，图9.14画出了一种办法。输入信号沿着一根分成两个分支的轴突进来。有一分支走迂回的路径，其长度使信号延迟的时间正好等于双脉冲两次脉冲间隔的时间。然后两根轴突又重新分叉，这两根轴突各有一根分支终结于一个抑制神经元上，但是从延迟分支来的又分裂成直接和迂回的路径各一条。在单脉冲输入时，这个神经元的输出是没有，而在双脉冲输入时，（在延迟的时刻）就有一个双脉冲。携带这一输出的轴突分叉成3个分支，所有分支都以抑制突触结终止于最后一个兴奋神经元上。原先分叉的轴突余下的两部分，每一根再分成两根，所有4根分支以兴奋突触结终止于最后这个神经元上。读者也许愿意去检

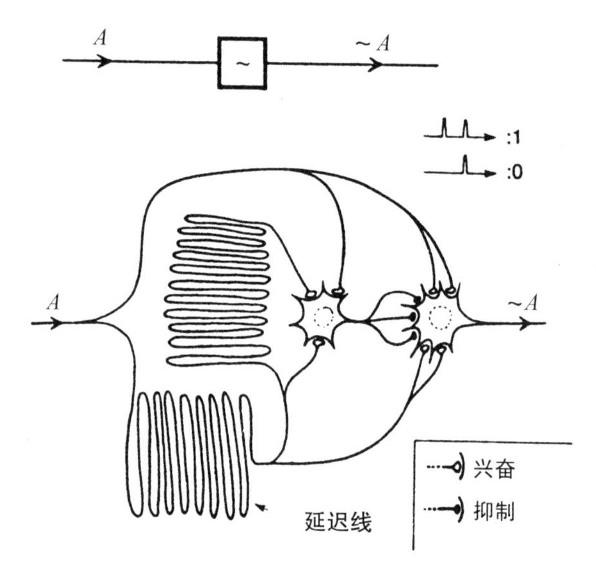

图9.14　一个“非”门。在此“神经元模型”中（至少）双倍强度的输入又是激发神经元所必需的

查，这最后的兴奋神经元是否提供了所必需的“非”输出（也就是如果输入是单脉冲则输出为双脉冲，输入若是双脉冲则输出为单脉冲）。（这一方案仿佛过于复杂，但是我已经尽力而为了！）读者可以自己消遣，为上面其他逻辑门提供直接的“神经元”构造。

当然，这些显明的例子不能认真当作头脑真正详细行为的模型。我只想指出，我在上面给出的神经元激发模型和电子电脑构造之间具有本质上等价的逻辑。容易看出一台电脑可以模拟任何这类神经元相互联结的模型；而上述的详细构造表明以下这个事实，即神经系统反过来可以模拟一台电脑，并因此能像一台（普遍的）图灵机那样行为。虽然在第2章讨论图灵机时并没有用到“逻辑门”[7]，而事实上如果我们要去模拟一台一般的图灵机，需要比逻辑门更多的东西。假定我们允许自己用巨大却有限的神经元储库去近似一台图灵机的无限磁带，这样做并没有牵涉到新的原则问题。这似乎是在论断，头脑和电脑本质上是等价的！

但在我们过于轻率地下这个结论之前，应该考虑神经行为和现代电脑行为之间各种可能有意义的差异。首先，把激发神经描述成全有或全无的现象是有些过于简化。那现象是指沿着轴突移动的单脉冲。但事实上，当一个神经元“激发”时，它发射出一整串距离很近的脉冲。甚至在神经元不激发时，它也发射脉冲，只是以很慢的速率而已。当它激发时，是连续脉冲的频率极大地提高。神经元激发还有随机的一面。同样的刺激不总产生同样的结果。此外，头脑行为并不需要电子电脑电流所需要的那么准确的计时；必须指出，神经元动作的最快速率为每秒一千次，比最快速的电子线路慢很多，大约慢10^{-6}倍。还有，尽管我们现在知道头脑（在诞生时）联结的方式比50年前我们以为的方式更为精密，它不像电子电脑中非常准确的接线，神经元的实际连接仍有很多随机性和重复性。

上面的大部分内容好像是说，在比较头脑和电脑时头脑处于不利地位。但是头脑还有其他有利的因素。逻辑门只有很少的输入输出导线（譬如最多三四根），而神经元可以有大量的突触附在上面。（一个极端的例子，称为浦肯雅细胞的小脑神经元大约有80000个兴奋突触末端。）还有，头脑中神经元的总数甚至超过最大电脑的晶体管总数——头脑中可能有10^{11}个，而电脑中大约“只”有10^9个！当然，电脑中的数目将来很可能增加[8]。而且，头脑细胞数目之大主要来自在小脑中发现的极大数目的小颗粒细胞——大约共有300亿（3×10^{10}）个。如果我们相信仅仅是由于神经元的巨大数目就能使我们得到意识经验，而现代电脑不能具有意识，那么我们必须寻求更多理由来说明为何小脑行为显得完全无意识，而大脑跟意识有关，大脑神经元数目仅是小脑的2倍（大约为7×10^{10}），其密度也更小得多。

头脑可塑性

在大脑行为和电脑行为之间还有其他不同之处。这就是与所谓头脑的可塑性有关。依我看来，其重要性超过迄今所提到的一切。认为大脑只是用导线联结起来固定的神经元组合，在实际上是不成立的。神经元之间的相互连接不像上述电脑模型中那样固定，它会随着时间不断改变。我不是说轴突或树突的位置会改变。大部分复杂的“接线”在人一出生就建立了大致的轮廓。我是指不同神经元的突触结实际发生联络的地方。这些经常发生在叫作树突棘的地方，那是树突上非常微小的突起，和突触结的接触可发生在这里（图9.15）。这里所谓“接触”不表示碰触，而是留下距离刚好大约1/40000毫米的狭缝（突触间隙）。现在按照一定的条件下，这些树突棘能缩小离开并且断开接触。或者它们（或新的）能长出并产生新的接触。这样，如果我们认为头脑中神经元连接实际上构成了一台电脑，那它就是一台能够一直随时变化的电脑！

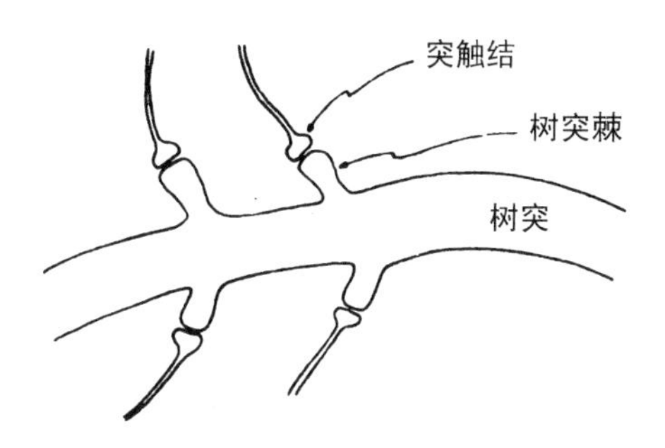

图9.15　突触结和树突棘。树突棘的长大和缩小很容易影响结的效果

根据长效记忆如何记录的主导理论之一，突触连接的这种变化正是提供储存必要信息的方法。如果真如此，那么我们就看到，头脑可塑性不仅是偶发的复杂性，而且是头脑活动的主要特征。

这些连续变化的基础机制是什么呢？这些变化可进行得多快？第二个问题的答案似乎很有争议，但是至少有一学派坚持可在几秒钟内进行这种变化。如果永久记忆的储存归功于这种变化，那是可以预料到的，因为记忆的记录确实是在几秒钟之内的事（参阅*Kandel 1976*）。这对于我们下面的讨论有重大的含意。在下一章我们将回到这个重要的问题上来。

什么是头脑可塑性的基础机制呢？有一种天才理论（归功于 *Donald Hebb 1954*）提出，具有如下性质的某些突触（现在称作“赫伯突触”）：每当神经元A激发后跟着神经元B亦激发，在这两个神经元之间的赫伯突触就会被加强，否则就会被减弱。这和赫伯突触本身是否影响到B的激发没有关系。这引起了某种形式的“学习”。基于这种理论，出现了各种试图模拟一个学习 / 解决问题的活动的数学模型。这些被称为**神经网络**。这类模型似乎的确具有某些基本的学习能力，但迄今它们离开头脑的实际模型还遥远得很。不管怎么说，控制突触联结变化的机制很可能比已经提及的机制更复杂，这很明显地需要我们去更深入地理解。

与突触结释放神经传递物相关的还有另一方面。这些释放有时根本不发生在突触裂，而是进入一般的细胞之间的液体，也许是为了影响非常远处的其他神经元。许多不同的神经化学物质似乎是以这种方式发射出来。而且有些记忆理论与我在前面指出的不同，这些理论依赖于不同种类可能涉及的化学物质。头脑状态肯定以一般方式受头脑其他部分产生而存在的化学物质（譬如荷尔蒙）的影响。神经化学的整个问题是复杂的，提供涵盖所有有关方面的可靠而精细的电脑模拟将是非常困难的。

并行电脑和意识的“一性”

许多人显然持这种意见，认为发展并行电脑是建立具有人脑功能的机器之关键。我们在下面简略地考虑这种目前流行的观念。并行电脑，与串行电脑相对比，能独立进行非常大数量分开的计算，而这些大体上独立运算的结果，断断续续地合并在一起，对整体计算作出贡献。建造这类型电脑的主要动机来自于模仿神经系统的运行，因为头脑不同部分的确似乎具有进行分开而独立计算的功能（例如，在视皮质处理视觉信息）。

在这里必须说明两点。首先，并行和串行电脑在原则上没有什么不同。事实上两者皆为图灵机（参阅第2章60页）。不同处只在于整个计算的效率或速度。有些类型的计算用并行组织的确更有效率，但并不总是这样。第二点，至少我自己的意见是，并行经典计算不可能掌握我们意识思维的关键。意识思维的一个显著特征是它的“一性”（至少当一个人处于正常心理状态，而且不是“头脑分裂”手术的患者时！），这和同时进行大量独立活动成显明对比。

类似“你怎么能期望我同时想两件事情呢？”的抱怨乃是司空见惯的事。一个人的意识究竟能同时进行许多不同的思考吗？也许有人能同时进行一些思考，但是与其说像是同时、有意识地、独立地实际思考不同的题目，不如说像是在这些题目之间跳来跳去。如果一个人在意识中完全独立地想两件事，甚至哪怕是在短暂的时间里，则就似乎具有两个分开的意识。而对于正常人而言，所能体验到的是一个单独的意识，该意识可以模糊地知悉许多事，但是在任一个时刻只能集中于一件特定的事情。

当然，我们这里所说的“一件事”的含义一点也不清楚。在下一章我们将在庞加莱和莫扎特灵感中遇到一些“单一思想”的非常显著的例子。但是，为了辨识一个人在任何时刻意识到的事情可能非常复杂，我们不必舍近求远。例如，想象一个人决定晚饭要吃什么。这样一个意识思维之中牵涉到大量信息，而且要用相当长的言语才能完全描述清楚。

对我来说，这种意识认知的“一性”似乎和并行电脑图像相去甚远。另一方面，那个图像也许更合适作为头脑无意识行为的模型。不同的独立动作——散步、扣纽扣、呼吸或者甚至讲话可同时多多少少自动地进行，人们不必在意识上感觉到任何动作在进行！

另一方面，我认为在意识的“一性”和量子平行主义之间可以想见具有某种关系。我们记得量子理论中，在量子程度上允许不同选择在线性叠加中共存！这样，一个单独的量子态在原则上可由大量不同的，而且同时发生的活动组成。这就是所谓的量子平行主义。我们很快就要考虑“量子电脑”的理论观念，这样的量子平行主义在原则上可用于同时进行大量的计算。如果意识的“心理状态”在某种形式上和量子态同类，那么思维中某种形式的“一性”或整体性对量子电脑就比对普通并行电脑更为适合。这个观念中有一些方面引人注意，我在下一章再回到这上面来。但是在认真接纳这个思想之前，我们必须提出以下问题，就是量子效应究竟和头脑活动有何相关。

量子力学在头脑活动中有作用吗

上面有关神经活动的讨论全部都是经典的。除了迄今必须提起的一些物理现象，其基础的机制必须包含一部分量子力学的因素以外（例如离子，以及它们的单位电荷、钠和钾门、决定神经信号开关特性确定的化学势、神经传导物的化学作用）。在某些真正量子力学控制的关键处还有更清楚的作用吗？如果上一章结尾的讨论不是无的放矢的话，结论似乎是肯定的。

事实上，至少在一个明显的地方，单量子水平的作用对于神经活动很重要，这就是视网膜。（我们记得视网膜事实上是头脑的一部分！）以蟾蜍做的实验显示，在适当条件下，一颗单独光子打到已适应黑暗的视网膜上就足以触发一个宏观的神经信号（*Baylor*，*Lamb*，*and Yau 1979*）。这也适用于人眼（*Hecht*，*Shlaer*，*and Pirenne 1941*），但是在此情况下还存在额外的压抑这种弱信号的机制，使得它们不会由于太多的视觉“噪声”而混淆了感觉到的视像。为了能使已适应黑暗的人实际上得知光子的来临，大约需要7颗光子的组合的信号。尽管如此，对单光子敏感的细胞的确存在于人类的视网膜中。

既然在人体中存在单量子就能触发的神经元，寻找人脑主要部分何处能发现这类细胞就是很合理的了，据我所知，对此还未找到证据。所有考察过的细胞类型都有一个临界值，要激发该细胞就得需要大量的量子。然而人们猜测，在头脑的某一深处可望找到对单量子灵敏的细胞。如果证明情形的确如此，则量子力学对头脑活动的意义就非常重大。

即便如此，在这里量子力学还不显得非常有用。这是由于量子只是一种用来激发信号的手段。没有得到量子特有的干涉效应。我们从这些得到的，最多似乎只是确定一个神经元是否会激发，这很难看出对我们有多大用处。

然而，这里牵涉到的问题不是那么简单。让我们重新考虑视网膜。假定从一半镀银的一面镜子反射来一颗光子到达视网膜。它的状态涉及以下状况的复线性叠加：光子打到视网膜细胞和光子没打到视网膜细胞，譬如穿过窗户飞到空中去（参阅图6.17，第323页）。到达它可以打到视网膜的时刻，只要量子理论的线性规则$\boldsymbol{U}$（也就是薛定谔态矢量演化，参阅318页）成立，则我们就能得到有神经信号和没有神经信号的复线性叠加。当它作用到主体的意识上时，两个不同选择中只有一个被感知发生，这时另一个量子步骤$\boldsymbol{R}$（态矢量减缩，参见318页）应该起了作用。（我在此不理会多世界观点，它本身有许多问题！参阅378页。）连同上一章结尾触及的考虑，我们应该问，信号的通过是否扰动了足够的物质，达到那一章的单引力子标准。虽然把光子能量转变成实在信号中的物质运动时，视网膜的放大效应真是令人印象深刻——运动质量的放大也许达到10^{20}倍——但这个质量仍比普朗克质量m_p小许多数量级（譬如大约为10^8）。然而，一个神经信号在它周围产生了可以探测得到变化的电场（一个以神经为轴，沿着神经运动的圆环形电场）。这场会显著地扰动周围环境，单引力子标准在这些环境中可容易地达到。这样，按照我提出的观点，$\boldsymbol{R}$过程在我们感知或没有感知闪光之前早就已经进行过了。由此观之，我们的意识对于态矢量减缩不是必要的！

量子电脑

如果我们猜测在头脑深处对单量子敏感的神经元会有重要的作用，我们就想知道他们会有什么效应。首先我将讨论多伊奇的量子电脑概念（参阅第4章191页），然后看看是否和这里的讨论有相关之处。

正如前面指出的，其基本概念是利用量子平行主义。根据这个原理，两个完全不同的事情应当被认为在量子线性叠加中同时发生。正如光子被半面镀银的镜子反射，同时光子又穿过镜子或者是通过两个缝隙中的每一个。对于量子电脑，这两个叠加的不同情况就是两个不同的计算。我们对两个计算的答案不感兴趣，而是对利用从这对叠加抽取出的部分资料感兴趣。最后，当两个计算都完成时，对这些计算进行适当的“观察”以得到必需的答案[9]。仪器用这种同时进行两个计算的办法来节约时间！迄今这个方法并没获得什么重大好处，这是因为可以想见利用一对分开并行的经典电脑（或一台单独的经典并行电脑）比用量子电脑更直截了当得多。然而，量子电脑可能要到需要非常大量的（也许是无限大的数目）并行计算时才会有真正的好处。我们对个别计算的答案不感兴趣，而对所有结果适当的组合感兴趣。

量子电脑的建造在细节上会涉及量子形式的逻辑门，其输出为应用在输入上某个“幺正运算”的结果。这是 $\boldsymbol{U}$ 作用的一种情形，而电脑所有的运行就是 $\boldsymbol{u}$ 过程进行到最后阶段，直到最后的“观察行为” $\boldsymbol{R}$ 为止。

根据多伊奇的分析，量子电脑不能用来进行非算法的运算（也就是超越图灵机功能的事）。但是在非常巧妙的设计情形下，在复杂性理论意义来说（参阅184页），它能比标准的图灵机获得更大的速度。对于这么杰出的设想，目前的结果仍有点令人失望，但是这有点言之过早。

这和包含极多数目单量子敏感神经元的头脑的行为会有什么

关系呢？这个类比的主要问题是量子效应在“噪声”中很快就消失了——头脑太“热”不能在足够长的时间内维持量子相干性（就是通常可以用U的连续作用有用地描述的行为）。以我的术语，这表明连续达到单引力子的标准，使得R作用持续不断地进行，其间穿插着U演化。

我们期望量子力学对了解头脑有所帮助，但目前看来希望并不大。也许我们注定只是电脑而已！我个人不这么认为。但是如果我们要找到答案，就必须要更深入地思考。

超越量子理论

我希望能回到这本书的基本论题上来。我们的世界图像是由经典和量子理论的法则所制约的，就现在所理解的这些法则而言，这图像足以描述头脑和精神吗？对我们头脑的“通常”的量子描述一定存在一种困惑，因为“观察”行为被当成解释传统量子理论的要素。是不是只要思维或知觉一旦进入意识，“头脑”就被认为在“自我观察”？量子力学如何顾及这一点并应用到整个头脑，传统理论没有提供我们明确的法则。我曾试图为R作用提供一个和意识完全无关的判据（“单引力子判据”），如果类似的判据能发展成完全连贯的理论，那就出现一个用量子描述头脑的方法，比迄今存在的描述都更清楚明白。

然而，我相信不仅在我们试图描述头脑行为时才引起这些基本问题，数字电脑本身的作用必需依赖量子效应。依我的看法，这些效应并没有完全摆脱量子理论根本的困难。这种“重要的”量子依赖性是什么呢？为了理解量子力学在数字电脑中的作用，我们首先必须问，如何使完全经典的物体能像数字电脑那样行为。我们在第5章考虑了弗雷德金–托佛利经典的“台球电脑”（参阅221页）；但是我们还注意到这个理论“仪器”有赖于某种理想化，这种理想化回避了经典系统中固有的不稳定性问题。这个不稳定性问题可在相空间中被描述成随着时间演化的弥散（第235页图5.14），导致经典仪器运作的准确性几乎不可避免地连续损失。能终止这种准确性降级的最终是量子力学，现代电子电脑分立态的存在是必需的（譬如以数字0和1来编码），这使得电脑处于此态或彼态一清二楚。这是电脑操作的“数字”性质的要素。这种分立性最终有赖于量子力学。（我们还记得能级、谱频率、自旋等的量子分立性，参阅第6章。）甚至老的机械计算仪器也依赖于不同零件的坚固性，而坚固性实际上也有赖于量子理论的分立性[10]。

但是，不仅从$\boldsymbol{U}$的作用才能得到量子的分立性。其实，薛定谔方程在防止不想要的弥散和“精度损失”方面比经典物理方程更糟！根据$\boldsymbol{U}$的时间演化，一个单粒子原先空间定位的波函数会散开到越来越广的范围去（参阅320页）。如果不是$\boldsymbol{R}$的作用时时发生的话，更复杂系统有时也遭受到这种不合情理的无定域性（回忆薛定谔猫的例子！）。（例如，原子之分立态具有确定的能量、动量和总角动量。一般“散开”的态是这种分立态的叠加。正是$\boldsymbol{R}$的作用在某阶段使原子实际“成为”这些分立态之一。）

我似乎认为，经典力学还不能解释我们思考的方式。如果没有一些根本改变使$\boldsymbol{R}$成为“实在”过程，连量子力学也不能解释。也许连电脑的数字行为都需要对 $\boldsymbol{U}$ 和 $\boldsymbol{R}$ 之间相互关系有更深入的理解。至少我们知道电脑（由于我们的设计！）的行为是算法的，而且我们不想利用任何物理定律中推定的非算法行为。但是，我坚持头脑及思维的情形是非常不同的。在（意识）思考过程中包含非算法的要素是说得通的。我在下一章将探讨我相信有这种要素的理由，以及猜测究竟是什么了不起的物理效应会构成影响头脑行为的“意识”。

第 10 章
精神物理的寻求

精神是做什么的

在讨论精神-身体问题时，通常有两个不同的问题受到关注："物质物体（头脑）实际上如何引发意识？"以及相反的命题，"意识的意志行为在实际上如何影响（显然由体力驱动的）物质物体的动作？"这些是精神-身体问题被动和主动两方向。我们的"头脑"（毋宁讲"意识"）中显然有种非物质的"东西"，一方面它受物质世界召唤，另一方面又能影响物质世界。然而在这最后一章的初步讨论中，我宁愿考虑有点不同或许却更科学的问题，它和主动及被动的问题都有关系，希冀我们的探索能进一步理解这些根本的古老哲学难题。我的问题是："意识赋予实际拥有它的人们哪些优胜劣汰的好处？"

在以这种方式表达该问题时，涉及几个隐含的假设。首先，有人相信意识实际上是一种可以科学描述的"东西"。这里假定这个"东西"实际上"会做一些事情"，而且其作为对拥有它的生物有助，所以其他没有意识的同等生物行为就不是那么有效。另一方面，人们也许相信，意识只不过是在足够复杂的控制系统中被动的伴随，而它自身实际上并无任何作为。（例如，强人工智能支持者就采取这种观点。）

另外的看法是，在意识现象中或许存在某种神圣或神秘的目的，可能是还未被我们揭示的目的。仅仅按照自然选择的思想去讨论这个现象会完全忽视这个“目的”。我的思考方式有点倾向于这种论证的更科学的形式，即是所谓的人存原理。该原理断言，我们存在其中的宇宙的性质受到如下强烈的限制，即必须存在像我们这样有知觉的生物以便对它进行观察。（在第8章448页已经稍微提到了这个原理，下面还要进一步讨论。）

我将依序讨论这些问题的大部分。但是，我们首先应该注意到，“精神”这个术语在我们提及“精神–身体”问题时也许有点误导。人们经常讲到“无意识的头脑（精神）”。这表明我们认为“精神”和“意识”两个术语不是同义词。也许当我们提到无意识的精神时，我们有个模糊印象认为“后面有人”在幕后活动，但他通常不直接触及我们的感知（也许除在睡梦、幻觉、痴迷或弗洛伊德口误以外）。也许无意识的精神实际上自己有知觉，但是在正常情况下这知觉和平常我们所指头脑中“我们”的那部分完全分离。

这也许不像初看起来那么强词夺理。某些实验指出，甚至病人在全麻醉状态下被动手术时，还存在某种“知觉”。例如，当时进行的谈话会在以后“无意识地”影响病人，以后在催眠下有时能回忆起这些谈话，如同当时实际“体验到”似的。此外，被催眠暗示阻挡于意识外的知觉在进一步催眠之后可以当作好像“体验过的”被回忆起来，但似乎是“处于不同的意识轨道上”（参阅*Oakley and Eames 1985*）。尽管我猜想，赋予无意识精神任何通常的“知觉”是不正确的，我对这些问题一点也不清楚，而且我也不想在这里讨论这些猜测。尽管如此，在意识和无意识的精神之间进行划分，肯定是一个既微妙又复杂的问题，我们以后还要涉及。

让我们尽可能直截了当地讨论，我们所指的“意识”是什么以及我们相信它在什么场合存在。在目前理解的程度上，我认为试图为意识提供一个准确的**定义**是不明智的。但是，我们可以充分仰仗我们主观印象和直觉常识来解释这个术语的含义，以及何时这种意识的特质会呈现出来。当我自己处于意识状态时，我或多或少是知道的，而且我认为其他人也有相同的经验。我处于有意识时，我似乎必须意识到某种东西，也许是感觉，诸如痛、温暖或者彩色风景、音乐之声；或者我意识到诸如迷惑、沮丧或快乐的感情；或者我可以意识到某些过去经验的回忆；或者理解其他人讲什么或是自己的一个新思想；或者我意识地想发言或采取行动如从座位上站起来。我还可以“后退一步”意识到这些企图，或者自己痛的感觉，或者自己记忆的经验，或者自己获取的理解，或者甚至只是对自己意识的意识。假如我正在做梦的话，在睡觉中也可以具有某种程度的意识；或许当我快醒过来时，我有意识地影响那个梦的发展方向。我预备相信，意识只是程度上的差别，而不是全部无或全部有。我把“意识”这个词和“知觉”基本上当成同义词（虽然“知觉”也许只比我所指的“意识”被动一点），而“精神”和“灵魂”则有更多内涵。目前这两词的定义更加不清楚一些。我们在解释“意识”时就够麻烦的，所以如果我不触及“精神”和“灵魂”更深入的问题的话，希望读者能够原谅！

还有一个问题就是“智慧”这个术语表明什么。毕竟人工智能专家要关心的是智慧，而不是更模糊的“意识”的问题。阿伦·图灵

(1950)在其著名的论文中(参阅第1章第5页)没有这么直接地提到“意识”，但是提到了“思维”，并且在标题上用“智慧”这个词。依我自己看待事物的方法，智慧的问题属于意识的问题范围内。我相信，如果没有意识相伴随，真正的智慧是不会呈现的。另一方面，如果人工智能专家最终**能**模拟不存在意识的智慧，则在定义术语“智慧”时应该包括这种模拟智慧才会令人满意。在这情形下我真正关心的不是“智慧”问题。我首先要关心的是“意识”。

当我断言自己相信真正的智慧需要意识时(由于我不相信**强**人工智能的只要制定一个算法即能召唤起意识的论点)，根据我们现在术语的意义，我的意见暗示智慧不能用算法的方法，也就是电脑，正确地模拟智慧。(参见第1章关于图灵机的讨论。)因为我很快就要有力地论证(特别是参看第523页以下三节有关数学思维的讨论)，在意识行为中必须有本质的**非算法**成分。

下面让我们讨论，某种有意识的东西和另一种在其他方面都“等效”而无意识的东西是否**有**操作上的差异。某些对象中的意识会总是呈现它的存在吗？我想，对这个问题必须回答“是”。然而，因为对动物王国中何者有意识完全缺乏共识，所以我的信念几乎得不到任何赞同。有些人根本不允许非人类动物拥有意识(还有人甚至不允许早于公元前1000年左右的人类拥有意识，参阅*Jaynes 1980*)，而另外的人则赋予昆虫、蛆虫甚至岩石意识！至于我自己则怀疑蛆虫或昆虫会有，而岩石肯定不会具备这种品质。但是，一般来讲，我觉得哺乳动物真的具有一些知觉。我们由缺乏共识至少可以推论，没有一般可以接受的呈现意识的标准。不过仍然可能**存在**一种意识行为的标志，只是还没被普遍承认而已。尽管如此，这也只是标明意识的主动作用。若没有相关活动的对象，很难看出何以直接确定知觉的仅有存在。这是从以下悲惨的事实中得知的。在20世纪40年代，对年幼孩子动手术时用箭毒来进行“麻醉”，而箭毒的实际效用是麻痹肌肉上的运动神经，所以这些不幸的孩子实际经历了在当时外科医生不可能知道的灾难（参阅*Dennett 1978*，P209）。

让我们转向意识可能具有的主动作用。意识有时候的确能够具有操作上辨别得出的主动作用，但必须如此吗？我相信这种说法的原因有点与众不同。首先，利用我们的“常识”，我们经常觉得能直接知觉到他人实际上有意识。那个印象不太可能会错[1]。虽然有时候一个有意识的人（正如受了箭毒的小孩）看起来不明显，但是一个无意识的人更不可能显得有意识！所以必须有一种行为模式作为意识的特征（尽管意识不总证实该特征），而我们可以通过自己的“常识直觉”敏锐地感觉到它。

第二点，考虑到自然选择的无情过程。正如我们在上一章所看到的，意识不能通达至头脑所有的活动。的确，“较老的”小脑中神经元的局部密度极大，小脑似乎进行着意识根本不直接参与的非常复杂的行为。然而大自然已经选择演化像我们这样有知觉的生物，而不愿演化利用完全无意识的控制机制来指示行为的生物。如果意识没有选择的目的，而像小脑这样没有知觉的“自动”头脑似乎也能达到目的时，大自然为何要这么不厌其烦地去演化意识的头脑呢？

1. 至少对于现代电脑技术而言（参见第1章关于图灵试验的讨论）。

此外，有一个简单的“底线”原因令人相信意识必须具备某种主动效应，即使这效应不是一种选择优势。否则为什么像我们这样的生物有时候，尤其是在探索此事时，会被“自我”的问题所烦恼呢？（我几乎可以说：“你为何在读这一章？”或者“为什么起先我会有强烈欲望要写这本论题著作”？）很难想象一台毫无意识的自动机会为这类想法而浪费时间。另一方面，由于意识生物似乎有时以这种滑稽的方式行为，因此他们的行为和如果他们没有意识时不同。这样，意识具有某种主动效应！当然，特意给电脑编一道程序使之显得以这种可笑的方式行为是很容易的事（例如，程序指使它到处乱走并咕哝：“啊，亲爱的，什么是生活的意义？为何我在这里？我所感到的这个‘自我’究竟是什么？”）。显然地，当无情的丛林自由竞争早就应该根除这种无用的废物，可是为何物竞天择却偏爱人类这种生物！

对我来说，有一点是很清楚的，即当我们（或许是暂时的）作为哲学家时所热衷的沉思和喃喃自语本身并非由选择而来，而是确实有意识的生物必须背负的“包袱”（从自然选择的观点），并且这生物的意识是经过自然选择而来，不过是由于其他不同而又非常有力的理由。这包袱不太有害，而且很容易背负（即使不很情愿），我猜是因为自然选择不屈不挠的力量所驱使的。也许因为幸运的人类时而享有和平与繁荣，使我们不必总是为求生存而与自然环境（或与邻居）作战，我们才能开始对包袱内的宝藏神迷目眩。一个人正是看到他人用这种奇怪的哲学方式行事，才得以信服他是和除了自己以外确实具有精神的个体打交道。

意识究竟是做什么的

让我们接受这样的观点，即在生物中意识的存在实际上是使该生物具有某种选择优势。其特别优势会是什么呢？我曾听到这样的观点，一个掠捕者把自己当成猎物以猜想它下一步最有可能做什么，对掠捕者而言，知觉是一种优势。把自己想象成为该猎物，就能得到优势胜过它。

这种思想中很可能有一部分真理，但是我对此很难苟同。首先是假定猎物本身方面具有某种预先存在的意识，这样又把自己想象成一台“自动机”根本没有帮助，既然一台自动机按照定义是无意识的，不可能是“活”的东西！无论如何，我可以同样容易想象，一个完全无意识的自动掠捕者可以把它的自动猎物的实际程序作为子程序包含在自身的程序之中。我觉得，把意识牵涉到这种掠捕者-猎物的相互关系中根本没有逻辑上的必要。

当然，很难了解自然选择的随机过程怎么会聪明得将这猎物的程序的完整的复本给予自动机掠捕者。这听起来与其说是自然选择不如说是间谍活动！而部分程序（图灵机的一段磁带或某种与图灵机磁带近似的东西）对于一个掠捕者没有多大的选择优势。拥有整盘磁带或至少拥有整个自足的部分磁带是不太可能的。所以另一种可能性是，以下的观念或许具有一些真理，也就是从掠捕者-猎物这思路可以推论出某些意识的因素，而不仅是一个电脑方程式。但是，这里并没有抓住意识行为和“程序”行为之间实际的差别是什么的要点。

上面提到的观念和人们经常听到的意识观点相关，也就是一个系统如果本身具有某种东西的模型时才会“知觉”到该东西，而当它本身具有它自己的模型时才能“自我知觉”。但是，在一段电脑程序中包含另一段电脑程序的描述（譬如一段子程序）并没赋予第一段程序对第二段的知觉。电脑程序的自我参照也不会导致自我知觉。尽管经常听到这种断言，我的看法是，这类讨论尚未能触及知觉和自我知觉的真正问题。一台录像机对之所录下的风景没有知觉；对着镜子的录像机也不具备自我知觉（图10.1）。

图10.1　对着镜子的录像机在自身中形成自身的模型。这使它具备自我知觉吗？

我想沿着不同的思路进展，我们已经看到，我们头脑中进行的活动不是全部伴随着意识知觉的（尤其小脑的活动似乎是没有意识的）。我们意识思维能做而无意识状态所不能做的事情是什么呢？这问题由于以下事实而变得更加无从捉摸，任何原先需要意识的事显然都可学得会并能无意识地（也许由小脑）执行。可以这么讲，当我们必须形成新的判断以及当预先还没形成习惯时，意识是必需的。想很精确地区别何种精神活动需要意识不是很困难的。也许，正如强人工智能的支持者（以及其他人）所坚持的，我们在“形成新判断”时是在应用某些定义得很好的，却难以了解的“高层次的”算法规则，而我们还未能知道其运作的方式。然而，我认为有些术语，用来区别有意识和无意识精神活动的，至少可作区分非算法和算法的参考：

需要意识的	不需要意识的
“常识”	“自动的”
“真理的判断”	“盲目地跟随规则”
“理解”	“编程序的”
“艺术鉴定”	“算法的”。

这些区别也许不那么一清二楚，尤其是因为许多无意识的因素进入我们意识的判断之内：经验、直觉、偏见甚至我们逻辑的正常运用。但是我要宣称，判断本身是意识行为的呈现。所以我提出，头脑的无意识行为是按照算法过程进展，而意识的行为则完全不同，它以一种不能被任何算法所描述的方式进展。

颇具讽刺意味的是，我在这里提出的观点和我经常听到的其他观点几乎刚好相反。人们经常说，有意识的头脑以一种“理性的”，人们可以理解的方式行为，而无意识是神秘的。从事人工智能的人们经常宣称，只要能理解意识思维的某些方法，人们就能知道如何让电脑照做，而人们对神秘的无意识过程尚没有解决之道。按照我自己的推理，无意识过程尽可以是算法的，但是该算法是极其复杂的，要仔细解开它极为困难。可以合理解释为完全合逻辑的完全有意识的思维，也可以（经常）表达为算法的某物，但是在完全不同的水平上。我们现在不去思考内部的功能（如神经元激发等）而是整个思想的运作。这种思想运作有时具有算法的特性（正如早期的逻辑：由亚里士多德所表达的古代希腊演绎法或者是数学家乔治·布尔的符号逻辑；参阅*Gardner 1958*），有时它不具有这类特征（正如哥德尔定理以及在第4章所举的例子）。我现在宣称的判断的形成是意识的标志，人工智能专家不知如何用电脑为它编出程序来。

人们有时反对，说这些判断的判据毕竟不是有意识的，为什么我要认为这类判断起因于意识呢？但是，这样问就错过了我想要表达的思想要点。我不是要我们有意识地理解我们如何形成意识印象和判断，这会导致我刚提到那种水平上的混淆。构成我们意识印象的原因是意识无法直接触及的。这些必须用比我们现知的实际思想更深的物理水平来考虑。（我要在下面提出设想！）意识印象本身就是（非算法的）判断。

我们的意识思维似乎应该有非算法的性质，这的确是我们前面章节的基本主题。尤其是从第4章有关哥德尔定理的论证得出的结论指出，意识的沉思至少在数学方面有时能够使人用算法不能做到的方式去确定某个陈述的真理性。（我就要仔细地阐释这个论证。）算法本身的确从未确定真理！要使算法只产生谬误和只产生真理一样容易。为了确定一个算法有效与否，人们需要有外在的洞察（后面还要讲到）。我在这里的论断是，在适当的环境下从错误中判断出真理的能力（或从丑恶中得到美丽），正是意识的标志。

然而，我要讲清楚，我不是指用魔术式的“猜测”。意识对于猜乐透号码（公平进行的）毫无用处！我是指在人们处于意识状态下连续进行的判断。把所有相关的事实、感觉印象、记住的经验都集中在一起，把事物相互衡量，甚至有时形成灵感的判断。原则上，只要得到足够的信息即能作有关的判断，但是由混乱的数据中抽取需要的并形成适当的判断，也许没有清楚的算法的步骤存在，或者虽然存在，但不切实际。也许我们会有这种情形，一旦做出判断，去检查该判断是否准确比当初形成该判断更像算法的过程（或许只是一种更容易的过程）。我猜想在这种情况下，意识本身会成为召来适当判断的方法。

为什么我说判断的非算法形成是意识的标志呢？有部分原因来自于我自己作为数学家的经验。当我的知觉未能充分注意无意识的算法行为时，我就是不信任它们。在进行某些计算时，把算法当作算法通常是没错，但是对研究中的问题这算法是正确的选择吗？一个简单的例子是，人们学会把两个数乘在一起以及把一个数除以另一个数的算术规则（或人们宁愿借助于算法袖珍计算机），但是人们面对这类问题时何以得知应该乘或除这些数呢？为此，人们需要思考并做出意识判断。（我们很快就会看到，为什么这样的判断至少有时候必须是非算法的！）当然，一旦人们做过大量类似问题，这些数该乘还是该除会变成第二天性，而且可以算法地执行—— 也许由小脑。在那个阶段不再需要知觉，而且足以放心让他的意识精神去琢磨或沉思其他事情—— 不过人们必须不时检查该算法是否被导入（即使很细微的）歧途。

相同的情形在所有水平的数学思维过程中不断发生。当人们在进行数学过程时通常竭力寻找算法，但是这种努力的过程本身并不是一种算法过程。在某种意义上，一旦找到一个合适的算法，该问题就解决了。此外，用数学来判断某些算法是否精密或合适，需要很多的意识的关注。第4章内描述数学形式系统的讨论也提过类似的情形。人们可从一些公理开始推论出各式各样的数学命题。后者的步骤可以完全是算法的；但是需要一位有意识的数学家去判断这些公理是否合适。在往后第二节讨论中可清楚得知，这些判断必须**不是**算法的。但在此之前，让我们考虑一种更盛行的有关我们头脑功能及其起因的观点。

算法的自然选择

如果我们假设人类头脑的行为，不管是意识的还是无意识的，只是在执行一种非常复杂的算法，那么我们应该询问这种非常有效的算法从何而来。标准答案当然是“自然选择”。具有头脑的生物在进化时，那些算法比较有效的会有更好的生存倾向，并因此在总体上有更多的后代。由于这些后代从其父母遗传到比较好的算法，因此也比其堂表亲戚带有更有效的算法，所以算法就这样被逐渐改进。由于生物在进化时可能有很多断断续续的现象，所以这种改进不必是稳定的。生物进化可以到达了不起的阶段，就像我们可以（显然地）从人类头脑看到的（比较*Dawkins 1986*）。

甚至根据我自己的观点，由于我想象头脑许多行为的确是算法的，正如读者从上述讨论中所推论出来的，这个图像必须包含**某些**真理。而且我强烈相信自然选择的威力。但是我看不出自然选择本身如何能演化算法，这种算法能有意识地判断我们似乎拥有的其他算法是否有效。

想象一道平常的电脑程序。它怎么出现的呢？显然不能（直接地）由自然选择而来！要有电脑程序人员构思写出这程序并确认它会执行所预定的步骤。（实际上，大多数复杂的电脑程序都含有错误，通常很小，但常常微妙得除了在非常的情形下不会被发现。这种错误的存在不会严重改变我的论证。）有时一个电脑程序本身可由另一个程序（譬如由"主导"电脑程序）"写出"，但是那个主导程序本身是人类才智和洞察的产物；或者该程序只是从许多其他电脑程序的产物拼凑而成。但是在所有的情形下，程序的有效性和概念本身最终要归功于（至少）一个人类的意识。

当然，人们可以想象情况也许不必如此，只要有足够的时间，电脑程序可能会自动由某种自然选择的过程演化得来。如果人们相信，电脑程序人员的意识行为本身就是算法，那么他实际上应该相信，算法已用这种方法演化至今。然而使我忧虑的是，一个算法有效性的决定本身不是一个算法过程，我们在第2章已经看过这情形。（一台图灵机实际上会不会停，这问题不是用算法能够决定的。）为了决定一个算法实际上行不行，人们需要的是洞察，而不是另一个算法。

尽管如此，人们仍能想象某种自然选择过程可以有效产生近似有效的算法。然而，我个人很难相信这种可能。任何这类选择过程只能作用于算法的输出[1]，而不直接作用于算法行为的基础思想上。这不仅极无效率，而且我相信这肯定行不通。首先，仅从考察其输出是很难确定一个算法究竟是什么。（要构造两个完全不同的简单的图灵机行

---

1. 如果两个算法只是输出一样而实际的计算过程不一样，它们能否被认为是同等的，这又是一个难题。见第2章70页。

为非常容易，使两者的输出磁带到第2^{65536}位都是一样的，这个差异在整个宇宙的历史中永远不会被觉察出来！）此外，一个算法最微小“变化”（譬如一台图灵机在规格上或在它的输入带上轻微的改变）就会使之变成完全无用，很难看出随机的方式如何能产生算法实际的改善。（如果不知道其“意思”的话，甚至故意的改善也是困难的。这一点尤其被如下时常发生的情形所证实。当一道没有说明清楚或者复杂的电脑程序要作一点改变或改正时，而原先的程序人员刚好离开或死去，人们与其试图解开在该程序中暗含的意义和企图，不如将其丢弃后重写可能还容易些！）

也许可以设计更“健全”的方法来详细说明算法，使它避免上述的批评。在某些方面，这正是我自己要说的。这种“健全”的说明是算法的基础观念。但是观念，就我们所知，是需要意识精神来表明的东西。我们回到了意识究竟是什么的问题，什么是它能做而无意识的主体不能做的，自然选择究竟如何聪明，以至于得进化出那个最特异的品质。

自然选择的产物确实惊人。有关人类和其他生物的脑如何作用，我得到的一点认知使我充满了无以言喻的惊奇和赞美之情。单独神经元的作用是非同寻常的，在我们出生之时为了以后需要担负的任务，这些神经元本身以惊人的方式以极大数量的连接组织在一起。不仅是意识本身，而且必须用来支持意识的配件也都是那么令人印象深刻！

如果我们能发现，究竟什么品质可以使一个实体成为有意识的，那么我们就可能为自己建造这样的物体。虽然它们可能不符合我们现在所谓的“机器”之词意。因为这些物体是为了我们目前的任务，也就是为了获得意识而特别设计，所以可想而知，它们比我们更优越得多，它们不必从单独的细胞长大。它们也不必负担它们祖先的“包袱”(头脑或身体内一些老和“无用”的部分，还在我们身上留存全是因为我们远祖演化的“事故”)。人们可以想象，从这些优点看来，这类物体可以获得超越人类的成功，(依我等意见)算法电脑注定只能屈于卑微的地位。

但是，还有更多关于意识的问题。我们的意识也许某方面的确有赖我们的遗传和几十亿年下来的实际进化。我的想法是，进化明显具有“探求”未来的目的，所以它仍有神秘之处，事情至少看起来组织得比仅仅基于瞎碰机会的演化和自然选择要更好。也有可能这种表象完全是骗人的。物理定律作用的方式似乎有种因素使得自然选择的过程比单凭任意定律的过程更有效得多。其导致的“智慧探求”是一个有趣的问题，我将很快回到这问题上来。

数学洞察的非算法性质

正如我早先陈述过的，令人相信意识能够非算法地影响真理判断的大半原因是通过考察哥德尔定理而来的。如果我们在形成数学的判断时能看到意识的作用是非算法的，此时计算和严格证明还构成这么非常重要的因素，则我们肯定会信服，在更一般(非数学)的情形下，这样非算法的因素对于意识也是关键的。

让我们回忆第4章用来建立哥德尔定理以及它与可计算性之间

的关系的论证。这论证指出，不管数学家用什么（足够广泛的）算法去建立数学真理，或是类似真理的东西[1]，不管他采用什么形式系统去提供真理的判据，总有一些数学命题，譬如该系统显明的哥德尔命题$P_k(k)$（参考141页），这些算法不能提出答案。如果该数学家的头脑作用完全是算法的，那么实际用以形成他判断的算法（或形式系统）不能用以应付从他个人算法建立起来的$P_k(k)$命题。尽管如此，我们（在原则上）能看到$P_k(k)$实际上是真的！既然他应该也能看得到这一点，这看来为他提供了一个矛盾。这个也许表明，该数学家根本不用任何算法。

这本质上就是卢卡斯（1961）提出的论断，头脑的作用不能完全是算法的。但是时时有人提出许多相反的论点（例如，*Benacerraf 1967*；*Good 1969*；*Lewis 1969*，*1989*；*Hofstadter 1981*；*Bowie 1982*）。我应该指出，在这里讨论的术语"算法"和"非算法的"是指一台普通电脑所能模拟的任何东西。这当然包括"并行运行"，还有"神经网络"（或是"连接机器"）、"启发"、"学习"（这里总是预设好应该如何学习的固定步骤）以及和环境的相互作用（这可用图灵机的输入磁带模拟）。这些反论中最认真的一个是，为了实际使我们信服$P_k(k)$的真理性，我们应该必须知道该数学家的算法到底是什么，而且必须说服我们，它对取得数学真理的方法有效。如果该数学家在脑中使用一种非常复杂的算法，那么我们就没有机会实际知道这种算法，也就不能实际建立哥德尔命题，更不用说相信它的有效性了。这类反论经常被提出来对抗像我现在要提出的主张，即哥德尔定理指出的，人类的数学判断是非算法的。但是，我自己认为这种反对不能令人信服。此刻我们暂且假定，人类数学家形成其意识判断数学真理的方法的确是算法的。我们将使用哥德尔定理推导出其荒谬性（反证法！）

我们必须首先考虑下列可能性，即不同的数学家使用不等效的算法来决定真理。然而，数学命题的真理性实际上可用抽象的论证决定，这是数学（也许是唯一的学科）最令人印象深刻的特征！假定一个数学论证不含错误，当它完全被理解时，若能使一位数学家信服，就同样能使另一位信服。这也适用于哥德尔型的命题。如果第一位数学家准备接受一个特定形式系统中所有的公理和步骤法则只能给出真的命题，那么他[1]也应该准备接受这系统的哥德尔命题是描述一道真的命题。这对第二位数学家也完全相同。关键在于，建立数学真理的论证是可传递的[2]。

因此，我们不是在谈论盘旋于不同的数学家头脑中各种朦胧的算法。我们是在谈论一个普适的形式系统，它等效于所有不同数学家用来判断真理的算法。永远不可能知道，这个假想的“普适”系统或算法是不是数学家用来决定真理的那一种！因为如果能知道，那我们就能建立起它的哥德尔命题，并且知道那也是数学真理。这样，我们被迫得出结论，数学家实际上用以决定数学真理的算法是如此复杂隐晦，使得我们永远不知道其有效性。

但这违反数学的宗旨！我们数学传统和训练的主旨是不向我们无望理解的法则权威低头。至少在原则上我们必须了解，一个论证的

1. 当然“他”是指“她或他”，见第5页的脚注。

每一步都能分解成简单明白的步骤。数学真理不是可怕地复杂而且其正确性超出我们理解能力的教条。它是从如此简单明白的要素建立起来的，而且当我们理解这些要素时，它们的真理性一目了然，并且所有人都会同意。

按照我的想法，在缺乏一个真正的数学证明时，这是我们能期望得到最明白的反证法！其含义应该非常清楚。数学真理不是我们仅仅用算法决定的东西。我相信意识是我们赖以理解数学真理的关键因素。我们必须“看见”数学论证的真理性，它的有效性才能使人信服。这种“看见”正是意识的精髓。每当我们直接知觉到数学真理时，它就应该呈现。当我们使自己相信哥德尔定理有效时，我们不仅“看见”了它，而且在这么做之时，我们揭露了“看见”过程本身的非算法性质。

灵感、洞察和创造性

我应该对偶尔闪现的新洞察（我们称作灵感）作一些评论。这些思想以及想象是神秘地从无意识的精神中来呢，还是在重要意义上是意识本身的产物呢？人们可以引用许多思想家记载的这类经验。作为数学家，我特别关心其他数学家灵感和创见的思想。但是我想象，在数学和其他科学与艺术中有许多共通之处。我介绍读者阅读非常杰出的法国数学家J·阿达马写的一本薄书《数学领域的发明心理学》，这是一本非常优秀的经典名著。他引用了许多著名数学家和其他人描述灵感的经验。其中最著名者是由亨利·庞加莱提供的。庞加莱首先描述他着意寻求他称为弗希函数一段紧张的努力，结果陷入绝境。然后：

……我离开我从前居住的坎城，继续进行矿业学校主办的地质学术考察发现。这次旅行使我忘怀自己的数学研究。一到达康坦斯，我们要登上去别的什么地方的公共汽车。正在我的脚踏上阶梯的那一瞬间，与先前的思路毫不相关地，我忽然得到一个发现：我用来定义弗希函数的变换和非欧几何中的变换完全一样。我没有证实这个思想。我坐在汽车里继续原先开始的交谈，那时没有时间去证实，但是我觉得十分确定。在我回坎城的归程中，我利用空闲之便把它证实了。

这个例子（以及其他许多阿达马引用的例子）的惊人之处在于，庞加莱在一闪念之间得到了这个复杂而高深的思想，那时他的意识思维正专注于完全不同的地方，而且在获得这一思想时还肯定感觉它是正确的，正如后来计算所证明的。应该明白指出，这个思想并不容易用言词解释清楚。如果为了使专家明白这思想，我想他需要做大约一个钟头的学术报告。很明显，就是因为庞加莱先前已经有许多钟头蓄意的意识活动，使他完全熟悉手中问题许多不同的角度，这个思想才能完全成形地进入他的意识。然而，在某种意义上来讲，当庞加莱登上车之时所得到的，是在一瞬间内能被完全理解的"单个"思想。庞加莱确信其思想的真理性更令人惊奇，因此他后来仔细的验证几乎是画蛇添足。

也许我应该试用我自己相仿的经验来做比较。事实上，我想不起来我得到过像庞加莱那样完全从天外而来的妙思异想。（或像其他许多被引用的真正灵感的例子。）对我自己而言，我是必须有意识地思考手中的问题，也许思考得很含糊，但也许脑中正处于低水平的意识。也可能我正进行其他精神相当放松的活动；例如刮胡子即是一个好例子。也许我刚好开始思考搁置了一段时间的问题。认真进行许多小时从容而清醒的活动肯定是必要的，而且有时我要花一段时间才能重新熟悉一个问题。但是，我也有过经验在“瞬间”得到思想，同时强烈感觉到它是正确的。

也许值得提到一个与此相关的特别奇怪的有趣的例子。1964年秋天，我正为黑洞奇性问题感到烦忧。奥本海默和斯尼德在1939年指出，大质量恒星完全球形的坍缩会导致一个处于中心的时空奇点。广义相对论的经典理论在该处失效（见第7章422页、428页）。许多人觉得，如果他们取消完全球对称（不合情理的）的假设，则这种不愉快的结论就可避免。在球形的情况下，所有坍缩的物质都指向一个中心点，或因为这种对称，所以发生了具有无穷大密度的奇点是可以预料得到的。假设没有这样的对称似乎更合理些，物质以更混乱的方式到达中心区域，不会产生无穷大的密度。或许物质甚至会重新旋转出来，产生与奥本海默和斯尼德理想化黑洞完全不同的行为[3]。

由于新近（20世纪60年代初）发现了类星体，人们重新对黑洞问题感兴趣，也因而激发了我的思想。这些遥远天体的物理性质使有些人猜测，它们的中心可能是类似奥本海默–斯尼德黑洞的东西。另一方面，许多人又认为奥本海默–斯尼德球形对称假设也许提供了完全误导的图像。然而，从处理另一个问题的经验我想到也许会有一道待证明的数学定理（根据标准的广义相对论）证明时空奇点是不可避免的，并因此证明黑洞的图像必须成立，只要坍缩达到类似“无归点”的条件。我不知道“无归点”(不用球形对称)有任何数学定义的判据，更别说陈述或证明一个适当的定理了。一位同事(艾佛·罗宾逊)从美国来访；当我们沿街走向我在伦敦比尔克贝克学院的办公室时，正滔滔不绝谈论一个完全不同的论题。我们的交谈在跨越人行道时停止了一瞬间，到了另一边又重新开始。就在这短暂的时刻，我显然得到一个思想，但是因为恢复交谈而把它在我脑中遮盖了！

当天，在我的同事离开之后，我回到自己的办公室。我记得有种古怪又难以解释的兴奋感觉。我开始把整天在我脑袋里发生的所有事情都想过了一遍，试图找出引起这种感觉的原因。在排除了许多不足够充分的原因后，最后想起了我跨过马路时得到的想法。这想法为我头脑中琢磨许久的问题提供解答，并使我一瞬间欣喜万分。这想法显然正是我需要的判据，后来我将之称作“捕获面”。然后，没花很长时间我就得到了寻求中的定理证明概要(*Penrose 1965*)。尽管如此，我花了一段时间才把该证明以完全严格的方式写出，但是我穿越街道时所得到的思想是一个关键。(有时候我怀疑，如果那天我还经历了其他不重要的事，我也许就根本记不得捕获面的思想！)

上面轶事使我想到另外有关灵感洞察的论题，就是我们在形成判断时，美学标准具有重大价值。美学标准对艺术来说是至高无上的。在艺术中美学是门高深的课题，哲学家们奉献终身去研究它。可以说在数学和科学中，美学标准仅是偶然的，而真理标准才是至高无上的。但是在人们考虑灵感和洞察问题时，似乎不可能把两种标准分开。我的印象是，坚信灵感的闪现与其美学品质有很密切的关系是正确的

（我应该加一句，并非百分之百可靠，但至少比纯粹碰运气可靠得多）。看起来漂亮的思想比看起来丑陋的思想对的机会更大得多。这至少是我自己的经验，其他人也表达过类似的感想（参阅*Chandrasekhar 1987*）。例如，*Hadamard 1945*，第31页）中写道：

> ……很显然若没有探索的意愿，任何有意义的发现或发明都不会发生。但是我们在庞加莱的经验中看到了一些别的什么，美感的干涉作为一个不可或缺的探索手段。我们得到了两重结论：
>
> 发明是一种选择。
>
> 这种选择绝对是由科学的美感所控制的。

例如还有狄拉克（1982）毫不掩饰地声称，正是他敏锐的美感使他预知电子的方程式（指的是369页的“狄拉克方程”），而其他人却无法找到。

我自己的思维肯定可以证明美学品质之重要性，不管是指一种“坚信”可具有“灵感”资格的思想，或是当一个人朝期望目标摸索时必须持续进行的一种更“例行”猜测。我曾在别处写过这相关的论题，特别是有关图10.3和4.11描述的非周期性镶嵌。毫无疑问，这些镶嵌中第一个镶嵌的美学品质——不仅是它的视觉外观，还有它迷人的数学性质——给了我一种直觉（可能是在“一瞬间”，但是大约只有60%肯定！），它可以由合适的搭配规则（也就是锯齿式组合）排列出来。我们很快就要再看到这些镶嵌模式（参阅*Penrose 1974*）。

我对这一点是非常清楚的，美学标准的重要性不仅适用于灵感的瞬息判断，而且也适用于我们在数学（或科学）研究中更须经常作的判断。严格的论证通常是最后的步骤！人们在此之前必须作许多猜测，美学信仰对于这些是极重要的，它总是受逻辑论证和已知事实的约束。

我正是把这些判断当成意识思维的标志。我猜想，即使是突然闪现的灵感，很显然也是由无意识的精神现成准备好了的。意识正是裁决者，如果思想不是"听起来不错"的话就会很快地被否决并忘掉。（古怪的是，我实际上的确忘记了我的捕获面，但是这不在我所指的同样水平的忘记。该思想进入意识的时间足够长，因而留下永久的印象。）我是在假定，我所指的"美学"否决是完全禁止没有魅力的思想到达意识的相当永久的层次。

那么在我的观点中，无意识在灵感思维中的作用是什么呢？我承认，这些问题不像我希望的那么清楚。无意识似乎的确在这范围扮演重要的角色，我应该同意一个观点，无意识过程很重要。我还应该同意，无意识的精神绝非仅仅随机地吐出思想来。必须存在一种强有力的选择步骤，使得意识精神只受"有机会的"思想扰动。我提议，这些选择判据（多半是"美学"的）已经被意识迫切的希求所影响（正如数学思想和已经建立的原理不协调时，就会有丑恶感觉伴随而来）。

与此相关的问题是，什么才构成真正的创造性。我觉得它牵涉到两个因素，也就是"提出"和"淘汰"过程。我想，"提出"过程大多是无意识的，而"淘汰"过程大多是有意识的。缺少有效的提出过程，根本就不会有新思想。但若仅有提出过程，则它的价值非常小。人们需要一个形成判断有效过程，使只有具备合理成功机会的思想留存下来。例如在睡觉中非常容易涌现奇思异想，但是很少能在清醒意识的严厉批判下存活下来。（我本人在睡梦状态就从未得到过成功的科学思想，而别人就幸运得多，譬如化学家凯库勒，发现了苯结构。）依我的意见，是意识的淘汰过程（也就是判断）而不是无意识的提出过程作为创造力的问题中心，但是我知道许多人持相反的观点。

在离开这令人相当不满意的状态之前，我应该提到灵感思维的另一个特点，就是它的**全局**特征。上述的庞加莱轶事是个显著的例子，在极短暂的时间内来到他头脑中的思想包含了大量的数学思维。非数学读者也许更能立即接受，（某些）艺术家把他们的创作整体瞬间记在头脑中（虽然毫无疑问一样地难理解）。莫扎特（正如*Hademard 1945*，第16页所引用的）生动地提供了一个使人惊奇的例子尽管现在被认为是假的，仍然很好阐明了他思想的当代观点：

> 当我感觉良好或处于风趣状态时，或者当我在美餐后驾车兜风或散步时，或者在难以入眠的夜晚，思绪犹如潮水般地涌进我的头脑。它们从何而来又如何来呢？我不知道，这与我无关。我把那些喜欢的留在脑中，并且轻轻地哼唱；至少别人曾告诉我，我是这么做的。一旦我得到了主旋律，其他旋律就依照整个乐曲的需要连接进来和主旋律配合，最后每一种乐器的配乐以及所有的旋律片断也参与进来，最后就产生了一部完整的作品。此时灵感在我的灵魂中燃烧。作品渐渐成熟，我不断地扩展它，把它孕育得越来越清晰，直到整个曲子在我的头脑中完成，尽管它

> 可能很长。该乐曲在我的精神中正如一幅美丽的图画或一位英俊的少年在眼前闪现。它并非连续地来临我的头脑中，而是我的想象使我完整地听到了它，然后才完成细节部分。

我觉得这和提出/淘汰的方案一致。虽然“提出”无疑是极有选择性的，不过它看来是无意识的（“这与我无关”）；而淘汰是有意识的品味仲裁人（“我把那些喜欢的留在脑中……”）。灵感思维的整体性在莫扎特的引语中特别明显（“它并非连续来临……而是完整地”）。也正如庞加莱的例子一样（“我没有证实这个思想。……那时没有时间去证实”）。此外，我还坚持，一般来说，我们意识思维已经呈现出明显的整体性。我将很快回到这个问题上来。

思维的非言语性

阿达马研究创造性思维令人印象深刻的要点之一，是拒绝接受迄今仍常听到的论题——言语是思维所必需的。引用爱因斯坦致阿达马信中的一段话就能把这问题解释得再好不过了：

> 词语或语言，无论是写的或说的，在我的思维机制中，似乎都不起任何作用。似乎作为思维要素的精神实体是一些能够“自愿”复制与结合的特定符号和一些大致还算清晰的图像……在我的情形中，上面提到的要素有视觉的和肌肉之类型。只有在第二阶段，当所提到的联想活动充分建立起来并能随意复制时，才须费心寻找习惯的词语或其他符号。

杰出的遗传学家佛朗西斯·高尔顿的一段话也值得引用：

> 写作是我的严重缺陷，言语表达的缺陷更严重。我用语言方式来思考比用其他方式更不容易。经常发生这样的事，在经过辛苦的工作后得到完全清楚和满意的结果，但当我试图用语言来表达时，我必须先使自己位于另一个完全不同的智力层面。我必须把自己的想法翻译成和它们不甚配合的语言。因此我在寻求合适的词汇和短语中浪费了大量的时间。我意识到，当突然必须演讲时，经常仅因为言语笨拙而不是因为缺乏清楚认知，使得我的演讲变得非常难懂。这是我生活中的小烦恼。

阿达马自己也写道：

> 我坚持，当我真正进行思考时，词语在我的头脑中根本不存在。我的情形和高尔顿完全一样。甚至在读到或听到一个问题后，从我开始思考的那一时刻起每一个词都消失了；我完全同意叔本华所写的："思想一旦被语言具体化就马上死去"。

因为这些例子和我自身的思维模式非常一致，所以才在这里引用。我几乎所有的数学思维都是按照视觉以及非语言的概念进行的，虽然这种思维经常伴随着愚笨并且几乎无用的言语评论，诸如"这件事跟着那件事，而那件事又跟着另一件事"。（我有时在简单的逻辑推导中会用到语言。）还有，我还经常亲身体验到这些思想家把他们思想翻译成语言时所遭遇到的困难。经常的原因就是找不到言语来表达需要的概念。事实上，我时常利用特别设计的图表来计算（参阅*Penrose and Rindler 1984*，424—434页），这些图表代表某类代数表达式的速记。把这些图表翻译成文字会是非常烦琐的过程，只有在必要向他人仔细解释时才把它当成最后的手段。还有一个相关的观察是，我曾注意到，如在我潜心于数学时，有人忽然要和我交谈，我在几秒钟内几乎不能说话。

我不是说我从来不用语言方式思考，只是我发现语言对数学思维几乎没有用处。其他种类的思维，譬如哲学也许更适合于用言语表达。这大概是为什么许多哲学家抱持一个观点认为，语言是智力或意识思维的根本！毫无疑问，不同的人以不同的方式思考，甚至仅就不同的数学家而言——这是我自己的经验。数学思维的主要倾向可分为解析式和几何式。虽然阿达马用视觉图像而不用言语描述来进行数学思考，但有趣的是他本人认为自己是用解析的方式思考。至于我自己则是非常倾向用几何方式思考。但是，各个不同的数学家的思考倾向的范围非常广阔。

一旦接受大多有意识思维确实具有非言语的特征——依我看来，基于前面一些理由这个结论是不可避免的——那么也许读者不难相信意识思维也具有非算法的成分！

记得在第9章（483页）我提到一个时常表达的观点，只有具有语言能力的那一半头脑（绝大多数人是左半边），可有意识能力。按照上面的讨论，读者应该很清楚为何我发现这种观点完全不能接受，我不知道总体来说，数学家是否倾向利用头脑之一半比另一半更多；但是毫无疑问，真正的数学思维须有高水平的意识。解析思维主要是在左半脑进行的，而几何思维通常归于右半部，所以可以很合理猜测大量有意识的数学活动实际上发生在右半边！

动物意识？

在结束言语化对意识的重要性这个论题之前，我要讨论早先曾简要提起的问题：非人类动物能否有意识。我觉得人们有时依据动物不能言语来推断它们不具备任何可觉察的意识，而且隐含着反对它们具有任何“权利”。读者容易看出，我认为这种论证是站不住脚的。这是因为很多复杂的（例如数学）意识思维不用言语就能进行。还有右半脑有时被认为只有和黑猩猩一样“少”的意识，亦是因为黑猩猩缺少言语能力（参阅*LeDoux 1985*，197页—216页）。

事实上，当允许黑猩猩或大猩猩使用符号语言，而不用正常人类的方式讲话时（它们不能讲话是由于缺少适用的声带），它们是否真正有言语能力引起许多争议（参阅*Blakemore and Greenfield 1987*的各种文章）。不过争议归争议，清楚的是，它们使用这种方法至少在某些基本程度上能互相沟通。依我自己的意见，有些人不承认这方式为“言语”是有点过于吝啬，也许有些人希望借口拒绝让猩猩进入言语俱乐部，因而排除它们进入有意识生物的俱乐部！

先不管语言的问题。有很好的证据显示黑猩猩能有真正的灵感。康拉德·洛伦兹（1972）描述过一只关在房间里的黑猩猩，一根香蕉悬挂在天花板，刚好使猩猩拿不到，并且在房间其他地方放一个盒子：

> 这事使得它烦躁不安，它又回到那里去。然后——没有更佳方式可以描述——它原先阴郁的脸忽然“发亮起来”。现在它的眼光从香蕉移到香蕉正下方的空地，从这里移到盒子那里，又移回空地来，再移到香蕉那里去。下一刻，它欢呼了起来，以极其高昂的情绪翻一个筋斗到了盒子旁边去。它把盒子推到香蕉下面，完全确信自己会成功。所有看到这一幕的人都不会怀疑类人猿体验到真正的“灵光一现”。

注意，正如当庞加莱踏上公共汽车时所经验的那样，黑猩猩在证实它的思想之前就“完全确信成功在握”。我认为这种判断需要意识。如果我是对的，那么这里就有证据显示非人类动物的确有意识。

有关海豚（及鲸鱼）还产生了一个有趣问题。人们会注意到，海豚的大脑和我们的一样大（甚至更大），海豚还能相互传递极其复杂的声音信号。也许它们为了于人类尺度或近似人类尺度的某种有别于“智慧”的目的而需要相当大的大脑。而且，由于它们缺乏适于抓、拿的手，不能建造我们能鉴赏的这种“文明”。虽然为着同一原因，它们不能写书，但或许它们有时像哲学家，沉思生活的意义以及为何它们在“那里”！它们是否有时通过复杂的水底声音信号来传递它们的“知觉”呢？我不晓得有任何研究指出它们是否用头脑特定的一边来“言语”并相互沟通。在和施行于人类的“分裂头脑”手术以及所隐含的“自我”连续性这令人困惑的意义相关联的方面，我们应该提到海豚不是整个头脑同时进入睡眠状态[4]，而是每次只有一半头脑睡着。如果我们能询问它们对意识的连续性有何“感觉”，那将会很有教益！

与柏拉图世界的接触

我提到过，不同的人似有许多不同的思考方式，而且不同的数学家也以不同的方式思考数学。我记得当我将要进大学研习数学时，以为会发现我未来的数学界同行多少会用和我一样的方式思考。以我在学校的经验是，我的同学思考方式似乎和我很不同，这使得我有点受挫。我本来兴奋地以为：“这下我可以找到很容易交流的同道了！有些人的思考方式比我的更有效，有些人差一些，但是所有人的脑波频率都和我一样。”我大错特错了！我相信，我比以前经验到更多的不同的思考模式！我的思考方式比他人较多几何成分而较少解析成分，但是我同事的各种思考模式有许多其他差异。我对于理解一个用言语方式解说的公式总是感到困难，而我许多同事似乎毫无这种困难。

当一位同事想对我解释一段数学时，通常我的经验是，我必须全神贯注地听，但是对一组词和另一组词之间的逻辑关联几乎完全不能理解。然而，在我脑中会形成一种猜测图像代表他所要传达的思想。这个图像完全是按照我自己的方式形成，而且和我同事所理解的脑中图像关系不大。经过这过程之后，我才能回答。令我相当吃惊的是，我的评语通常被接受，而交谈就以这种方式来回进行下去。在交谈结束时可以很清楚地看出，确实进行了一种真正而正面的交流。然而我们各自呢喃的实际句子似乎只有少数时候能被真正理解！在我成为专业数学家（或数学物理学家）之后这些年，我觉得这种现象比我当大学生时更为显著。也许随着我的数学经验增加，使我更容易猜测他人的解释想表明的意义，也可能使我自己解释事物时更能容忍其他的思考模式。但是在本质上并没有什么改变。

我自己经常感到困惑，按照这种奇怪的步骤如何能沟通。现在我想大胆提出一种解释，因为我认为它可能和我曾讨论过的其他问题有很深的关联。关键在于，人们在讨论数学时不只是传递事实。从一个人向另一个人传达一连串（偶然的）事实时，第一个人必须把所有事实仔细说明，而第二个人必须一一吸收进去。但是对于数学而言，事实的内容非常少。数学的陈述必须是真理（否则便是谬误！），即使第一位数学家的陈述仅是探索这样一个必要的真理，假定第二位充分理解前者的陈述，那么正是真理本身被传达给第二位数学家。第二位的脑中图像也许在细节上和第一位的图像不同，他们的言语描述也可以不同，但是相关的数学思想已在他们之间交流了。

若不是有趣或高深的数学真理在一般数学真理中寥若晨星的话，则这类沟通根本不可能。譬如，要传递像 4 897 × 512 = 2 507 264 这样乏味的陈述，为了传达这精确的陈述时，第二位的确必须要能理解第一位。但是，对于数学中有趣的陈述，即使描述非常不精确，人们经常仍然能够掌握所要传递的概念。

由于数学是精确度最高的学科，这里似乎存在一个佯谬。的确，在书面上为了保证各种陈述既精密又完整，人们必须十分费心。然而，为了传达数学思想（通常利用言语描述），这种精确性有时会先产生抑制作用，而可能需要更模糊的叙述性传递形式。在掌握了观念的实质后再考虑细节。

数学观念如何能用这种方式传递呢？我想只要头脑在感知一个数学观念，它就是和数学观念的柏拉图世界接触。（回想一下，按照柏拉图的观点，数学观念本身是存在的，它存在于柏拉图的理想世界里，只有通过智慧才能接触到，参阅127页，205页。）当有人“看见”了一个数学真理，他的意识突破到这个理念世界中去，并与之直接接触（“通过智慧来接触”）。我描述过这种“看见”与哥德尔定理的关系，而它是数学理解的精髓。正是由于每位数学家都有直接通往真理的道路，他们之间的相互交流才有可能。每一个生物的意识都是通过这个“看见”的过程，来直接感知数学真理。（的确，这种感知的行为时常伴随着“啊，我看到了！”的惊喜！）由于每人都能和柏拉图世界直接接触，他们比人们所预期的更容易进行交流。当进行这种柏拉图接触时，各人在每种情形下所具有的精神图像也许相当不同，但是由于大家直接和同一外部存在的柏拉图世界接触，所以才可能进行交流！

按照这种观点，精神总是能够进行这种直接接触。但是每一次只能进行一点。数学的发现包含接触范围的扩展。由于数学真理必须是真理，在技术的意义上讲，并没有实际的“信息”传递给发现者。所有信息一直存在那里。人们只不过是把东西放在一起并“看见”了答案！这和柏拉图自己的观念非常一致，发现（譬如数学）只不过是一种记忆形式！的确，我就经常感到吃惊，因为记不住某人名字和找不到正确的数学概念之间具有相同点。在每一种情形下，所要寻找的概念在某种意义上已经存在我的脑中，尽管尚未发现的数学观念具有更不平常的语言形式。

为了使这种观察事物的方式有助于数学交流，人们必须想象，有趣高深的数学观念比乏味平凡的思想更有力地存在。这对于下一段猜测性考察具有重大意义。

物理实在的一个观点

意识如何能在物理实在的宇宙中产生，任何有关的观点至少要隐含地解决物理实在本身的问题。

例如，强人工智能的观点认为，“精神”通过一个足够复杂的算法体现找到了自身的存在，而这个算法可由物理世界的某物体来执行。而这些实际的物体究竟是什么并没关系。神经信号、沿着导线的电流、齿轮、滑轮或水管都可做得一样好。算法本身被认为是所有关键之处。但是，对独立于任何特殊的物理体现而“存在”的一个算法，柏拉图的数学观点似乎是必要的。一位强人工智能支持者很难采取不同观点，如“数学观念只存在于精神中”。因为这会导致逻辑循环，为了算法的存在，预先需要精神的存在，而为了精神的存在，则预先需要存在的算法！他们也许企图采取这样的论证，即算法可作为一张纸上的痕迹、一块铁上的磁化方向或一台电脑存储器上的电荷位移而存在。但是，这种物质形态自身实际上不具有算法。为了得到算法，它们需要一个解释，也就是必须能对这些形态解码；这就要依赖写这算法的“语言”。为了理解这语言，预先存在的头脑似乎又是必需的，这样我们又回到了出发之处。那么，我们就接受算法处于柏拉图世界中。根据强人工智能的观点，那个世界正是精神之所在。我们现在就必须面对物理世界和柏拉图世界如何相互关联的问题。依我看来，这正是强人工智能对精神–身体问题的说法！

既然我相信（意识的）精神不是算法实体，我自己的观点与上述不同。但是，当我发现在强人工智能和我自己的观点之间有许多共同点时有些受窘。我曾指出，我相信意识和必要真理的感知有密切关联，并因此得以和柏拉图的数学概念世界直接接触。这不是一个算法的过程，我们并不特别关心也许栖息在那个世界的算法。但是根据这个观点，再一次看到精神–身体问题密切关系着另一个问题：柏拉图世界与具有实在物体的“真实”世界如何相关。

我们在第5章和第6章看到，实际物理世界以惊人方式符合一些非常精密的数学方案（参阅197页的**超等**理论）。人们经常评论这些精密度是何等不寻常（尤其参阅*Wigner 1960*）。我很难相信光靠随机自然选择加以淘汰，使得只有好的思想保存下来，就能产生超等的理论，像有些人企图坚持的。好的思想实在是太好了，用这种随机淘汰后留存的方式根本不可能产生。必须有一种更深入的基本原因使数学和物理之间，也就是柏拉图世界和物理世界之间相符合。

就“柏拉图世界”而言，人们赋予了它某种实在性，可以在某方面和物理世界的实在性相比。另一方面，物理世界本身的实在性显得比发现相对论和量子力学等**超等**理论之前更加模糊了（参阅197页、198页，尤其是367页的评论）。正是这些理论的精确性为实际物理实在提供近乎抽象的数学存在，这难道不是一个佯谬吗？具体的实在怎么会变成抽象和数学的呢？这也许是抽象数学概念如何在柏拉图世界中获得近乎具体实在的硬币的另一面。也许就某种意义来说，这两个世界是同一的？（参阅 *Wigner 1960*；*Penrose 1979a*；*Barrow 1988*；还有 *Atkins 1987*。）

虽然我强烈同情实际上把两个世界视为同等的这种思想，对这问题还有更多讨论余地。正如我在第3章和本章前面提到过，某些数学真理比其他的具有更强烈的（“更深刻的”、“更有趣的”、“更富有成果的”？）的柏拉图实在性。这些也就更强烈等同于物理实在的运行。[复数系统（参阅第3章）就是一个例子，它是量子力学的基本部分，即概率幅。] 利用这种认同性，“精神”如何能揭示出物理世界和柏拉图数学世界之间某种神秘的联结就更容易理解。我们还可回忆在第4章描述过，数学世界中有许多部分，而且有些是最深奥最有趣的部分，有非算法的特性。所以，在我试图详细解释的观点基础上，非算法行为很可能在物理世界中具有非常重要的作用。我设想，这种作用和“精神”的概念本身密不可分。

宿命论和强宿命论

迄今为止我对于“自由意志”的问题讲得很少，自由意志通常被当作精神–身体问题主动部分的基本论题。我的精力集中于设想意识行为的作用本质上有非算法的一面。我们记得，在大多数**超等**理论中存在一种清清楚楚的宿命论。就这种意义来说，如果我们知道系统在任一时刻的态[5]，那么理论的方程式把该系统的态在以后（或以前）

的任何时刻完全地固定死。由于一个系统未来的行为似乎被物理定律所完全决定，因此似乎没有任何“自由意志”的余地。甚至量子力学的***U***部分也具有这种完全决定性的特征。然而“量子跃迁”***R***不是宿命论的，它把完全随机的因素引进时间演化中来。早先，许多人踊跃接受以下可能性，即这里可以是自由意志用武之地，意识的作用对单独系统跃迁的方式也许有某种直接效应。但是，尽管我们希望我们的自由意志有所作为，如果***R***是真正随机的，则它也不会有多大帮助。

虽然我的观点在这方面尚未很明确，不过我认为有些新过程（CQG；参阅第8章）可能超越在***U***和***R***（现在这两者都被认为是它的近似）之间的量子–经典界限，而这个新的过程包含本质上非算法的因素。其中一个含义是，甚至即使未来可以被现在所决定，它也不能从现在计算出来。我在第5章的讨论中试图清楚地把可计算性从决定性中区别出来。我以为CQG是决定性但非计算性的理论很可以说得通[1]。（回忆一下我在第5章220页所描述不可计算的“玩具模型”。）

人们有时采取这样的观点，即使是经典（或***U***——量子）宿命论也不是一个有效的宿命论，因为不能真正充分知道初始状态，使得将来实际上能被计算出来。有时初始条件非常微小的改变会导致最后结果非常大的差异。例如发生在（经典的）宿命性系统中被称作“混沌”的现象——天气预报的不确定性即为其中一例。然而，非常使人难

1. 可以指出，至少有一种量子引力论的方法，该方法涉及不可计算性的因素（*Geroch and Hartle 1986*）。

以置信的是，这种经典的不确定性会允许我们的自由意志（或只是幻象？）。虽然我们不能计算出未来的行为，但是一直从大爆炸开始，未来行为仍然是被决定了的（参阅225页）。

同一个反对意见也用来反对我的建议。从这个观点看，未来世界虽然不是可计算的，但仍然被过去所完全固定，这可以一直回溯到大爆炸。实际上，我并非独断地坚持CQG必须是决定性而非计算性的。我猜想我们寻求的理论会比这些描述更加微妙。我只要求这理论必须本质上包含非算法的因素。

为了结束这一节，我想评论一下人们对宿命论可能坚持采取更极端的观点。这就是我所谓的强宿命论（*Penrose 1987b*）。根据强宿命论，不仅未来的事由过去所决定；根据某种精密的数学方案，宇宙在所有时刻的全部历史都是固定的。因为柏拉图世界是一下子就全部固定好了的，对这宇宙并没有什么“其他可能性”！如果人们倾向于认定柏拉图世界和物理世界相同，这种观点颇具魅力。（我有时怀疑，当爱因斯坦写下“我所真正感兴趣的是，上帝是否能以不同的方式来创造世界；也就是说，必要的逻辑简单性是否为自由选择留下任何余地！”时，不知在他脑中是否有过这种方案。（致恩斯特·斯特劳斯的信；见*Kuznestsov 1977*，P285）。

人们可以把量子力学的多世界观点（参阅第6章378页）当作一个变种的强宿命论。根据这类观点，一个精确的数学方案固定的不是单独的个别宇宙历史，而是固定了所有无数个由它所决定的“可能的”宇宙历史。尽管这个方案（至少对我来说）呈现出令人不满意的性质和一大堆问题与缺陷，我们却不能排除这方案的可能性。

我觉得，如果人们持强宿命论但同时不持多世界观点，则制约宇宙结构的数学方案也许必须是非算法的[6]。原因在于，如果不是这样，人们便可以原则上计算出下一时刻将要发生的事，然后他可以“决定”去做其他完全不同的事，这就会在“自由意志”和这理论的强宿命论性质之间产生显著矛盾。在理论中引进不可计算性就会避开这一矛盾——虽然我必须承认，我对这种解决办法颇感不舒服，而且我还预料，有些更加微妙的、实际的（非算法的！）规则实际在制约这个世界的运行！

人存原理

意识对于整个宇宙有多重要呢？缺少任何有意识的居住者的宇宙能否存在呢？物理定律是不是为了允许意识生命存在而特别设计出来的呢？我们在宇宙的无论空间还是时间中的位置是否有任何特殊的地方？这些就是所谓人存原理所讨论的问题。

该原理有许多形式。（见*Barrow and Tipler 1986*。）这些讨论中最被广泛接受的仅仅是意识（或“智慧”）生命在宇宙时空中的定位。这是弱人存原理。这种论证可以用来解释，现在地球上的条件为何刚好适合于地球上（智慧）生命的存在。如果条件不是刚好，我们不应发现自己现在处在这个地方，而是在别的什么地方，在其他适当的时间。布兰登·卡特和罗伯特·狄克非常有效地利用此原则解决了困惑物理学家许多年的问题。这问题是关于从观察发现的物理常数（引力常数、质子质量、宇宙年龄等)之间保持的各种令人惊讶的数值关系。令人不解的是,有些关系只有在现代地球历史才成立,所以我们刚好生活在这非常特殊的时期(大概几百万年!)。后来卡特和狄克用下列事实来解释:这个时期同被称为主序星(如太阳)的生命周期一致。在其他任何时期,按照同样的论证,四周就不会有智慧生命来测量讨论中的物理常数,所以这种巧合必须成立,因为只有在这巧合成立的特定时刻四周才会有智慧生命!

强人存原理牵涉得更广。在这情形下,我们不仅关心自己在这宇宙中,也关心在无限个可能的宇宙中时空的定位。我们现在可以回答为什么物理常数或一般物理定律要特别设计才能使智慧生命得以存在。其论证是,如果这些常数或定律是不同的,则我们就不应该处于这个特定宇宙中,而应该处于其他宇宙中!依照我的意见,强人存原理有个可疑的特征,好像只要理论家提不出更好的理论去解释观察的事实,就会提出强人存原理(也就是在粒子物理理论中,粒子的质量是没有解释的,人们因而断言,如果它们的数值和被观察到的数值不同,则生命便不可能存在,等等)。另一方面,假定人们小心地使用弱人存原理,我觉得它是无懈可击的。

由于使用人存原理——不管是强的还是弱的——人们可以尝试展示,由于知觉生物,也就是"我们",必须存在以观察世界的这一事实,意识的存在便是不可避免的,所以人们不必像我以前一样,去假定知觉具有任何选择优势!我的看法是,这个论证技术上是正确的,弱人存原理的论证(至少)能为意识不需自然选择的帮忙而存在提供原因。另一方面,我相信人存论证不是意识演化的真正(或仅有)原因。从其他方向有足够的证据使我信服，意识具备强而有力的选择优势，而且我认为人存论证是不必要的。

镶嵌和准晶体

我现在要从前几节的大胆猜测转而考虑更科学和更“具体”的问题，虽然仍有一点猜测性。这个问题初看起来有点离题。但是它对我们的意义在下一节就会变得明显。

我们回忆在180页图4.12中的镶嵌模式。这些模式令人惊异之处在于，它们“几乎”违反了一个与晶格有关的标准数学定理。该定理叙述道：在结晶模式中只允许二重、三重、四重和六重的旋转对称。所谓结晶模式，我是指具有平移对称点的分立系统。所谓平移对称是说，用一种自身滑动而不转动的方式，使得该模式和自身相重合（就是说移动不会改变该模式）而且因此有周期性的平行四边形（见图4.8）。图10.2绘出了这些允许的旋转对称的镶嵌模式例子。现在图4.12的模式，正如图10.3中那样（它基本上是由179页图4.11的花砖拼在一起产生的镶嵌），却又几乎具有平移对称和几乎具有五重对称。这里“几乎”的意思是：人们可以找到模式（分别为平移和旋转）的运动，并且这模式的自身重合能达到任何预先指定的比百分之百略低的相合性。我们在此没有必要去忧虑它准确的意思。我们在这里所关心的是，如果有一种物质的各原子被安置在这种模式的各顶点，则这物质就显得像晶体，但它会呈现出被禁止的五重对称性！

1984年12月，正在美国华盛顿首都国立标准局与同事共同研究

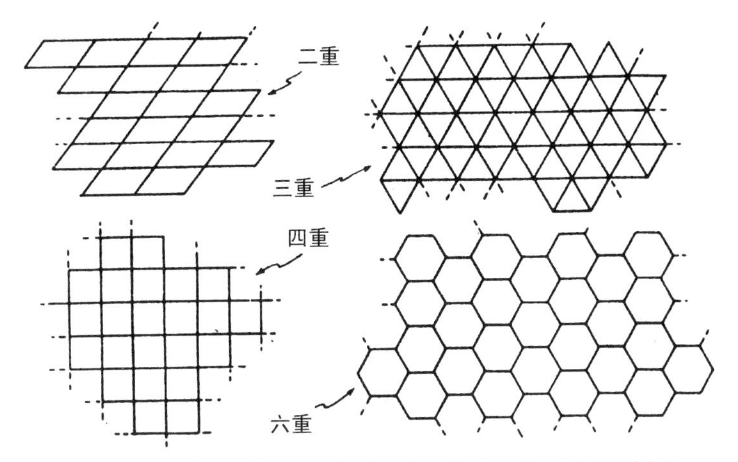

图10.2 具有不同对称的周期性镶嵌(在这里的每一种情形中，把花砖的中心当作对称的中心。)

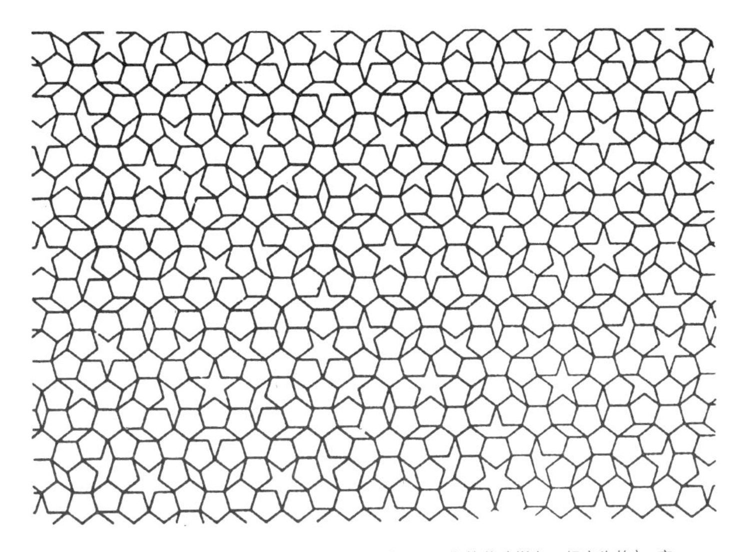

图10.3 一种准周期性镶嵌(基本上是由图4.11中的花砖拼在一起产生的)。它具有晶体学中“不可能的”五重准对称

的以色列物理学家丹尼·谢赫特曼宣布发现了一种铝锰合金的相，它的确像类晶体物质，现在称为准晶体，它具有五重对称。事实上，这种准晶体还具有存在于三维中而不仅是平面上的对称性，这就给出了总共有正二十面体的对称性（*Shechtman et al.1984*）。（类似我的五重平面镶嵌，三维“二十面体”类似物被罗伯特·安曼在1975年发现，见*Gardner 1989*。）谢赫特曼的合金只能形成大约千分之一毫米非常微小的准晶体。但是，后来还发现其他的准晶态物质，尤其是一种铝-锂-铜合金，其二十面体对称单元可长成大约1毫米的尺度，用肉眼都能完全看得到（图10.4）。

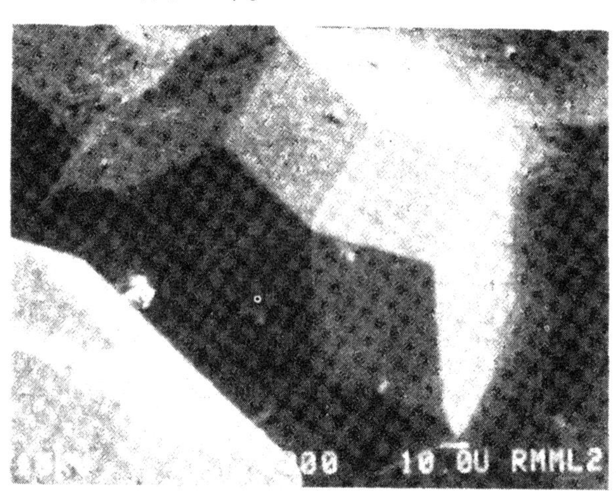

图10.4　这准晶体显然具有不可能的晶体对称性（一种铝-锂-铜合金）（取自盖尔1987）

现在我所描述的准晶体镶嵌模式有一个显著特征，即它们的拼合必须是非局部的。这就是说，在装配该模式时，必须不时考察距离装配点许许多多“原子”之遥的模式状态，以保证把许多小块放在一起时不发生严重的错误。（这也许有点像我在讨论自然选择时，曾提及的“智慧探求”。）这一类特征是当前围绕准晶体结构和成长问题重大争议的一部分。在解决一些突出的问题之前，匆忙作确定的结论显然是不明智的。尽管如此，人们可以猜测，而且我将大胆提出自己的意见。首先，我相信这些准晶态物质的确具有高度组织，而且它们的原子排列和我考察过的镶嵌模式相当接近。其次（我的意见是属于比较尝试性的）这意味着不能按照符合晶体成长的经典图像，依靠每次局部地添加一个原子来合理地完成它们的装配，它们的装配一定有本质上量子力学的非局部性因素[7]。

我描绘这种成长的发生方式是，原子不是单独来到并自己附到连续移动的成长线上去（经典晶体成长）。人们必须考虑附加原子的许多不同排列的量子线性叠加的演化（量子过程 U）。这的确是量子力学告诉我们必须（几乎总是）发生的！不是只发生一个原子排列；许多不同的原子排列必须在复线性叠加中共存。这些不同的叠加选择中有一些会成长为大很多的团块，而且在某一点，某些不同选择的引力场之间的差别将会达到单引力子的水平（或不管什么适当的水平；见第8章466页）。在这阶段，其中一种排列（或可能仍是一种叠加，不过却是一种缩减了的叠加）会成为“实在”的排列而被挑中（量子过程 R）。这个叠加形态和更确定的形态减缩会一道以越来越大的尺度继续下去，直到形成相当尺度的准晶体。

正常情况下，当大自然寻求一种晶体排列时，它总是寻求具有最低能量的排列（把背景温度当作零），我在准晶体生长中摹想一种类似情形。差别在于，这种最低能量的状态更难寻找，而且原子“最佳”排列不能只靠一次加上一个原子，然后希望每个单独原子能解决自己的最小化问题就可以了。正相反，我们有一个全局性的问题要解决。解决方法是大量原子必须在同一时刻共同出力。我坚持认为，必须用量子力学方式才能得到这种合作；而进行合作的方式是，在线性叠加中原子的许多不同的组合排列同时一起“试验”（有点像在第9章结尾讨论的量子电脑）。最小化问题合适的解（虽然也许不是最好的）只有在单引力子（或别的适当的）水平达到时才能得到答案，而这只有当物理条件刚好适合时才会发生。

与头脑可塑性的可能关联

现在让我进一步推进这些猜测，并且询问它们是否和头脑的功能有任何关联。就我所见，这种关联最有可能呈现在头脑可塑性的现象中。我们记得头脑不完全像一台普通电脑，而是比较像一台持续不断改变的电脑。这些变化显然是树突棘成长或收缩导致该突触激发或退激发而引起的（见第9章第499页，图9.15）。我大胆猜测，这种成长或收缩可由类似准晶体成长的过程所制约。这样，可能不仅其他可能形态之一被试验，而且大量的复线性叠加形态也被试验。只要这选择的效应被维持在单引力子（或任何别的什么）水平之下，这些形态就能共存（而且按照量子力学的 $\boldsymbol{U}$ 步骤，几乎不变地必然共存）。如果维持在这个水平之下，则可以开始进行同时发生的叠加计算，这和量子电脑的原则非常符合。然而，这些叠合似乎不太可能长期维持，因为神经信号产生的电场仍会严重扰动附近的物质（虽然神经元髓鞘质的鞘有助于电绝缘）。我们猜测，这种计算的叠加实际上至少能维持一段时间，使得在达到单引力子（或别的什么）水平之前可以实际计算出某种有意义的结果。这类计算的成功结果会取代准晶体成长时简单的能量最小化的“目标”。这样，达到这个目标的过程正类似准晶体成功成长的过程！

这些猜测显然有许多模糊和疑虑之处。但是我相信它们之间的类比确实是有道理的。晶体或准晶体的成长受到它附近适当原子和分子浓度的严重影响。人们可以同样摹想，树突棘族的成长或收缩会同样受到周围的神经传递物质浓度的影响（譬如可能受到情绪的影响）。任何原子排列最终化解（或“缩减”）成准晶体的实在性都涉及能量最小化问题的解答。所以我以类似的方式猜测，在头脑中浮现的实在思维又是某问题的解答，但是现在这问题不只是能量最小化而已。它会涉及性质更复杂得多的目标，即有关头脑的计算方面和能力的需求和意图。我猜想，从原本是线性叠加的不同选择中寻找解答和意识思维的作用有密切的关系。这所有都与制约在***U***和***R***界限之间的未知物理有关。我现在宣称，这些未知物理的答案有赖于还未发现的量子引力理论——CQG！

这样的一个物理作用在性质上会是非算法的吗？我们回想一下第4章内描述的一般镶嵌问题。人们可以摹想原子组合问题会具有这种非算法的性质。如果这些问题能用我暗示的手段“解决”，则在我设想的头脑行为类型中的确有非算法因素的可能性。然而由此推理，在CQG中必须有某些非算法的因素。这里显然有许多猜测成分。但是依我看来，按照上面的观点，一定需要具有非算法特征的某些东西。

这类头脑联结的变化能发生多快？这个问题在神经生理学家之间有点争议。但是，由于永久的记忆可在十分之几秒的时间内记录下来，所以有关的改变可在这种时间内实现是不无道理的。为了使我自己的观点有机会成功，这类速度确实必要。

意识的时间延迟

我想接着描述两个对人类实行的实验（在*Harth 1982*的书中所描述的），这些发现对我们这里的考虑具有相当惊人的含义。这些和意识的主动与被动行为所需的时间有关。第一个实验有关意识的主动作用，而第二个是被动作用。合在一起，则含义会更加显著。

第一个实验是H.H.科恩胡伯和他的助手于1976年在德国进行的（*Deeke*，*Grötzinger*，*and Kornhuber 1976*）。一些病人自愿把他们头上某一点的电信号（用人脑电流计，即EEG）记录下来，他们被要求在不同时刻完全出于自己的选择把自己右手的食指突然弯曲。其想法是，EEG的记录可以表示在脑壳内发生的某种精神活动，即参与弯曲手指的实际意识决定。为了从EEG追踪中得到有意义的信号，必须把几个不同的追踪试验平均一下，得到的信号不是很确定。然而，人们发现了一种很令人注意的现象，在手指实际弯曲之前整整一秒钟，或许甚至一秒半，从记录可以看到电位逐步在上升。这似乎表明，意识的决定过程需要超过一秒钟时间才会有行动出现！这种情形可以和另一情形相对照，当反应模式预先设定时，对外界信号产生反应所需的时间要短得多。例如，手指的弯曲不是出于“自由意志”，而是对闪光信号产生反应。在这种情形下，大约为1/5秒的反射时间是正常的，这大约比在科恩胡伯数据中（图10.5）检验的“自愿”行为快5倍左右。

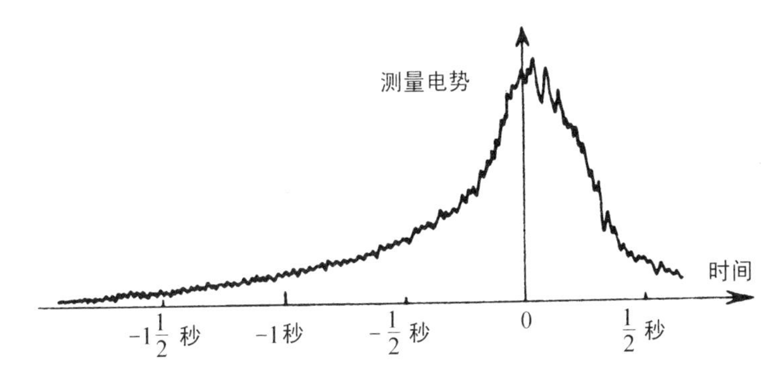

图10.5 科恩胡伯实验。手指弯曲的决定似乎在时间0作出，而预兆的信号（基于许多试验的平均）暗示企图弯曲的"先知"

在第二个实验中，加州大学的本杰明·利贝特和旧金山锡安山神经研究所的贝特拉姆·芬斯坦合作（*Libet et al.1979*），检测了必须进行脑外科手术的病人（进行手术的原因与该实验无关），并且同意把电极放在他们头脑触觉皮质的点上。李伯特实验的结果是，当刺激作用于这些病人的皮肤时，他们大约需要半秒钟才能知觉到刺激，尽管头脑本身只需要大约1/100秒的时间接收到这个刺激信号，而且头脑能在大约1/10秒内得到预编程序的对这种刺激的"反射"反应（参阅上文和图10.6）。此外，尽管在刺激到达知觉之前有半秒钟的延迟，病人本身会有主观印象，以为在他们知觉到刺激时根本就没有发生过延迟！（利贝特的一些实验涉及丘脑的刺激，参阅478页，其结果类似触觉皮质的刺激。）

我们记得，触觉皮质是大脑中感觉信号进入的区域。所以，在触觉皮质上对应于皮肤某个特殊点的电刺激会使病人觉得犹如某种东西实际上触及皮肤上那一点。然而人们发现，如果该电刺激过于短促（短于半秒钟），则病人根本没有任何感觉。这情形可以用来和直接刺激皮肤上某一点的反应相对照，因为皮肤上一瞬间的接触都能被感觉到。

现在假定皮肤首先被触及，然后在触觉皮质的对应点加上电刺激。病人感觉到了什么？如果电刺激是在接触皮肤之后的1/4秒左右开始，则根本不会感觉到皮肤接触！这种效应被称为往前遮盖。刺激皮质在

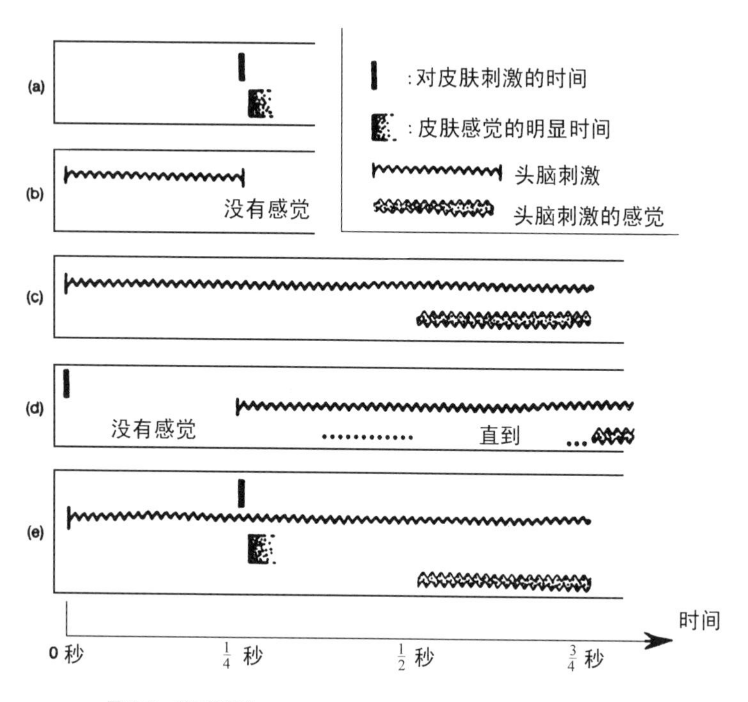

图10.6 利贝特实验

(a)对皮肤的刺激“似乎”大约在该刺激实际时刻被知觉。

(b)比半秒短的皮质刺激未被知觉。

(c)比半秒长的皮质刺激在半秒后被知觉。

(d)这样一个皮质刺激能够“往前遮盖”早先的一个皮肤刺激，这表明皮肤刺激的知觉实际上直到皮质刺激的时刻还没发生。

(e)如果在这种皮质刺激之后很短的时间内加上一个皮肤刺激，则皮肤知觉被“认为属于以前的”，但是皮质知觉并非如此。

某方面用于防止正常皮肤接触的感觉被有意识地感觉到。只要事件发生在知觉感觉之后大约半秒钟之内，它就会被这后面的事件所阻止（“遮盖”）。这作用本身告诉我们，这一种感觉的知觉意识是在产生该感觉的实际事件后大约半秒钟发生！

然而，人们似乎并没“感觉到”知觉延迟了这么长久的时间。赋予这个奇怪发现的意义的一个方法是，想象人所有“知觉”的“时间”实际上是从“实际时间”延迟大约半秒钟，犹如人们内部的钟“错”半秒钟左右。一个人感觉事件发生的时间总是在该事件实际发生的半秒钟之后。这就呈现出一幅协调的感觉印象的图像，虽然存在令人困惑的延迟。

也许在利贝特实验的第二部分可以证实这类性质。他首先对皮质进行电刺激，这个刺激延续比半秒还要长久许多的时间，一面进行刺激并同时接触皮肤，不过要从电刺激开始后半秒之内开始接触。不管是皮质刺激还是皮肤接触都被分别感觉到，而且病人很清楚分辨出两个刺激。当询问哪一个刺激先发生，病人却会说皮肤接触在先，尽管在事实上皮质刺激先开始！这样，病人看来把皮肤接触的知觉在时间上大约往回倒退半秒钟（图10.6）。然而，这似乎不是内部知觉时间的整体“错误”，而仅是在感觉事件时序上更微妙的重新安排。对于皮质刺激，假定在开始刺激后半秒之内被实际知觉到，则似乎不会以这种方式向过去回溯。

我们从上述的第一个实验可以推导出，意识行为在它发挥作用之前需要1秒或1秒半的时间，而根据第二个实验，似乎要在外界事件发生了半秒钟之后才意识到该事件的发生。想象一个人对某个未预料到的外界事件反应时会如何。假设这反应需要瞬间意识思考。根据利贝特的发现，意识作用之前必须花费半秒的时间；而且然后如科恩胡伯的数据所隐含的，必须花费比一秒还多很多的时间，人们“意志”的回应才能生效。从感觉输入直到动作输出的整个过程需要2秒钟左右！把这两个实验放在一起的明显含义是，如果反应是在大约2秒钟之内产生，则意识根本未对外界的事件回应！

时间在意识知觉中的奇怪作用

我们能够完全相信这些实验吗？如果这样的话，我们似乎便被迫接受这个结论：当我们需要用少于1秒或2秒的时间采取行动去修正一个反应时，我们的行为完全像一台“自动机”。比较神经系统中的其他构造，意识无疑是行动迟缓的。我本人注意到这类事件，譬如正在我用手关车门的瞬间，无可奈何地看到在车子里还有一样东西待取出来。而我要停止手动作的意志命令进行得奇慢，以至于来不及阻止关门。但这真需要整整1秒或2秒的时间吗？我觉得不像要用这么长的时间尺度。当然，我对车中物体的知觉，加上我想象的“自由意志”命令去阻止我的手，我的有意识知觉都可以在这两个事件之后才发生。也许意识仅是旁观者，而只不过经验到这出戏的“重演”而已。相似地，从表面上看，根据上面的发现，譬如当一个人在打网球时，不会有时间让意识起任何作用，在打乒乓球时更是如此！无疑这些球类的专家用小脑控制为他们所有的主要反应预先编好极佳的程序。但是，若说意识对于何时应打何种球路没有任何作用，我有点难以同意。无疑必须预测对手将会做什么，而且对于对手可能的每一招都准备好许多预编的程序来反应，但我觉得这不很有效率，而且我难以接受在这期间一点也没涉及意识。这类评论对于日常交谈更为恰当。还有在交谈中，虽然人们有点能预期别人会说什么，但在别人的评论中总是经常发现一些出乎意料的东西，否则交谈就变得完全不必要！在通常的交谈方式中肯定不必花2秒钟那么长的时间去对别人反应。

也许有理由怀疑康胡贝实验足以证明意识“实际”需要1秒半时间来行动。虽然弯曲手指的意图的所有EEG追踪平均早那么许多就出现信号，也许只有某些情形这么早就有弯曲手指的意图，而这个有意识的意图也许实际上没有实现，并且还有其他许多情形意识行为产生时刻距离手指弯曲的时刻要接近得多。（的确，后来一些实验结果导致和科恩胡伯不同的解释，参阅*Libet 1987*，*1989*。尽管如此，我们仍对意识定时的问题深感困惑。）

我们此刻先认为两个实验结论实际上成立。我将做一个与此相关而令人忧心的设想。我认为，当我们考虑意识时对时间使用通常的物理规则，可能实际上犯了极大的错误！的确，时间实际进入我们意识感觉的方式有种非常古怪的性质。我想，若我们试图把意识知觉放进传统时序框架中，则可能需要非常不同的概念。意识毕竟是一种我们知道的现象，根据这种现象时间必须“流逝”！现代物理学处理时间的方式和处理空间[1]没有什么根本的不同，而物理描述的“时间”根本没有真正“流动”；我们只有一个显得静止的固定的“时空”，在时空

1. 在二维时空中这种在时间和空间之间的对称会变得更加显著。二维时空物理的方程式相对空间和时间的交换本质上是对称的。然而，没人会认为在二维物理中空间在“流动”。如果认为在我们知道的物理世界经验中，使时间“实际流动”只是因为在我们时空内恰好空间维数（3）和时间维数（1）之间不对称，那是令人非常难以接受的。

的框架里展开我们宇宙中的事件！然而，根据我们的知觉，时间的确在流动（见第7章）。我的猜想是，这里也有些幻觉，我们知觉的时间不是“真的”完全像我们感觉到的以线性流动方式向前流动（不管这个含义是什么！）。我宣称，我们“表面”感觉到的时序是我们强加在感觉上的，以便理解我们的感觉和外在物理实在的均匀前进的时间之间相关联。

许多人也许在上面论述中找到大量哲学上的“不坚实之处”，他们这种指责无疑是正确的。一个人怎么可能对自己实际感觉的东西“弄错”呢？是的，按照定义，一个人实际知觉正是他直接发觉的东西，所以他不会弄错。尽管如此，我以为我们对于时间进展的知觉确实很可能是错的（虽然我无法充分使用平常语言去描述这信念），而且存在一些支持这些信念的证据（见*Church Land 1984*）。

莫扎特“一瞥”即能捉住整篇“虽然可能会很长”的乐谱就是一个极端的例子（532页）。从莫扎特的描述中，人们必须假想这“一瞥”包含了整个乐曲的精华。然而，用通常的物理术语，这个知觉意识行为的这段实际外在时间，根本无法和表演乐曲所需的时间相比较。人们也许想象，莫扎特的感觉会采用完全不同的形式，也许像视觉景观或像用空间分布的方式一下子写出整篇乐谱一样。但是，即便是音符也需要相当长时间去精读，所以我非常怀疑莫扎特最开始用这种方式来感觉他的乐曲（或者他一定会这么说！）。视觉景观似乎更接近他的描述，但是（就我本人最熟悉的，最常见的数学景象）我极其怀疑会有任何方法可以把音乐直接译成视觉语言。依我看来，更有可能的是，莫扎特“一瞥”的最佳解释必定纯粹是音乐性的，但和聆听（或表演）一段音乐有不同的时间内涵。音乐是由需要一定时间去表演的声音组成，这种时间在莫扎特的实际描述中允许“…… 我的想象使我听到了它。”

请听J.S. 巴赫的“赋格的艺术”的最后一部四重赋格曲。所有能体会巴赫音乐的人，在这乐曲演奏10分钟，刚进入第三主题音乐休止的时候，没有不被感动的。整个曲子仿佛还在“那里”，但是现在一眨眼工夫就从我们耳边渐渐消隐而去。巴赫在完成这一个作品前死去，而他的乐曲就停在那一点，他没有留下任何只言片语表明他想如何继续。然而，该作品从开头就充满着自信和熟练，不能想象在那时刻他的头脑中没有完全掌握整个曲子的精华。当他尝试种种改善时，他是否需要在脑袋里以正常演奏节拍一次次从头到尾对自己演奏和尝试呢？我不能想象他会如此进行。和莫扎特一样，他必须是把作品及其赋格曲整个孕育出来，以乐章所必需的复杂性和艺术性全部一起涌现出来。然而，音乐的时间品格是它的一种基本要素。如果不在“真实时间”里表演，它还成音乐吗？

小说或历史的孕育也许呈现可互相比较（虽然似乎困惑较少）的问题。在了解某人的一生时，必须思考他一生中不同的事件，好像必须在“真实时间”内重演才能评价这些事件。然而这并不必要。实际上，人的回忆能把以往费时的经验仿佛“压缩”到一瞬间内，并把它几乎“重过”了一遍！

在音乐作曲和数学思考之间或许有一些强烈的相似性。人们也许认为数学证明要通过逻辑过程来获得，每一步都跟着前面那一步。然而，产生新论证概念全不以这种方式进展。在建立数学论证中必须有全局和似乎模糊的概念内容；它和完全理解依序证明所需的时间没有什么关系。

假设我们接受意识的定时与时间进展和外在物理实在的时间不相符，那么我们不就面临着佯谬的危险吗？假定甚至存在关于意识效应的一种模糊的目的论的某种东西，使得未来的印象可能影响过去的行为。是的，这会把我们导向矛盾，正如我们在第5章结尾考虑过的超光速发送信号佯谬的含义一样（参阅273页）。我们已经正确地排除掉这个佯谬。我想提议，正由于我所主张的意识实际所获得的性质，不必要存在佯谬。回顾一下我的设想，在本质上意识“看见”了某些必要的真理；而且它可以代表和柏拉图理想数学观念世界的某种接触。我们记得，柏拉图世界本身是没有时间的。知觉到柏拉图真理不携带有真正的信息，“信息”的技术意义是指信号的传递。因此，即使意识知觉在反时间方向传递也不存在实际冲突！

但是，即使我们接受意识本身和时间这种奇怪的关系，在某种意义上，它代表外在物理世界和没有时间性世界之间的接触，这些怎么可能和物质头脑的生理决定和时序行为相一致呢？如果我们不想扰乱物理定律的正常进行，我们的意识仅仅剩下一个纯粹“观察者”的角色。然而，我论断意识具有主动而且的确有力的作用，并且具有强大选择优势。我相信，这个难题的答案取之于CQG在解决两个量子力学过程$\boldsymbol{U}$和$\boldsymbol{R}$之间的冲突时，CQG的行为必须采用的奇怪方式（参阅447页，464页）。

回忆一下，当我们试使过程***R***和相对论（狭义）相协调时所遇到的时间问题（第6章367页，第8章470页）。按通常的时空条件来描述这个过程似乎没有任何意义。考虑一对粒子的量子态。通常这样一种状态会是一个相关态（也就是说，不具有简单的$|\Psi\rangle|\chi\rangle$形式，这里$|\Psi\rangle$和$|\chi\rangle$各自描述一个粒子，而具有像$|\Psi\rangle|\chi\rangle+|\alpha\rangle|\beta\rangle+\cdots+|\rho\rangle|\sigma\rangle$总和的形式）。那么对其中一个粒子进行观察就会以非局部的方式影响另一个粒子，它不能按照和狭义相对论一致的通常的时空概念来描述（EPR；爱因斯坦-波多尔斯基-罗森效应）。这种非局部效应会隐含涉及我提议过的树突棘成长和收缩的“准晶体”相似性。

我在这里以如下意义来解释“观察”，即把每一个被观察粒子的作用一直放大达到类似CQG的“单引力子”水平。如果应用更“传统”的说法，则“观察”更加模糊。当一个人必须认定自己的头脑一直在“观察头脑自身”时，很难看出他怎么能着手发展头脑行为的量子理论描述！

我本人的想法是，在另一方面，CQG提供了一个态矢量缩减（***R***）不必依赖任何意识思想的客观物理理论。我们还未得到这个理论，但是至少寻求此理论不会受到“意识到底‘是’何物”这一深奥的问题的阻碍！

我想象，一旦真正寻求到CQG，那时就可能依照它来揭示意识的现象。我相信当得到CQG时，该理论的必要性质离开传统时空之描述将比离开上述令人困惑的两粒子EPR现象更远。正如我提议的，如果意识现象依赖这种想象的CQG，则意识本身用我们现在传统的时空来描述将显得非常不协调！

结论：孩子的观点

我在本书中提供了许多议论，试图显示以下观点不能成立：我们的思维基本上和一台非常复杂的电脑的行为一样。这种观点在现代哲学探究中甚有影响。在人们明确假设执行算法本身就能唤起意识知觉时，采用了塞尔“强人工智能”术语。有时以不太明确的方式采用诸如“功能主义”等其他术语。

有些读者可能从一开始即把“强人工智能支持者”当成稻草人！仅靠计算不能唤起快乐或痛楚；它也不能理解诗歌、夜空的美或者声音的魔力；它不能希望、恋爱或沮丧；它也不能具有一个真正自发的目的，这一切难道不是“显而易见”的吗？然而科学似要逼迫我们去接受，我们所有人仅是由非常精细的数学定律巨细无漏制约（甚至最终也许只是随机地）的世界中很小的一部分。控制我们行为的头脑本身似乎也由同样的精密定律所制约的。所呈现的世界图像是：所有这些精确的物理活动，实际上只不过是一个庞大的计算过程（也许是概率的），所以我们的头脑和精神只能按照这种计算来理解。也许当计算复杂得非同寻常时，它们便开始获得我们与“精神”这术语联想在一起的更诗意或更主观的品质。然而，在这样的图像中，非常难免地总有缺少了什么的不愉快感觉。

我在自己的论证中试图支持以下观点，即任何纯粹计算的图像的确缺少了某些要素。然而我同时保持希望，将来通过发展科学和数学，在理解精神方面最终会取得根本的进步。这明显是个难题，但是我已试图指出存在一条真正的出路。可计算性和数学的精确性根本不相同。在精确的柏拉图数学世界中，具有人们要多少即有多少的神秘和美，而大部分神秘和一些概念共处，这些概念属于柏拉图数学世界中较有限制的算法和计算以外的部分。

对我来说，意识是如此重要的现象，我简直不能相信它只不过是从复杂的计算"意外"得来的。宇宙的存在正是由于意识现象才被得知。人们可以争论道，若宇宙被不允许意识存在的定律所制约，就根本不是宇宙。我甚至愿意说，迄今为止所有人们提出的宇宙数学描述都不能达到允许意识存在的这些判据。只有意识现象才能把一个想象的"理论"宇宙变成真正的存在！

我在这些章节中提出的论证也许是过于曲折复杂。我承认有一些是猜测性的。同时我相信，有些是不可避免的，然而，在所有这些技术细节下面隐藏着一个感觉，即意识精神不能像一台电脑那样运行是"显而易见"的，即使真正涉及的精神活动中，有许多的确像电脑一样运行。

这种明显性连小孩都能看出来，虽然那个孩子在他后来的生命中被细心的推理和巧妙的定义选择所威吓，以至变成相信一些明显的问题"不是问题"。有时孩子容易看清楚的事情长大后却变得非常模糊。当"实在世界"的事务开始落到我们的肩膀上来时，我们经常忘记了孩提时代的惊奇印象。儿童们不害怕提那些使我们大人羞于启齿的基本问题：在我们死后每一个人的意识流会发生什么；在我们出生之前又在何处；我们过去曾经是或者将来会变成另外一个人吗；为什么我们会知觉；为什么我们在这里；为什么存在一个我们实际上居住的宇宙？这是些令人困惑的谜题，它随着我们每个人的知性觉醒而来，而且无疑也随着任何最早的生物或其他个体的真正自我知性觉醒而来。

我记得自己在孩提时代曾为许多这类困惑所烦恼。也许我的意识突然和别人的相互交换。假定每一个人都只带有属于他个人的记忆，我怎么能知道这种互换早先不曾发生在我身上？我如何向其他人解释“相互交换”的经验？它真有任何意义吗？也许我只不过不断重复生活在同样的10分钟经验中，每一次都具有完全同样的知觉。也许对我来说，只有现在时刻是“存在的”。也许明天或昨天的“我”实际上是具有独立意识而完全不同的人。也许我实际上活在时间往回走的情况下，我的意识流是朝向过去，因此我的记忆告诉我将要发生什么，而不是已经发生了什么。这样，学校里的不快乐经验实际上在等着我，而我很快就会非常不幸地遭遇到。这个时间倒向和正常经历的时间进展之间的区别是否真正“意味”着什么，使得一个是“错”的，而另一个是“对”的？为了使这些问题在原则上得以解决，必须有一种意识理论。但是，甚至怎么可能开始向本身都不是有意识的实体去解释这类问题的内涵呢……？

注释

第1章

[1] 例如，参阅*Gardner 1958*，*Gregory 1981* 以及所引用的参考文献。

[2] 例如，参阅*Resnikoff and Wells 1984*，181—184页。有关计算奇才的经典总结参阅*Rouse Ball 1892* 以及 *Smith 1983*。

[3] 参阅 *Gregory 1981* 285—287页，*Grey Walter 1953*。

[4] 这个例子引用自 *Delbrück 1986*。

[5] 参阅 *O'Connell 1988* 和*Keene 1988*。参阅列维更多的有关电脑下棋的情形。

[6] 当然，大部分弈棋问题都被设计得使人类很难解决。要去构造一种人类觉得不是极难，而现代解决下棋问题的电脑在1000年内也解不出的下棋问题似乎不太困难。（所需要的是一个每下一着都要筹划非常多步的，但又是相当明显的方案。例如，已经知道一些需要筹划大约200步就绰绰有余的问题！）这提出了一个有趣的挑战。

[7] 为了明确起见，我在本书从头到尾地采用了塞尔的术语"强AI"以表示这一极端观点。术语"功能主义"也被经常地用于表示本质上同样的观点，但也许不总是这么明确。明斯基（1968），福多（1983）以及侯世达（1979）是这类观点的一些倡导者。

[8] 可从 *Searle 1987* 211页找到这种宣称的一个例子。

[9] 道格拉斯·侯世达在对塞尔的复印在《精神》上的原始论文的批评中抱怨道，由于涉及的复杂性，没有一个人可想象把另外的一个人脑的整个描述"内在化"。的确不能！但是就我所见，这不是问题的全部。人们仅仅关心实行目前要体现单个精神事件发生的一段算法的那个部分。这可以是在回答图灵检验问题时某个瞬息的"意识实现"，或者它可以是某种更简单的东西。任何这种"事件"是否都需要一段极其复杂的算法呢？

[10] 参见载于*Hofstadrer and Dennett 1981* 368页和372页的*Searle 1980*的论文。

[11] 有些关于这类事体博学的读者也许会忧虑某种符号差的问题。但是，如果我们在进行交换的同时，使其中的一个电子旋转360°，甚至那个（可争论的）区别也消失了！（参见第6章357页的解释。）

[12] 参见 *Hofstadrer and Dennett 1981* 的导言。

第2章

[1] 我是采用当代通常的术语，它现在把“0”包括在“自然数”之中。

[2] 还有许多把一对，3个等数编码成单独一个数的其他方法。虽然它们对于我们现在的目的不甚方便，数学家却熟知这些方法。例如，公式 $\frac{1}{2}[(a+b)^2+3a+b]$ 便是用一个单独的自然数来代表一对自然数（a，b）。试试看！

[3] 我在上面没花工夫去引进某种表示起始一个数（或指令等）的序列的记号。这对于输入没有必要，由于当遭遇到第一个1时事情刚刚开始。然而，对于输出需要某些其他东西，这是由于人们预先为了达到第一个（也就是最左边的）1不知道要沿着输出磁带看多远。尽管在往左看时会遇到0的很长的串，这并不能保证在左边更远处不再有1。人们对此可采用不同的观点。其中一种总是用特殊记号（譬如，在收缩步骤中用6来编码）去起始整个输出。但是为了简单起见，我在自己的描述中将采用不同的观点，也就是总“知道”仪器实际上已遭遇到了多长的“磁带”（例如，人们可以想象它留下了某种痕迹），在原则上不必去检查无限长的磁带，就能肯定整个输出已被查过。

[4] 一种把两盘磁带的信息编码到单独一盘磁带上的方法是插入法。这样，这盘单独磁带上的奇数号码的记号可代表第一盘磁带的记

号，而偶数号码的记号可代表第二盘磁带的记号。可用类似的方案来处理3盘或更多盘磁带。这一过程的“低效率”起因于如下事实，即阅读机必须沿着磁带不断地来回进退，并在上面留下记号以记住在该磁带偶数和奇数部分的什么地方。

[5] 这一过程只是指做过记号的磁带可解释作自然数的方法而言。它并不改变我们特定的图灵机的编号譬如EUC或XN+1。

[6] 如果T_n没有被正确地指定，则U只要在n的二进制表示中到达多于4个1的第一串，就会像n的数已被终止那样继续。它就会把该表示式的余下部分当成m的磁带的部分来读，所以它会继续进行某种毫无意义的计算！如果需要的话，可采用扩展二进制记号来表示n，这种特征就能被清除。我决定不这样做，以免使这台可怜的通用机器U更加复杂！

[7] 我感谢大卫·多伊奇根据以下我得到的u的二进制形式推导出十进制形式。我还感谢他检验u的这个二进制值实际上的确给出了一台通用图灵机！事实上u的二进制值为：

1000000001011101001101000100101010110100011010001010000
110101001101000101010010110100001101000101001010110100101
01110100101001001011101010001110101010010010101110101010
01101000101000101011010000011010010000010101101000100111
01001010000101011101001000111010010101000010111010010100
1101000010000111010100001110101000010010011101000101010101
101010010101101000001101010100101101001001000110100000000
01101000000111010100101010101110100001001110100101010101
01010111010000101010111010000101000101110100010100110100
10000101001101001010010011010010001011010100010111010010
01010111010010100011101010010100100111010101011000110100
10101010111010100100010110101000010110101000100110101010
10100010110100101010010010110101001001011101010100101011
10101001010011010101000011101000100100101011101010100101
01110101010000011101010010000011010101010100101110101001 01

011010001001000111010000000011101001010010101010111010010
10010010101110100000101011101000010001110100000101010011
1010000010100111010000001000101110100010000111010000100101
001110100010000010110100010100101110100010100101101001000
00101101000101010010011010001010101011101001000001110100
10010101010111010101010011010010001010110100100100101101
000000010110100000100011010000010010110100000000001101001
01000101110100101010001101001010010101101000001001110100
101010010110100100111010100000010101110101000000011010101
00010101011010010101011010100001010111010100100101011101
010001001011010100100001011101000000011101010010001011010
10010100110101010001011101010010100101110101010000010111
01010100000101110100000001110101010000101011101001010 1011
01010100001011101010001010101110101010010010111010101010
00011101010000000111010010010000110100100100010110101010
101001110100000000010110100100001101010101010010111010010
00011010010001010101110100001000111010001000011101000011
010000000010110100000100101110101010010101011010001000100
10111010000010011101010100110100000101010110100001000011
10100100001000111010101010101001110100001001001110100010
01000011101000010100101101000010100001110101010101010111
01000100100110100010010011010100101001011101000100010101
11010000000111010001000100101110100110100100100001011010
10101001101000101000101110100001101010000100010110101001
10101010010100101101010100110100100101011101001101001000
001011010001010101000111010010000101011010000000100110100
10001001011101001000011010100000100101110100100101001110
01001010101101001101001001010010110100110100101000001011
01001000001110101001001101010101000010111010010100001011
10100101010101110101000100101101001001110100101010001011
10100010011101010000101101001001110100101010101011101001
00011101001010101001011101001000111010100000101010111001
101010000001011010010011101010000001011101001011010100000

10101101001010010111010100001001011101000011010100010000
10110101001101010001000101101010101001011101010001010010
11010001010101011101001000010101101010001011101010010010
10101110101010010010111010100011101010001110101001001001
01110101000111010100101000101110101000101110101000010010
11101010001110100010100010111010010100101110101001010100
10111010010101010101011010100001010101011010000100111010
00010101010101110101010001010111010101000101011101000000
11101010100010010111010000001110101010010001011101010000
00110101000010110100000011101001000000101110101000111010
10010001010111010100110101010100010101101000001101010101
00101010110100000010011010101010010011101010011010101010
01001011010100110100100100111010000011010101010100101011
01010001001101000101001010101110100000110101010101010010
11010001000111010001010101010101101000100011101000010101
110100010010000111010011010000000010011101000000100101110
100010001010011101000000010010111010010101010100101101000
01010101011101000100101001011101000001000101110101010010
11010001000100111010000010010101110100000010101011010000
100011100111101000010000001110100001001001110100000101001
01110100000101001011010000100010101110100001000100110100
01000011101011110100001001001011101000010010010111010000
00010101110100001010100011010001001011101000010000011101
00001001110100010000010111010101001011010001000001011101
0000101010101110100000010101011101000100001010111010001
000010101110100100000111010100100100110100000001010111010
0010001001011101010100001110101001010110100101010100001
101000001010011010000000011101000001001001110100101101001
00010100101101010100110100010100100101101010100110100010
10100010110011010100100101110101010011010001010101010110
01101010001010101100110100100010101010111010001000111010
01001010101010110100101001010001101001000000101110100000
11010101001010101011010010101011010010001000101110100010

10101101010000001010110100010000011010010001010110100001001110101001010101010111010010110100100100010101100110100100100101010111010011010010010010101101001011010010010010010110100101101001001010001011001101001001010010101110100010101110100100101110011010010010101001011100110100101000101010101110100010001110100001010010110100101000101110100101000101011010001001110100101000100101110100010011101001010010001011100110100100010001110100010011101001010010101011100110100101000001110011010101010101101000000001110100101010010101011101001000111010010101001010111001101000010100100110011010100000110100000000111010010101010010101110011010100010000110100000000111010001001010101011101000100011101010101010101010101101000010011101001000100101011101001010100010011010100000000101101001000111010100001010111010010000110101000000001011010010001110101001001011101000011010100001010101101010001011101010000101001011101010001011101010001010101011100110101000101011010000110101010001001010

有进取心的读者可把一台效率高的家庭用电脑，以正文中给出的方法，应用于不同的简单的图灵机号码中，验证上面的号码事实上的确给出了一台通用图灵机的动作行为！

对不同规格的图灵机可使u的值降低一些。例如，我们可以免除STOP，而相反的采取这样的规则，即只要机器在某个其他非0的内态后重新进入内态0时它就停止。这样做没有太多收益（如果有的话）。如果我们允许磁带有比仅仅0和1的更多的记号，则能得到更大的收益。在文献中的确描述过显得非常简洁的通用图灵机。但是，由于它们一般地依赖于图灵机描述的极其复杂的编码，所以这种简洁性是骗人的。

[8]　参阅德夫林（1988）的和这一著名断言相关事体的非技术性讨论。

[9]　我们再次简单地应用前面进行的步骤，当然也能击败这个改善了的算法。然后我们可以用这新的知识去进一步改善我们的算法；

但是我们又可将其击败等。这一迭代步骤所导致的这类考虑将在第4章（参阅第141页）和哥德尔定理联系起来讨论。

第3章

[1] 见*Mandelbrot 1986*。我所选取的特殊的放大序列是取自*Peitgen and Richter 1986*。该书中有许多五彩缤纷的芒德布罗集的图画。进一步的图解可参见*Peitgen and Saupe 1988*。

[2] 尽我所知，要求对任意实数总存在某种确定其n位数是什么的规则的观点是协调的，虽然不是传统的。尽管这样的一个规则可以是无效的，甚至在一预定的形式体系中根本不能定义（见第4章）。我希望它是协调的，因为这正是我最希望坚持的观点。

[3] 关于是谁第一个得到这个集，实际上存在一些争议（见*Brooks and Matelski 1981*，*Mandelbrot 1989*）；但是这一争议本身的存在更加支持了这一集合是被发现而非发明的观点。

第4章

[1] 在考虑其元素又为集合的集合时，我们必须小心地区分该集的元以及该集的元的元。例如，假定S是另一确定的集T的非空子集的集合，而T的元素是一个苹果和一个橘子。T就有“二性”而非“三性”的性质；但是S实际上有“三性”的性质；S的3个元是：一个只包括一个苹果的集合，一个只包括一个橘子的集合以及包括一个苹果和一个橘子的集合——总共有3个集，这就是S的3个元素。类似地，其元素只有空集的集合具有“一性”而非“零性”——它有一个元，也就是空集！空集本身当然只有零个元。

[2] 事实上，哥德尔定理的推理可以用这种方式来表达，使之不依赖于诸如$P_k(k)$的命题“真理”的完全外在的概念。然而，它仍然依赖于某些符号的实在“意义”的解释：尤其是，“$\sim\exists$”的真正

意义是“不存在（自然数）…… 使得 ……”。

[3] 在下面用小写字母代表自然数，而用大写字母代表自然数的有限集合。令$m \to [n, k, r]$表示陈述“如果$X=\{0, 1, \cdots, m\}$，它的k个元素的每一子集都被放到r个盒子里，则存在X的一个“大”的至少包含n个元素的子集Y，使得所有Y的k元素子集都被放到同一盒里去”。这里“大”的意思是Y中的元素数目比作为Y中的元素的最小的自然数还大。考虑如下命题：“对于任意选取的k，r和n，存在一个m_0，使得所有大于m_0的m，陈述$m \to [n, k, r]$总成立。”J. 巴黎斯和L. 哈林顿（1977）指出这一命题等效于算术的标准的（皮阿诺）公理的哥德尔型命题。这一道命题是不能从那些公理证明得到的，但是关于那些公理作了某些“显然正确”的断言，正也就是，在这种情形下，从公理推断出来的命题本身是真的。

[4] 其题目为《基于序数的逻辑系统》，而且有些读者将会熟悉我用在下角标示代表康托尔序数的记号。使用我在上面所描述的步骤得到的逻辑系统的等级由可计算的序数来表征。

存在一些相当自然的和容易陈述的数学定理，如果人们试图用标准算术的（皮阿诺）法则去证明，就需要使用在前面概述的“哥德尔化”步骤。这些定理的数学证明根本就不依赖于任何模糊或可疑的似乎处于正常数学论证的步骤以外那一类推理。参见斯莫林斯基（1983）。

[5] 在第3章111页提及的连续统假设（即$C = \aleph_1$）是我们在这里遇到过的最“极端的”的数学陈述（虽然人们还经常考虑比这更极端得多的陈述）。连续统假设，由于哥德尔本人和保罗-J. 寇恩确立了它实际上和集论的标准公理和步骤法则无关，而变得格外有趣。这样，对连续统假设的看法可用来区分形式主义者和柏拉图主义者。对于一个形式主义者而言，由于用标准的（策梅洛-弗兰克尔）形式系统既不能证明也不能否定连续统假设，所以是“不可判定的”，把它叫作“真”的或“假”的都“没有意义”。然而，对于一个好的柏拉图主义者，连续统假设或是真的或是

假的，但为了确立它就需要某种新的推理形式——实际上甚至超出了对策梅洛-弗兰克尔形式系统使用哥德尔型命题的手段。[科恩（1966）本人提出一种使得连续统假设成为“显然错误”的反思原则！]

[6] 参阅 *Rucker 1984* 的生动而不太专业性的有关论述。

[7] 布劳威尔本人似乎部分地因为对自己的一个拓扑学的“布劳威尔不动点定理”证明的“非构造性”忧虑，而开始沿着这个思路思考的。该定理断言，如果你取一个圆盘——也就是一个圆和它的内部——并且以一种连续的方式运动到它原先定位的区域的内部，那么在圆盘上至少有一叫作不动点的点，它刚好在自己开始的那点结束。人们也许不知该点准确地在何处，或者也许那里有许多这类的点，这个定理只是断言某一这类的点的存在。作为数学的存在定理而言，这实际上是一个相当“构造性的”定理。依赖于所谓的“选择公理”或“佐恩引理”的存在定理具有不同程度的非构造性（参阅 *Cohen 1966*，*Rucher 1984*）。布劳威尔情形的困难和下面相类似：如果 f 为一实变量的实数值的连续函数，该函数既取有负值又取有正值，找到 f 取零值的地方。其通常的步骤是涉及重复地对分 f 改变符号的区划。但是去决定 f 的中间值为正、负或零，在布劳威尔需要的意义上可以不是“构造性的”。

[8] 我们列出集合 $\{v, w, x, \cdots, z\}$，这里按照某种字典方案，v 代表函数 f。我们在每一阶段（递归地）检验看是否有 $f(w, x, \cdots, z)=0$，当仅当在这种情形下，才有命题 $\exists w, x, \cdots, z[f(w, x, \cdots, z)=0]$。

[9] 最近莱奥诺尔·布鲁姆（由于受这本书初版精装本中我的议论所刺激）告诉我，她已能断定芒德布罗集（的补集）在下面注释10的特殊意义下的确是非递归的，正如我在正文中所猜测的那样。

[10] 存在实数的实值函数的可计算性的一种新理论（和传统的自然数

的自然数值函数相反），由布鲁姆、舒布和斯梅尔（1989）提出。我最近才注意到该理论的细节。该理论还适用于复函数，它可能和正文中提出的问题有重要的关系。这一新工作的一些结果赋予芒德布罗集在适当意义下为非递归的猜测以强大的支持。

[11] 这一特殊问题可更正确地被称为“半群的字问题”。还有其他形式的字问题，其法则略为不同，我们在此不予关注。

[12] 汉弗（1974）和迈尔斯（1974）还指出，存在一个单独的（一个巨大数目的花砖）集合，它只能以不可计算的方式来镶嵌平面。

[13] 事实上对于大的n，这一步骤的数目可用一些技巧减少到$n\log n \log\log n$——这当然还在P中。参见克努特（1981）有关此类问题的更多资料。

[14] 更正确地讲，只对是/非类型问题（例如，给定a，b和c，$a \times b = c$为真的吗？）P、NP和NP完全问题的族（参见187页）才被定义，但在正文中的描述对我们的目的已经足够。

[15] 严格地讲，我们需要是/非的模式，诸如：推销员是否有一条距离小于若干的路径呢？（见上面的注释14）。

第5章

[1] 一个显著的事实是，所有确立的和牛顿图像的偏差都以某种基本的方式和光的行为相关。首先，存在麦克斯韦理论中的脱离物体的携带能量的场。其次，正如我们就要看到的，光速在爱因斯坦狭义相对论中起着关键的作用。第三，只有当运动速度和光速可相比较时，爱因斯坦广义相对论和牛顿引力论的微小偏离才变得显著。（太阳引起的光偏折，水星运动，在黑洞中和光相比较的逃逸速度，等等。）第四，首先是在光的行为中观察到量子力学中存在的波粒二象性。最后，还有量子电动力学，它是带电粒子的量子场论。可以合情理地猜测，牛顿本人已经准备接受他的图像

躲藏在光的神秘行为后面的深刻问题。参阅 *Newton 1730*；还可参阅 *Penrose 1987a*）。

[2] 有一个美妙的、很成功的物理理解的实体——亦即卡诺、麦克斯韦、开尔文、玻尔兹曼等的热力学——我在分类时忽略了它。这可能引起某些读者的困惑，但我是故意这么做的。因为某种在第7章会变得更清楚的原因，我本人非常犹豫是否将其归于**超等**理论的范畴中。然而，许多物理学家也许会认为把这么漂亮的根本的观念放到低到仅仅**有用的**范畴是亵渎神物！依我看来，热力学按通常的理解是某种仅适合于平均的东西，而不适合于系统中的每一个别部分——部分的原因是由于它为其他理论的推论——在我这里的意义上不是一个完整的物理理论（这同时适用于作为其数学基础的统计力学的数学框架）。我以此事实作为借口以回避这一问题，把它们一块放到分类之外，正如我们在第7章将会看到的，我宣布在热力学和在前面已经提到的属于**有用的**范畴的大爆炸标准宇宙模型之间存在一种紧密的联系。我相信，在这两组观念之间（现在还缺一部分）的某种联合，在所需的意义上，甚至会被认为属于**超等的**范畴的物理理论。这是我还要在后面论述的内容。

[3] 我的同事们问我应将“扭量理论”归于何类。这是一种观念和技巧的精心集合，我自己曾为此花费了多年心血。就扭量理论作为物理世界的一个不同理论而言，它只能被收到尝试的范畴中。

[4] 然而，伽利略经常用水钟来为其观察定时，见 *Barbour 1989*。

[5] 用牛顿的名字来命名这个模型——的确就“牛顿”力学总体而言——仅仅是一个方便的标志。牛顿本人对于物理世界实际性质的观点似乎不像这么独断，而是更微妙，更难以捉摸[最有力地促进这一“牛顿”模型的人要算R.C.玻斯科维奇（1711—1787）]。

[6] 拉菲尔·索金曾向我指出，存在一种意义，在这种意义上，可用一种和对（譬如讲）牛顿系统所用的不是那么不相似的方式来“计算”此一特殊的玩具模型。我们可摹想一个计算序列 C_1，C_2，C_3，…，这些步骤允许将系统的行为计算到越来越后而没有时间的极限，并且不断增加精确性（参阅224页、225页）。在现在情况下，为了达到这个目的，我们可允许将图灵机动作 $T_u(m)$ 进行 N 步定义为 C_N，如果这一动作那时还不停止则“认为” $T_U(m)$ =□。然而，在 $T_u(m)$ =□的地方，由引进牵涉到诸如“对所有的 $q T(q)$ 停止”的双重量化的陈述的演化，不难修正我们的玩具模型以战胜这类“计算”。（存在无限多对相差2的素数的未解决问题即为这种陈述的一个例子。）

[7] 正如第4章（575页注释10）提示的，新的布鲁姆-沙布-斯梅尔（1989）理论可提供一种在数学上更能接受的方法来解决其中的一些问题。

[8] 伟大的意大利/法国数学家约瑟夫·L.拉格朗日（1736—1813）比哈密顿早24年左右就知道了哈密顿方程。他虽然和哈密顿观点不一样。更早时期的一个同等重要的发展是力学中欧拉-拉格朗日方程的表达形式。这样牛顿定律可认为是从一个更高的原则，即最小作用量原理（P.L.M.莫培督）推导而来。除了其伟大的理论意义之外，欧拉-拉格朗日方程还提供了具有显著威力和实用价值的计算步骤。

[9] 刘维尔相空间体积只是整族具有不同维数的在哈密顿演化下保持不变的“体积”（称作庞加莱不变量）之一。但是，我的这个断言如此之囊括无遗实在有些过分。我们可以想象一个系统，将其中我们不感兴趣的一些自由度（对某些相空间体积有贡献）“倾倒”到某处去（诸如逃到无限远处的辐射），这样我们感兴趣的部分的相空间就会减小。

[10] 这第二个事实尤其是科学的极大的幸运。因为没有它的话，巨大物体的动力行为就不可理解，而大物体行为几乎不能给精确适用

于粒子本身的定律提供任何暗示。我猜想，牛顿之所以那么强调他的第三定律的原因在于，如果没有它，则从微观到宏观的动力行为的传递就不成立。

另一个对于科学发展生死攸关的“奇迹般的”事实是，平方反比律是仅有使围绕着中心物体的一般轨道具有简单的几何形状的方次律（随距离而减小）。如果定律或力是倒数律的或立方反比律的，开普勒还会有何成就呢？

[11] 我已为各种场选好了单位，以使和麦克斯韦原先表达的方程形式相接近（除了他的电荷在我处为$c^{-2}\rho$以外）。当用其他的单位制时，因子c的分布将会不同。

[12] 事实上，我们具有无限多的x_i和p_i。更复杂之处在于，我们不能只用这些场的值作为坐标，必须引进某种麦克斯韦场的“势”才能纳入哈密顿理论的框架中去。

[13] 也就是说，不是二阶可微的。

[14] 洛伦兹方程告诉我们，由电荷所处的地方的电磁场引起了作用于它上面的力；如果它的质量又是已知的，牛顿第二定律就告诉我们该粒子的加速度。然而，带电粒子经常以近于光速的速度运动，狭义相对论的效应变得很重要，影响了实际上应取的粒子质量数值（见下一节）。正是这种原因使作用在带电粒子上的正确的力定律推迟到狭义相对论的诞生才被发现。

[15] 事实上，自然界中的任何量子粒子，在某种意义上，整个自身都像一台这样的钟。正如第6章要讲到的，任何量子粒子都和一个振动相关，其频率与质量成正比；见292页。现代最精确的钟表（原子钟、核子钟）归根到底是依赖于这个效应。

[16] 也许读者会忧虑，由于旅行者世界线在B处出现了一个“角”，正如图示的，他在事件B处遭受到无限大的加速度。可以用有限的加速度将他的世界线在B处的尖角弄圆滑，这只不过把他所经历

的由整个世界线的闵可夫斯基“长度”所测量的总时间稍微改变一点。

[17] 这些就是M依照爱因斯坦的同时性定义，由从M发出并被问题中的事件反射回到M的光信号判断的事件空间。例如，见*Rindler 1982*。

[18] 这是该形状的初始的对时间的二阶微分（或“加速度”）。形状的改变率（或“速度”）在初始时为零，因为球面在开始时刻是静止的。

[19] 杰出的法国数学家埃利·嘉当（1923）首先对牛顿理论的数学形式重新进行表述——这当然是在爱因斯坦的广义相对论之后。

[20] 在这种意义上的局部的欧几里得性的弯曲空间称作以伟大的波恩哈德·黎曼（1826—1866）命名的黎曼流形。他在高斯的某些更早的有关的两维情形的工作之后，首先研究这类空间。我们在此需对黎曼观念作重大的修正，也即允许几何为局部闵可夫斯基的，而不是欧几里得的。通常将这种空间称为洛伦兹流形（属于所谓的伪黎曼或更不逻辑点的半黎曼流形的一类）。

[21] 或许读者会忧虑，零值何以代表“长度”的最大值！事实上的确如此，只不过在空洞的意义上而言：零长的测地线的特征是，没有任何其他粒子的世界线可将其上面的任何一对点（局部地）连接。

[22] 畸变效应和体积改变的分解事实上不像我所表达的那么明确。里奇张量本身会引起一定量的潮汐畸变。（对于光线而言，这种分解是完全明确的；参阅*Penrose and Rindler 1986*，第7章。）例如可参阅*Penrose and Rindler 1984* 240页和210页关于外尔和里奇张量的精确定义。（德国出生的赫曼·外尔是20世纪一位杰出的数学人物；意大利的格里高里·里奇是一位有巨大影响的几何学家，他在19世纪奠定了张量理论。）

[23] 大卫·希尔伯特在1915年11月发现了实际方程的正确形式，但该理论的物理观念则完全归功于爱因斯坦。

[24] 对于通晓这些东西的读者而言，这些微分方程正是用爱因斯坦方程代入到完整的比安基等式而得到的。

[25] 存在某些（虽然不是非常令人满意的）方法可绕过这个论证，参阅 *Wheeler and Feynman 1945*。

[26] 因为它不是二维的，而是三维的，所以在这里用术语“超面”比“曲面”在技术上更为合适。

[27] 有关这些问题的严格定理一定是非常有用的，并且非常有趣，可惜迄今还没有得到。

[28] 现在这个理论是不可计算的，它的（临时的）毫无用处的答案是无限大。

第6章

[1] 我理所当然地认为，“严肃的”哲学观点应该至少包含足够分量的现实主义。当我得知一些显然严肃的思想家，经常关心量子力学含义的物理学家采取强烈的主观观点，说在“那里”实际根本没有实在的世界时，总是十分吃惊！我尽量采用现实主义观点的事实，并不意味着我不了解某些人经常认真地坚持的这种主观观点，只是因为我认为它们没有意义。参见 *Gardner 1983* 第1章对这种主观主义的强烈而风趣的攻击。

[2] 尤其是J. J. 巴尔末在1885年注意到，氢光谱线的频率具有$R(n^{-2}-m^{-2})$的形式，其中n和m为正整数（R为常数）。

[3] 也许我们不应该太轻易地抛弃这种“全场”图像。爱因斯坦本人（正如我们将要看到的）彻底了解量子粒子呈现的分离性，耗费

了最后的三十年去寻求对这一般经典类型的统一理论。但是，正和其他人一样，爱因斯坦的企图没有成功。除了经典场以外需要某些东西用以解释粒子的分离性。

[4] 杰出的美籍匈牙利数学家约翰·冯·诺依曼（1955）在他的经典著作中描述了这两种演化的过程。我把他的“过程1”叫作$\boldsymbol{R}$——“态矢量的减缩”——他的“过程2”叫作$\boldsymbol{U}$——“幺正演化”（这实际上表明概率幅在演化中守恒）。实际上，还有量子态演化$\boldsymbol{U}$的其他（虽然是等效）的描述，人们在这种描述中可以不使用“薛定谔方程”。例如，在“海森伯图像”中，态被描写成根本不演化，而动力学演化被归结为位置/动量坐标意义的连续移动。这些差异在这里对我们不重要，过程$\boldsymbol{U}$的不同描述是完全等效的。

[5] 为了完整起见，我们必须列举出所有需要的代数定律。按照在正文中使用的（狄拉克）记号，它们可写成：

$|\Psi\rangle+|x\rangle=|x\rangle+|\Psi\rangle$,

$(z+\omega)|v\rangle=z|\Psi\rangle+\omega|\Psi\rangle$,

$z(\omega|\Psi\rangle)=(z\omega)|\Psi\rangle$,

$|v\rangle+0=|\Psi\rangle$,

$|\Psi\rangle+(|x\rangle+|\varphi\rangle)=(|\Psi\rangle+|x\rangle)+|\varphi\rangle$,

$z(|\Psi\rangle+|x\rangle)=z|\Psi\rangle+z|x\rangle$,

$1|\Psi\rangle=|\Psi\rangle$,

$0|\Psi\rangle\ 0$, 以及$z0=0$。

[6] 存在一种称为两个矢量的标量积（或内积）的重要运算。它可非常简单地用于表达“单位矢量”、“正交性”和“概率幅”概念。（在通常的矢量代数中，标量积为$a\ b\cos\theta$，这里a和b为矢量长度，而θ为它们方向之间的夹角。）希尔伯特空间矢量的标量积给出复数。我们把两个态矢量$|\Psi\rangle$和$|x\rangle$的标量积写作$\langle\Psi|x\rangle$。存在如下代数规则$\langle\Psi(|x\rangle+|\varphi\rangle)=\langle\Psi|x\rangle+\langle\varphi|\varphi\rangle$，$\langle\Psi(q|x\rangle)=q\langle\Psi|x\rangle\ x$以及$\langle\Psi|x\rangle=\overline{\langle x|\Psi\rangle}$，在这里横道表明复共轭（$z=x+\mathrm{i}y$的复共轭为$\bar{z}=x-\mathrm{i}y$，$x$和$y$为实数；注意$|z|^2=z\bar{z}$）。态$|\Psi\rangle$和$|x\rangle$

的正交性表为 $\langle\Psi|x\rangle=0$。态 $|\Psi\rangle$ 的长度平方为 $|\Psi|^2=\langle\Psi|\Psi\rangle$，这样 $|\Psi\rangle$ 归一化成单位矢量的条件为 $\langle\Psi|\Psi\rangle=1$。如果一个“测量的行为”使 $|\Psi\rangle$ 跃迁到 $|x\rangle$ 或某种和 $|x\rangle$ 正交的态，则它跃迁到 $|x\rangle$ 的幅度为 $\langle x|\Psi\rangle$，此处已假定 $|\Psi\rangle$ 和 $|x\rangle$ 都是归一化的。若还没有归一化的话，从 $|\Psi\rangle$ 到 $|x\rangle$ 的跃迁概率写作 $\langle x|\Psi\rangle\langle\Psi|x\rangle/\langle x|x\rangle\langle\Psi|\Psi\rangle$。（见 *Dirac 1947*）

[7] 熟悉量子力学算符形式的读者，这一测量（按狄拉克符号）用有界限的厄米算符 $|x\rangle\langle x|$ 来定义。本征值1（对于归一化的 $|x\rangle$）为**是**，而本征值0表示**非**。（矢量 $\langle x|$，$\langle\Psi|$ 等属于原先希尔伯特空间的对偶空间。）见 *von Neumann 1955*，*Dirac 1947*。

[8] 在我早先对包含单独粒子的量子系统的描述中，有点过于简略。那时候我不管自旋，而假定只按照它的位置来描述态。实际上存在某些称作标量子的粒子，譬如叫作 π 子（π 介子，参阅281页）的粒子或某些原子——其自旋值为零。对于这些粒子（也只有这些粒子）上述只按照位置的描述在实际上是足够的。

[9] 取 $|\swarrow\rangle=\bar{z}|\uparrow\rangle-\bar{w}|\downarrow\rangle$，这儿 $\bar{z}$ 和 $\bar{w}$ 是 z 和 w 的复共轭。（注释6）

[10] 有一种标准的实验仪器，称作斯特恩-盖拉赫仪的可以用来测量适当的原子的自旋。原子束被射入并通过一个高度非均匀性的磁场，而场的非均匀性的方向为测量自旋提供了方向。原子束被分裂成两束（对于半自旋的原子而言，若是原子具有更高的自旋，则会分裂成多束）。一束给出原子的自旋答案为**是**，另一束的答案为**非**。可惜的是，由于一种和我们目的无关的技术上的原因，使得该仪器不能用于测量电子的自旋。测量电子必须用一种更间接的方法。（见 *Mott and Massey 1965*。）由于种种原因，我宁愿不去特别提及在实际上如何测量电子自旋。

[11] 富有进取心的读者会介意去检验正文中的几何。最容易的办法是把我们的黎曼球面方向调整得使 α 方向为“向上”，而 β 方向在由“向上”和“向右”展开的平面上，也就是 β 方向由在黎曼球面上

的$q=\tan(\theta/2)$表出，然后用$\langle x|\Psi\rangle\langle\Psi|x\rangle/\langle x|x\rangle\langle\Psi|\Psi\rangle$来计算从$|\Psi\rangle$到$|x\rangle$的跃迁概率。参见注释6。

[12] 在数学上我们说，两个粒子的态矢量是第一个粒子的态矢量空间和第二个粒子的态空间的张量积。所以态$|x\rangle|\varphi\rangle$是态$|x\rangle$和态$|\varphi\rangle$的张量积。

[13] 沃尔夫冈·泡利是一位优秀的奥地利物理学家和发展量子力学的杰出人物。1925年，他以假设的形式提出了不相容原理。而对我们现在称作“费米子”的完整的量子力学处理是1926年由极具影响的富有创见的意大利（美国）科学家恩里科·费米和我们已提到过好几次的伟大的保罗·狄拉克发展的。费米子的统计行为按照所谓的“费米-狄拉克统计”，以与可区别粒子的经典统计“玻尔兹曼统计”相比较。玻色子的“玻色-爱因斯坦统计”是由著名的印度物理学家S.N.玻色和阿尔伯特·爱因斯坦于1924年在处理光子时发展的。

[14] 这是一个如此杰出和重要的结果，值得再给出另一种表述。假定在E测量仪中刚好有两个设置，向上[↑]和向右[→]，而P测量仪中有两个设置，向右上方45°[↗]和向右下方45°[↘]。如果E测量仪和P测量仪实际上分别使用设置[→]和[↗]来测量，那么两个测量仪相一致的概率为$\frac{1}{2}(1+\cos 135^\circ)=0.146\cdots\cdots$，比15%稍小一些。用这些设置进行长系列的试验，譬如得到：

E: **是非非是非是是是非是是非非是非非非非是是非……**

P: **非是是非非非是非是非非是是非是是非是非非是……**

“√”“√” “√”

给出刚好低于15%的一致性。我们现在假定P测量不受E设置的影响——使得如果E的设置为[↑]而不是[→]的话，P结果也刚好完全一样——这是由于[↑]和[↗]之间的角度和[→]和[↗]之间的一样，这样在P测量和新的E测量，譬如叫E'的测量之间的一致性就又应该刚好比15%低一点。另一方面，如果E设置和以前一样为[→]，但是P设置为[↘]而不再是[↗]，则E的结果和以前一样，但是在新的P，譬如称作P'的结果和原先

E结果之间的一致性只能刚好比15%低一点。由此推出，如果实际这样设置的话，则在P'测量[↘]和E'测量[↑]之间的一致性不会超过45%（等于15%加15%加15%）。但是在[↘]和[↑]之间的角度为135°而非45°，因此一致性概率应刚好比85%多一些，而不是45%。这是一个矛盾，它表明E测量的选择不能影响P的结果（或反之）的假定是错误的！我感谢大卫·莫明提供的这一个例子。正文中给出的例子引自于他的文章（*Mermin 1985*）。

[15] 更早的结果是弗里德曼和克劳塞（1969）在基于克劳塞、霍尼、希莫尼和霍尔特（1969）提出的思想上得到的。在这些实验中还有一点要提到，由于所用的光子探测器的效率比百分之百要低得多，所以在发射出的光子中只有相对少的部分在实际上被观测到。然而，即使用这些效率较低的探测器，测量结果和量子理论的一致性仍是如此完美，很难想象，何以使用更好的检测器会忽然产生比理论更坏的一致性！

[16] 量子场论似乎为不可计算性提供某种新的视界（参见*Komar 1964*）。

第7章

[1] 一些相对论“纯粹者”宁愿用观察者的光锥，而不用他们的同时空间。然而，这对此结论毫无影响。

[2] 这本书印出后，我发现到那时候两个人都早过世了，只能是他们遥远的后代再回过来“邂逅相遇”。

[3] 在恒星中从轻核子（例如氢核）合并成重核（例如氦核，或最终铁核）的过程会得到熵。同样的，地球上存在的氢中有许多“低熵”，我们总有一天可以利用其中一些，使之在“聚变”核电站中转化成氦。通过这种手段得到熵的可能性只是由于引力已经使得核集中到一起，从而使之离开那些逃逸到浩瀚的空间去的，现在

构成2.7开黑体背景辐射的多得多的光子（参阅410页）。该辐射中包含有比存在于通常恒星中的物质大得多的熵。如果它们完全集中到恒星物质中去，它能用以使大多数这些重核分解为构成它们的粒子！所以在聚变中得到的熵是“暂时的”，引力集中效应的存在才使之成为可能。将来我们会看到，尽管通过核聚变得到的熵和迄今直接通过引力得到的大多数情况相比是非常大——而黑体背景中的熵更巨大得多——这纯粹是局部和暂时的状态。引力的熵源比聚变以及2.7开辐射大到无与伦比的程度（参阅436页）！

[4] 可以把在瑞典的超深的钻井的最近证据解释为对于戈尔德理论的支持。但是，该结论是非常令人争议的，还存在另外的传统解释。

[5] 我在这里假定这是所谓的“第Ⅱ类”的超新星。若是“第Ⅰ类”的超新星，我们就再按照从聚变（参阅注释3）提供的“暂时的”熵获得来考虑。然而，类型Ⅰ超新星不太可能产生大量铀235。

[6] 我将具有零或负曲率的模型称为无限模型。然而，存在将这些模型“卷叠”使之成为空间有限的方法。这种不太可能和实际宇宙相关的考虑，不会太影响讨论，我不在此为之忧虑。

[7] 此信念的实验基础主要来自两类数据。第一，粒子以这种相关的速度相互碰撞的行为、反弹、分裂以及产生新粒子。这可从在地球上不同地点建造的高能粒子加速器，以及从由外空打到地球上的宇宙线的行为得知。其次，我们知道制约粒子相互作用方式的参数在10^{10}年内的改变量甚至小于$1/10^{6}$（参阅*Barrow 1988*）。这样，非常可能的情形是，从太初火球时代开始，它们根本就没有显著地改变过（或可能根本不变）。

[8] 泡利原理实际上不禁止一个电子和另一个电子待在同一“地方”，但是它禁止它们两个处于同一“态”——态牵涉到电子如何运动和自旋。这在实际论证中有一点微妙。它在第一次提出时引起了许多争议，尤其是来自爱丁顿的。

[9] 英国天文学家约翰·米歇尔早在1784年，以及稍后些拉普拉斯亦独立提出这样的论证。他们的结论是，宇宙中大多数的大质量和集中的物体，正如黑洞那样，也许的确完全看不见。但是他们预言式的论证是利用牛顿理论进行的，因此这些结论充其量只是在某种程度上可争论的。约翰·罗伯特·奥本海默和哈特兰德·斯奈德（1939）首次提出了适当的广义相对论的处理。

[10] 事实上，在一般的非静态黑洞的情形下，视界的准确位置不是某种可由直接测量确定的东西。它部分地依赖于在其将来会落入黑洞的所有物质的知识。

[11] 见*Belinski*，*Khalatnikov and Lifshitz*（1970）和*Penrose*（1979b）的讨论。

[12] 将引力对系统熵的贡献用整个外尔曲率来测度是诱人的，但何种测度才合适仍不清楚。（一般来说，需要具有某种古怪的非局部性质。）幸运的是，这种引力熵的测度对于现在的讨论不必要。

[13] 现在存在一种众所周知的观点，称之为“暴胀模型”。它的目的是为了解释，譬如讲宇宙在大尺度下的均匀性。根据这个观点，宇宙在其极早期遭受到一个巨大的膨胀——其膨胀数量级比大爆炸模型中的“通常”膨胀大得多。其想法是，任何无规性都被这个膨胀所抹平。但是，如果没有某种更巨大的初始限制，例如由外尔曲率假设所提供的限制，暴胀不会发生。它并没有引入时间不对称的因素，用于解释初始和终结奇性之间的不同。并且它是基于不牢固的物理理论——GUT理论——按照第5章的分类法——其状况并不比尝试类更好些。可参阅彭罗斯（*Penrose* *1989b*）在本章观念的框架中，对“暴胀”的批评。

第8章

[1] 流行的修正包括有:(i)实际上改变爱因斯坦方程**里奇**=**能量**(通过“高阶的拉格朗日量”);(ii)把时空的维数从四维改变成高维(诸如在所谓的“卡鲁查-克莱因类型理论”中);(iii)引入“超对称”(一种从玻色子和费米子的量子行为中借来的思想),结合成一个更广泛的方案,并将其(不是完全逻辑地)应用于时空坐标;(iv)弦理论(目前流行的激进方案),用“弦历史’来取代“世界线——通常和观念(ii)和(iii)相结合。不管它们是多么流行以及表达得多么有力,所有这些设想,按照第5章的分类,肯定应被归于**尝试**类中。

[2] 虽然量子化过程不总能保持经典理论的对称性(参阅*Treiman 1985*,*Ashtekar et al. 1989*),这里所需要的是所有四种通常表为T,PT,CT和CPT,对称的破坏。这似乎(尤其是CPT破坏)是在传统量子方法的能力之外。

[3] 就我所知,霍金目前为这事提供量子引力解释的设想中就隐含了这种观点(*Hawking 1987*,*1988*)。哈特尔和霍金(1983)关于初态量子引力起源的提议也许能给予初始条件**外尔**=0一些理论实质内容。但是(依我的意见),这些观念目前还没有把根本的时间不对称引入进去。

[4] 按照在第6章注释6给出的标量积的运算 $\langle\Psi|\chi\rangle$ 来看这些事件将更加透彻。我们在时间向前的描述中计算概率p为

$$p=|\Psi|\chi\rangle|^{2}=|\langle\chi|\Psi\rangle|^{2},$$

而在时间向后的描述中为

$$p=|\langle\chi'|\Psi\rangle|^{2}=|\langle\Psi'|\chi'\rangle|^{2}。$$

从 $\langle\Psi'|\chi'\rangle=\langle\Psi|\chi\rangle$ 得出上面两种结果必须是一样的。$\langle\Psi'|\chi'\rangle=\langle\Psi|\chi\rangle$ 的本质是说“幺正演化”。

[5] 有些读者也许很难了解,当未来事件已定,要问过去事件的概率能有什么意义!然而,这不是根本的问题。想象描述在时空中的宇宙整个历史。为了求在q发生情况下,p发生的概率,想象考察在所有的q发生的情形下,计算所有这些中伴随有p发生的部分。

这就是所需的概率。q是否发生于比p更晚或更早无关紧要。

[6] 这些必须是所谓的纵向引力子——“虚”引力子，它构成了恒定引力场。不幸的是，想以一种清晰明了和“不变的”数学方式来定义这种东西，有些理论性的问题。

[7] 我自己原先计算这个数值的粗略方法被阿拜·阿斯特卡大大改善。我在这里用他的数值（见*Penrose 1987a*）。然而，他向我强调，在人们似乎必须使用的一些假设中存在大量的任意性，所以在采用所得到的精确质量值时必须相当小心。

[8] 在文献中时时出现其他不同的尝试，企图为态矢量的缩减提供客观理论。最相关的是卡拉里哈奇（1974），卡拉里哈奇、佛伦克尔和路卡克斯（1986），柯玛（1969），珀尔（1985，1988），吉拉尔迪、雷米尼与韦伯（1986）。

[9] 我本人多年来致力于发展称之为“扭量理论”的时空的非定域理论，主要是从其他方向引发的（见*Penrose and Rindler 1986*，*Huggett and Tod 1985*，*Ward and Wells 1990*）。然而，这个理论至少缺乏某些重要的部分，所以不适合于在此进行讨论。

第9章

[1] 在一次英国广播公司的演讲；见*Hodges 1983*，419页。

[2] 第一次这类实验是对猫进行的（参考*Myers and Sperry 1953*）。有关头脑分裂实验的进一步情形，见*Sperry 1966*，*Gazzaniga 1970*，*Mackay 1987*）。

[3] 关于视皮质功能研究的可读文献，见*Hubel 1988*。

[4] 见*Hubel 1988*，221页。更早的实验曾记录到只对一只手的图像有感应的细胞。

[5] 现在已确立的理论认为神经系统由分开的个别细胞(即神经元组成,它是由伟大的西班牙神经解剖学家拉蒙·卡哈尔在1900年左右大力倡导的。

[6] 事实上,所有的逻辑门都可仅仅由"~"和"&"构成[甚至只要用一个运算~($A\&B$)就够了]。

[7] 事实上,利用逻辑门比利用第2章内详细考察的图灵机更接近于制造电子电脑。那一章强调图灵方式是基于理论上的原因。杰出的匈牙利/美国数学家约翰·冯·诺依曼和阿伦·图灵的研究对实际电脑的发展的贡献可谓旗鼓相当。

[8] 这些比较在许多方面是误导的。电脑中绝大多数晶体管和"记忆"而不是和逻辑运算有关。而且,电脑记忆总是可以从外界在本质上无限地扩展。随着平行运算的增加,比现在正常情形下更多的晶体管可直接涉及逻辑运算。

[9] 在多伊奇的描述中喜欢用量子理论"多世界"观点。但是要紧的是要明白,了解采取什么观点不是主要的。不管人们采用哪一种标准量子力学观点,量子电脑的概念一样合适。

[10] 如果允许"经典"构件为整个齿轮、轴等,则这个评论不适用。我在这里是取通常的(例如,点状或球状的)粒子为构件。

第10章

[1] 我们在第4章153页已经看到,一个形式系统中的证明,检查证明的有效性总是算法的。反过来,任何产生数学真理的算法总能和公理以及平常逻辑("谓词演算")的步骤法则相联合,进而为推导数学真理提供一个新的形式系统。

[2] 数学家中的确存在不同的观点,一些读者会被这事实所困扰。回顾一下第4章的讨论。然而,我们不必过于关心它们之间存在的

差别。它们只与非常大集合的神秘问题有关，而我们可以把注意力集中于算术命题（具备有限数目的存在和普遍量词的），这样前面进行的讨论就可以适用。（用于无限集合的反射原理有时可被用于推导算术命题，也许这说得有点过分了一些。）对于甚至宣称不承认存在所谓数学真理而有哥德尔免疫的教条形式主义者根本不予理睬，因为他显然不具备这个讨论中用以预言真理的品质！

数学家当然有时候会犯错误。图灵本人似乎相信，这是哥德尔类型论证反对人类思维为算法的“漏洞”所在。但是依我看来，人类易错不太可能是人类洞察的关键！（而且用算法方式都能非常接近地模拟任意随机物的行为。）

[3] 只有到了很晚，大约1968年（多半由于美国物理学家约翰·A. 惠勒预言性的思想）“黑洞”这术语才被广泛使用。

[4] 我认为，动物需要睡眠，在睡眠中它们有时显得会做梦（经常可以从狗身上注意到这一点），这个事实是它们具有意识的证据。意识因素似乎是做梦和无梦睡眠之间的差别的重要部分。

[5] 在狭义或广义相对论的情形下，“时间”之处应读成“同时性空间”或“类空表面”（258页，275页）

[6] 然而，在空间无限的宇宙有一个例外，由于那样的话，在一个人和他紧邻的环境中会有这一切无数的复本（和多世界的情况相当像）！每一复本的未来行为可以稍有不同，而人们将永远不会完全清楚，他实际上是“在”数学模型中的相互近似的哪一个复本中！

[7] 甚至某些实际晶体的成长也会涉及类似问题，例如在所谓的弗兰克-卡斯帕态中，当基本晶胞涉及几百颗原子时。在另一方面，应该指出，小野田、斯特恩哈特、迪温琴佐和索科拉（1988）提出了一个五重对称准晶体，在理论上“几乎局部的”（虽然仍然不是局部）的生长步骤。

跋

“…… 感觉像是？嗯 …… 一个最有趣的问题，我的年轻人。嗯 …… 我宁愿自己知道答案，”这位总设计师说道，“让我们来看看我们的朋友对这问题怎么说 …… 真奇怪 …… 呃 …… 超子电脑说它不知道 …… 它甚至不能理解你在做什么！”会堂里的笑浪声终于爆发成大笑。

亚当感到非常难为情。不管他们做出什么，他们都不应当笑啊！

在版编目（CIP）数据

新脑 /（英）罗杰·彭罗斯著；许明贤，吴忠超译．— 长沙：湖南科学技术出版社，2018.1
24.10 重印）
一推动丛书．综合系列）
978-7-5357-9444-4
)皇… Ⅱ．①罗… ②许… ③吴… Ⅲ．①人工智能—普及读物 Ⅳ．① TP18-49
版本图书馆 CIP 数据核字（2017）第 212884 号

科学技术出版社通过安德鲁·纳伯格联合国际有限公司获得本书中文简体版中国大陆独家出版
权
权合同登记号 18-2016-109

UANGDI XINNAO
帝新脑

者
英］罗杰·彭罗斯
者
明贤 吴忠超
版人
晓山
任编辑
永平 吴炜 戴涛 杨波
帧设计
年 李叶 李星霖 赵宛青
版发行
南科学技术出版社
址
沙市芙蓉中路一段416号
富国际金融中心
址
tp://www.hnstp.com
南科学技术出版社
猫旗舰店网址
tp://hnkjcbs.tmall.com

邮购联系
本社直销科 0731-84375808
印刷
长沙超峰印刷有限公司
厂址
宁乡县金州新区泉洲北路 100 号
邮编
410600
版次
2018 年 1 月第 1 版
印次
2024 年 10 月第 9 次印刷
开本
880mm × 1230mm 1/32
印张
19.75
字数
414 千字
书号
ISBN 978-7-5357-9444-4
定价
89.00 元